*Jedyna
w swoim
rodzaju*

TEJ AUTORKI:

Kochany Diego, całuje Cię Quiela

ELENA PONIATOWSKA

Jedyna w swoim rodzaju

Z języka hiszpańskiego przełożyła
Magdalena Olejnik

WYDAWNICTWO
SONIA DRAGA

Esta publicación fue realizada con el estímulo del Programa de Apoyo a la
Traducción (PROTRAD) dependiente de instituciones culturales mexicanas.
Publikacja otrzymała wsparcie w ramach Programu Dofinansowania
Przekładów PROTRAD, zarządzanego przez instytucje kultury Meksyku.

Projekt graficzny okładki: Mariusz Banachowicz

Redakcja: Jolanta Olejniczak-Kulan
Korekta: Mariusz Kulan, Anna Just

ISBN: 978-83-7999-705-3

WYDAWNICTWO SONIA DRAGA Sp. z o.o.
Pl. Grunwaldzki 8-10, 40-127 Katowice
tel. 32 782 64 77, fax 32 253 77 28
e-mail: info@soniadraga.pl
www.soniadraga.pl
www.facebook.com/wydawnictwoSoniaDraga

Skład i łamanie:
Wydawnictwo Sonia Draga

Katowice 2016. Wydanie I

Druk:
Drukarnia im. A. Półtawskiego, Kielce

Dla Cristóbala Hagermana Haro,
mojego mistrza

MEKSYK LUPE MARÍN

W 1976 roku przeprowadziłam wywiad z Lupe Marín w jej domu przy Paseo de la Reforma 137. Plon tamtej długiej rozmowy ukazał się w postaci wywiadu w „Novedades" 10 lutego tego samego roku. Wiele lat wcześniej, 26 lutego 1964 roku, również dla „Novedades", spotkałam się z córką Lupe, architekt Ruth Riverą Marín, a 17 grudnia 1969 roku, nazajutrz po jej śmierci dziennik ten opublikował mój artykuł *Ruth Rivera, pożegnanie gwiazdy betlejemskiej*.

22 maja 1997 roku odwiedził mnie Antonio Cuesta Marín, syn Lupe Marín. Ilekroć przyjeżdżał do stolicy Meksyku z Tlaxcali, przywoził mi do domu kopie martwych natur Fridy Kahlo w nadziei, że uda mi się je odsprzedać (zadanie, do którego okazałam się całkiem niewłaściwą osobą). Pokazywał mi także rzemieślnicze wyroby z gliny, z włókien jukki lub agawy, repliki kodeksów i czasem jakieś wyrzeźbione w drewnie drobiazgi. Nie potrafiłam oprzeć się wrażeniu, że jego los naznaczony jest cierpieniem.

Na przestrzeni dwóch lat, między 1997 a 1999 rokiem, rozmawiałam wiele razy z wnukami Lupe: Juanem Pablem Gómezem Riverą, Diegiem Julianem Lópezem Riverą, Ruth Maríą Alvarado Riverą, Pedrem Diegiem Alvarado Riverą i Juanem Coronelem Riverą. Zachowuję poruszające wspomnienie o Ruth, chyba jedynej kobiecie, która zawsze zdawała mi się bezbronną dziewczynką. Mieszkała na terenach wulkanicznych w pobliżu Anahuacalli ze swoim synkiem Diegiem Maríem. Niemal wszystkie wnuki Diega Rivery, a także ten wspomniany właśnie prawnuczek, noszą jego imię odciśnięte głęboko w duszy, niczym nieusuwalne piętno lub łańcuch z kłódką, do której klucz dzierży, na dobre i złe, ich legendarny dziadek.

Miałam też okazję porozmawiać z wieloma osobami, które znały i kochały Lupe Marín, ludźmi takimi jak Miguel Capistrán, Concha Michel, Juan Soriano i Chaneca Maldonado.

Wiele lat później, widząc, jak wiele materiału nagromadziłam, postanowiłam napisać powieść o tym Meksyku, w którym Lupe Marín – żona Diega Rivery, a potem Jorge Cuesty – odegrała nieoczekiwaną rolę i stała się – podobnie jak Frida Kahlo – postacią legendarną. Niezależnie jednak od Fridy, Lupe Marín lśniła własnym blaskiem. Czemu powieść? Bowiem relacje osób, z którymi rozmawiałam, miały w sobie coś surrealistycznego, a także dlatego, że zarówno *Po dwakroć jedyna*, jak i *Leonora* czy *Tinisima*[1] mogą stanowić punkt wyjścia dla prawdziwego biografa, który zapragnie wskrzesić życie i dzieło fundamentalnych dla meksykańskiej historii i literatury postaci.

W czasie gdy pracowałam nad tekstem, pojechałyśmy wraz z Sonią Peñą do Cuernavaki porozmawiać z Rafaelem Coronelem, drugim mężem Ruth Rivery Marín, a potem do Tlaxcali na spotkanie z pisarzem Wilebaldem Herrerą, przyjacielem i protektorem Antonia Cuesty Marína. Na plantacji trzciny cukrowej El Potrero w Córdobie Marduck Obrador Cuesta, wnuk don Néstora Cuesty z jego drugiego małżeństwa, nie tylko opowiedział mi o szczegółach z życia Jorge Cuesty, lecz ponadto pokazał książki, które do niego należały. W mieście Meksyk Horacio Flores Sánchez naszkicował z uwielbieniem i nostalgią cechy swojej przyjaciółki i towarzyszki w Akademii Sztuk Pięknych, Ruth Rivery Marín. Wspaniałomyślny Víctor Peláez Cuesta, syn Natalii Cuesty Porte-Petit i siostrzeniec Jorge Cuesty, nie wahał się wypełniać luk i odpowiadać na pytania, ilekroć przyjeżdżał z Kanady, by rozmawiać o życiu i dziele swojego wuja Jorge w związku z przygotowywaną przez niego książką o rodzie Cuestów. W swoim domu w Coyoacán Arturo García Bustos

---

[1] Tytuły książek Eleny Poniatowskiej o losach dwóch malarek tworzących w Meksyku: *Tinisima* – Tiny Modotti, *Leonor* – Leonory Carrington (wszystkie przypisy pochodzą od tłumacza).

i Rina Lazo wspominali Diega i Fridę, a Martha Chapa przyjechała do mnie, przepełniona szacunkiem, i zdała relację z czasu spędzonego u boku Lupe. Przeprowadzone na przestrzeni wielu lat liczne wywiady z Guadalupe Riverą Marín, starszą córką Diega i Lupe, dokumentują jej mądrość, przenikliwość i wielką miłość do ojca. Ukończoną powieść *Po dwakroć jedyna* dałam do przeczytania Lupe Riverze Marín i Juanowi Coronelowi.

Dlaczego powieść? Kiedy przyjechałam do Meksyku w 1942 roku, ze zdumieniem stwierdziłam, że na mapie Republiki Meksykańskiej, z której uczą się dzieci w szkole podstawowej, było wiele pomalowanych na żółto pustych miejsc, niezbadanych terytoriów czekających, aż ktoś je odkryje. Przybywałam z Francji, gdzie ogrody są wielkości chusteczki do nosa i gdzie się uprawia najmniejszy skrawek ziemi. Chciałam udokumentować mój kraj nie tylko poprzez jego rzeki, jak Papaloapan, czy jego muzyków *jaraneros* przygrywających pod arkadami Café de la Parroquia, lecz także przez jego postacie, które same w sobie stanowiły już barwne i niejednoznaczne terytorium: Carlos Pallicer, Tabasco; José Revueltas, Durango; Lupe Marín i Juan Soriano, Jalisco; Diego Rivera, Guanajuato; Octavio Paz, Mixcoac (w stolicy); Guillermo Haro, Puebla, a raczej Tonantzintla.

Zagłębianie się w geografię Lupe Marín to jak wskrzeszanie rewolucji meksykańskiej z jej nieostygłymi jeszcze lufami karabinów, stolika do szycia z maszyną Singera, igieł i nici, mirtów, szaleństwa Contemporáneos[2], wielkiego Lázara Cárdenasa i przeprowadzonego przezeń heroicznego wywłaszczenia złóż ropy naftowej. To spacer po targu Merced, do Monte de Piedad, Banku Pobożnego przy Zócalo, do Ministerstwa Edukacji przy ulicy Argentina w Centro Histórico. To uchylenie drzwi do okazałego gabinetu Narcisa Bassolsa i rzut oka na jego socjalistyczną edukację, wychylenie się z balkonu w Palacio Nacional w huku sztucznych ogni i rac, błysk świateł w Noc Krzyku 15 września[3]. Pochylenie się nad Lupe to odszyfrowywanie

---

[2] Contemporáneos – działająca na początku XX wieku meksykańska grupa literacka skupiona wokół czasopisma o tej samej nazwie.

[3] Noc Krzyku – *Grito de Dolores*, meksykańskie święto narodowe obchodzone 15 września, upamiętniające odzyskanie niepodległości.

biblii zapisanej w muralach Trzech Mistrzów[4], ale także mineralny bóg Cuesty[5] pod rękę z José Gorostizą i „niezgrabne kuśtykanie po omacku przez błota" w niekończącej się śmierci[6]. Lupe wymieniła ramiona giganta, który wspiął się na rusztowania, na objęcia zrozpaczonego poety i alchemika poruszającego się – jak sam pisze – „w rachitycznym środowisku intelektualnym".

Lupe Marín zawsze była terenem żyznym i niezmierzonym, niekiedy wysuszonym, innym razem burzliwym i okrutnym, nigdy płaskim czy nijakim. Poznać ją to odkryć ukrytą część owej straszliwej łamigłówki, jaką jest Meksyk.

[4] Mowa o trzech najważniejszych muralistach meksykańskich: Diegu Riverze, José Clemente Orozco i Davidzie Alfaro Siqueirosie.

[5] Nawiązanie do wiersza Jorgego Cuesty *Canto a un dios mineral* (*Pieśń do mineralnego boga*).

[6] Aluzja do wiersza José Gorostizy *Muerte sin fin* (*Śmierć bez końca*), z którego pochodzi przytoczony cytat.

ROZDZIAŁ 1

RAJ

Guadalupe podchodzi do niego, jego czerwone niczym cząstki grejpfruta wargi są tak pełne, że ciążą, Diego rozplata założone na brzuchu dłonie, otwiera ramiona i zagarnia ją całą, równie jak on wysoką, równie jak on zachłanną.

– Czyżby wszystkie te owoce były twoje?

Dokładnie tak, wszystkie owoce należą do Diega Rivery, światło kładące się na melonach i pomarańczach też jest Diega Rivery, delikatny meszek pokrywający brzoskwinie i skórka winogron to również jego własność. Od tamtego dnia Lupe pożera malarza, którego wyciągnęła sobie z tacy pełnej arbuzów, mango, bananów i ananasów. Zagłębia kły, połyka, zlizuje miód z długich palców i ociera usta dłonią, duże olmeckie usta, mocne i władcze.

– Zjadłam wszystko.

– Wszystko – potwierdza malarz.

Julio Torri przygląda się scenie w osłupieniu zza swoich okrągłych okularków, tłumaczy się przed Diegiem:

– Prosiła mnie, żebym ją przyprowadził: „Zabierz mnie do niego, bo to będzie mój mąż". Nie przypuszczałem, że tak szybko przejdzie do konsumpcji.

Widząc, że Diego się uśmiecha, Lupe chwyta banana, obiera go ze skórki, potem otwiera owoc flaszowca o odurzającym zapachu.

– Słyszeliście, jaki odgłos wydają upadające na ziemię flaszowce? – pyta. – Pięknie spadają.

A ona? Też pięknie spadnie?

Zjada owoc, wbijając zęby w jego miąższ, tak że sok ścieka z kącika ust. Czegoś takiego Diego jeszcze nie widział. Patrzy w grynszpanowe oczy, a może raczej niebieskie? Wpatruje się w długą szyję i płaską pierś Lupe. Słodki nektar płynie aż do zagłębienia brzucha, ciekne po udach, długich nogach. Kiedy jednym ruchem dziewczyna rozłupuje jabłko, Diego słyszy echo chrupnięcia aż gdzieś głęboko w sercu. W samych trzewiach. „Zaraz zarży". Ale to nie rżenie spada nań niczym grom, lecz dłoń wyciągająca się ku niemu. Ta dłoń to szpon i czarci rękodrzew, pęd winorośli, kłącze, kurza łapka z ostrogami, prastara muszla morska, gałązka marihuany, brezylka.

Na tacy z owocami zostają już tylko pestki. Lupe, niczym wdzięczne zwierzątko, pokazuje Diegowi różowe dziąsła:

– Zjadłabym drugą taką…

– Jak chcesz, pójdziemy po następną.

Julio Torri – karzełek pomiędzy gigantami – przeciera okulary.

– No dobrze, Lupe, chciałaś go poznać, więc już ci go przedstawiłem – żegna się.

Diego bierze glinianą misę: „Napełnimy ją na targu Merced".

Schodzą na dół z pracowni mieszczącej się wysoko na górze w podupadłym budynku Colegio Máximo de San Pedro y San Pablo, dawnym Colegio de San Gregorio, obok Amfiteatru Bolivara, idą ramię w ramię, owoc w owoc. Diego porusza się powoli, ciężko, łagodnie, bez pośpiechu, ciąży ku ziemi niczym gruboskórny zwierz.

Na spotkanie wychodzą im napęczniałe sałaty zroszone wodą, kapusty, rzodkiewki, blada żółć gujaw, słoneczny pomarańcz mandarynek, przepołowione buraki, których barwa utknęła gdzieś pomiędzy purpurą a fioletowoniebieskim, delikatna zieleń lucerny, służącej za podściółkę innym warzywom, głęboka szmaragdowa zieleń ogórków, żółć cytryn, karmazynowa lub krwista czerwień najdojrzalszych truskawek, niebieskie indygo bibułki, z której wychylają się nadesłane z Oregonu, a przez to droższe gruszki. Lupe waży w ręku owoc flaszowca peruwiańskiego, ściska, aż miąższ tryska, prosi sprzedawczynię *jicamy* o sól.

– Dla mnie *jicama* z cytryną, na pewno mają tu solniczkę – zapewnia Diego.

Faktycznie, mają.

– *Jicama*, marchewka i truskawki, oto moja dieta – oświadcza Diego i zagarnia cały targ ruchem ramienia. – Wszyscy ci ludzie są moi. Patrz na tę straganiarkę o oczach w kolorze winogron. Cała, calutka wyląduje na moim muralu.

Lupe idzie wielkimi krokami, a Diego obserwuje jej długie nogi, duże stopy.

Nasycona bestia patrzy z wdzięcznością na wielkiego mężczyznę u swojego boku.

– Wiesz co? W Guadalajarze mama wysyłała mnie po chleb na podwieczorek, a ja byłam już wtedy strasznie głodna. Rzucałam monety na cynkową ladę i zaraz w drodze powrotnej otwierałam torebkę, wyciągałam słodkie bułki, no wiesz, *conchas*, i zlizywałam z nich cały cukier. Byłam tak głodna, że wcale mnie nie obchodziło, czy ktoś mnie zobaczy.

Dla swoich sióstr, Justiny, Victorii, Maríi, Carmen, Mariany i Isabel, Lupe jest fenomenem. Zbyt wysoka, zbyt śniada. „Ale czarnulka z tej naszej Lupe, prawda? Jesteśmy potomkami Hiszpanów, ale ją przynieśli ze składu węgla". W oczach Lupe siostry to pulchniutkie pączuszki bez iskry, którym do głowy nie przyjdzie wyjść na ulicę, żeby zagrać w kulki. Nigdy się nie brudzą, ani nie drą sukienek, nie skaczą na skakance, nie biją się z chłopakami, nie włażą na drzewa, nie podkradają kwitnących gałęzi z Parku Escobedo. Co prawda, omija je dzięki temu manto końskim batem.

Wspomnienia wytryskują z Lupe jak wcześniej sok z przepołowionego jabłka.

„Patrz tylko na chudą, jak to się bisurmani na chodniku". Co to takiego bisurmanić się? „Widziałaś, jakie ma giry? Tata nie może znaleźć dla niej butów, bo ma za wielkie stopy. Dlatego donasza buty po Celsie". „Ciekawe, czy w końcu wyrośnie z tych kudłów i przestanie być taka ciemna".

– Wiesz co, Diego? Matka też mnie nie kochała, zawsze raziło ją wszystko, co robiłam, jak mówiłam, jak chodziłam. „Lupe, skocz no na targ, tylko przynieś resztę". Wyprawa na targ choćby po marne kilka pomidorów to było prawdziwe święto. Dzisiaj ty jesteś dla mnie takimi kilkoma pomidorami.

Diego nigdy w życiu nie widział podobnych ust, wpatruje się uważnie w jej wargi.

– *Marchantita*, kochaniutka, te małe banany *dominicos* są lepsze niż tamte duże… – woła do straganiarki.

Lupe połyka je w całości. Zafascynowany Diego patrzy, jak zakrywa rękoma usta. „To prehistoryczne zwierzę".

– Nigdy nie mam dosyć, jak mi nie przeszkodzisz, to zjem cały targ.

A jakie dłonie ma Lupe! Obok nich rąk Diega praktycznie nie widać; jej dłonie są pięć razy większe, z krótkimi, twardymi paznokciami, wiecznymi niczym morskie muszle. To orle szpony, mogłyby porwać go w powietrze. Jego, takiego olbrzyma. Gdyby uwiesił się na tych rękach, udusiłyby go? Lupe potrząsa nimi, żeby strzepnąć sok, nieskończenie długie palce tańczą bezwolnie, w oczach migają prześwitujące paliczki, wypukłe kostki i wystające stawy jak w karykaturach José Guadalupy Posady.

Diego z początku wydał jej się „przeraźliwym monstrum i paskudnikiem"; teraz zaczyna jej się podobać, już za parę dni będzie ją śmieszyć jego brzuszysko, opadające skarpety, brudne buty, przykrótkie spodnie, kapelusz z obwisłym rondem i laska z Apizaco. Cholerka, w końcu to Diego Rivera: może sobie robić, na co mu przyjdzie ochota, i ubierać się, w co zechce. Rivera nosi ciuchy, które kupuje u handlarzy wykładających swój towar w stertach na chodniku, a koszule nabywa od żołnierzy w Lagunillii.

– Jemu pasują te szmaty, a tobie twój garniturek z krawacikiem – zapewnia później Lupe Julia Torriego w wiecznie zaparowanych okularach. – Ostatecznie Diego to król Meksyku.

– Chyba *tlatoani*[7].

---

[7] *Tlatoani* (nahuatl) – tytuł przysługujący najwyższym władcom wśród ludów Nahua.

ROZDZIAŁ 2

GNIADA MULICA

Diego pilnuje się, by nie przerywać Lupe, fascynują go jej notorycznie rozchylone wargi i chrapliwy oddech. Lupe milknie, lecz nie domyka ust w oczekiwaniu na odpowiedź. Gdy się złości, wygląda jeszcze piękniej, a ponieważ zdarza się to często, Diego nie spuszcza z niej oka. Wszystko w Lupe jest instynktowne. Diego poznał wiele rezolutnych kobiet, ale żadna nie może się z nią równać, to intuicja w czystej postaci.

Jak dobrze iść pod ramię z tym wielkoludem, za którym wszyscy się oglądają!

Czemu opowiada mu swoje życie? Czy przez wzgląd na dobroć bijącą z jego oczu? A może dlatego, że już zdążyła się zakochać? Wszystkie jej siły witalne koncentrują się na Diegu, będzie jej wybawcą.

– Ale miałaś chujowe dzieciństwo, Lupe! Chodźmy na Merced napełnić koszyk.

Słodycz owoców zastępuje brak miłości w dzieciństwie.

– Słuchaj, grubasie, jesteś największym malarzem Meksyku czy świata?

– Świata, Lupe, oczywiście, że świata.

– Nawet Japonichin?

– Nawet Japonii i Chin.

– To Japonichiny nie są jednym krajem?

– Nie.

– To czemu śpiewają coś takiego: „Z Japonii, Chin najedz się bździn"?

– Takie masz wyobrażenie o geografii, Lupe?

– A jesteś bogaty? – zmienia temat.

– Nie.

– O, to fatalnie, bo ja nienawidzę biedy! Od dziecka chodziłam przez nią bez butów, nigdy nie mogłam nikogo zaprosić do domu. Nas też zresztą nikt nie zapraszał, bo biedaków nikt nie lubi. Pocieszało mnie jedynie, że na targu Corona straganiarki dawały mi czasem garść solonych orzeszków. Gdy dowiedziałam się, że moja siostra María wyszła w stolicy za mąż, postanowiłam cię odnaleźć i ją przebić. Złowiła sobie malarza Carlosa Orozco Romero. Ale ty jesteś lepszy, prawda?

Diego słucha łapczywie, jakby został widzem niezwykłego przedstawienia, Lupe wspiera się na jego ramieniu. Dziwi ją niepomiernie, że ta stojąca obok wielka i gruba góra zakończona jest maleńkimi rączkami. Diego trzyma w nich szkicownik i rysuje tragarza, sprzedawczynię kalii, synka śpiącego w chuście na jej plecach niczym jedna kalia więcej, na sekundę przed rozkwitnięciem. Lupe przyłącza się do grupki pełnych podziwu gapiów, którzy otaczają Diega. Szkicuje stragan z rzodkiewką, z pomidorami. W jego wyłupiastych oczach nie ma cienia złośliwości. „To poczciwy grubas, nigdy nie zrobi mi krzywdy", zwierza się Lupe sprzedawczyni cukinii. Grubas rysuje także i ją: Lupe od przodu i z profilu, jej odstające uszy, słowa, które wydymają lub zaciskają jej olmeckie wargi, i te dłonie, w szczególności te dłonie, które czynią ją wyjątkową. Ta kobieta to klacz, nie, raczej mulica, ze względu na maść, na wspaniałość jej zadka, skórę, która nie marszczy się na łokciach, gładkie kolana, wypolerowane niczym dwie pestki awokado, włosy jak gorący asfalt, trudną do sklasyfikowania niebieskawą zieleń oczu. Lupe patrzy na niego niczym drapieżny ptak zawsze gotowy do ataku. Wygraża jej palcem: „Gniada Mulica, do tego wielka cwaniara", a ona zgina szyję, godzi się.

Kiedy Lupe poznaje Diega, myśli sobie, że obok niego wystarczy jedynie wyciągnąć rękę.

Malarz odprowadza ją do domu kuzynek Preciado, tuż obok placu Garibaldiego. Wcześniej wszyscy zwracali uwagę na jej zielono-szare tęczówki otoczone czarną obwódką, kocie oczy, oczka wodne, oczy zdradzieckie, oczy świadome własnej wartości; Diego natomiast wpatruje się w jej dłonie. „Chcę cię namalować w Amfiteatrze Bolívara, Gniada Mulico. Kiedy będziesz mi pozować?"

Pozowała mu już Palma Guillén (wytypowana przez donę Marię del Pilar Barrientos, matkę Diega, na żonę dla niego); Lupe Rivas Cacho, aktorka, do której Diego ma wielką słabość; Julieta, żona krytyka Jorge Juana Crespo de la Serny; Carmen Mondragón, Carmencita; María Asunsolo, kuzynka Dolores del Río; Graziella Garbalosa, Kubanka z pochodzenia, „tryskająca tropikalną zmysłowością", i wreszcie dwie towarzyszki z Partii Komunistycznej: Luz González, która potem będzie sekretarką Inés Amor w Galerii Sztuki Meksykańskiej, i Concha Michel, wędrowna śpiewaczka.

Powołany przez ministra edukacji José Vasconcelosa Roberto Montenegro jako pierwszy zaczyna malować w kościele pod wezwaniem świętych Piotra i Pawła. Szaleje za Gabrielą Mistral i Bertą Singerman, sportretuje je później w wielkim biurze Vasconcelosa. Ten oddaje Riverze do dyspozycji korytarz i salę na dziewięćset osób z organami wmurowanymi w centralną ścianę. Tutaj organizowane są koncerty i wieczory poezji przybyłej z Buenos Aires Argentynki Berty Singerman.

„Mógłbyś namalować *Stworzenie*", doradza Roberto Montenegro. Diego decyduje się na enkaustykę, technikę, w której farbę miesza się z pszczelim woskiem i żywicą, a jej nakładanie przysparza wiele trudu.

– Co zrobisz z organami? – pyta znów Montenegro.

Organy przecinają przestrzeń; nie ma szans, żeby je usunąć. „Uciszę je kobietami", odpowiada Diego i nad głowami swoich modelek umieszcza aureole z bizantyjskiej mozaiki z Rawenny. Zmienia rury organów w pień drzewa życia. Chrześcijańskie symbole, Muzykę, Siłę, Miłosierdzie, Pieśń, Taniec, Sprawiedliwość, Umiarkowanie ubiera w tuniki, nad ich głowami wiszą złociste kręgi. Carmen Mondragón, emanująca ogromną siłą niespokojnych oczu Carmencita, którą Gerardo Murillo tworzący pod pseudonimem Dr Atl przemianuje potem na Nahui Ollin, wyobraża Poezję. Lupe, Kreolkę z Jalisco, ustawia za nagą kobietą o twarzy fauna. Okrywa ją czerwoną chustą.

W tym samym Piotrze i Pawle na rusztowaniach pod drugą ścianą José Clemente Orozco oświadcza, że mural Diega jest kiepski, „prawdziwa nędza". „Jaki związek ma ten mural z Meksykiem? Żadnego".

Diego prosi Lupe, żeby poszła z nim do Carlosa Braniffa, który mieszka przy Paseo de la Reforma. Lupe nie onieśmiela wersalski ogród, marmurowe podłogi, stadko kelnerów w białych uniformach, którzy kręcą się z tacami wokół gości. Braniffa bawią krwawe historie Diega, hołubi nawet jego pistolet. Dla Lupe jedyne, co się teraz liczy, to konfrontacja z Rivas Cacho, którą Diego oklaskuje w Teatrze Lirycznym i całuje w garderobie. „Przecież to jakaś pluskwa, nie sięga mi do pięt", myśli Lupe czerwona z zazdrości.

Guadalupe Rivas Cacho ma grupę oddanych fanów, których nazywa swoimi „chudopachołkami". Diego co wieczór przychodzi do Lirycznego, by zobaczyć, jak aktorka porusza się w rytm cza-czy *„¡Vacilón, qué rico vacilón!"*.

„Nie czekaj dłużej, złap kij i bij, wyceluj, uderz, po to masz kij", śpiewają chórem goście Braniffa, gdy przychodzi czas na rozłupanie *piñaty*, bo dorośli lubią bawić się jak dzieci. Lupe zaczaja się na jednego z kelnerów i ni stąd ni zowąd prosi go: „Może mi pan przynieść na chwilkę nóż?", i choć zaskakuje go tą prośbą, chłopak spełnia ją niezwłocznie. Lupe szuka wzrokiem sznura, na którym wisi *piñata*, a w chwili gdy Rivas Cacho stoi równo pod garncem, przecina sznur i wszystko spada na głowę aktorki. Oniemiali goście patrzą, jak Lupe rzuca się na Diega z kijem do *piñaty*.

– Patrz tylko, co zrobię z twoją ukochaną. Zaraz ją dobiję. Zobaczymy, czy nadal będziesz odwiedzał tę pluskwę.

Na oczach zdumionych państwa Braniff, gwiazd i aktorów Teatru Lirycznego oraz pozostałych gości Diego zabiera Lupe z imprezy, jednak wcale jej nie strofuje: jest poruszony jej tupetem. Która może się z nią równać?! Ta dzikuska dała mu właśnie największy dowód uczucia.

„Naprawdę mnie kocha. Ciekawe, czym przecięła sznur. Czyżby ta bestyjka przyniosła ze sobą sztylet?"

Następnego dnia proponuje jej podróż do Juchitán. „Muszę się wybrać na południowy wschód, do Tehuantepec, pojedziesz ze mną? Nasz drogi minister kultury Vasconcelos uważa za konieczne, żebym poznał Meksyk od podszewki. Sądzi, że nie mam pojęcia o tych jego Indianach i ich zwyczajach, choć udowodniłem mu już, że grubo się myli, ale ponieważ to on płaci, postanowiłem porobić sobie trochę szkiców do drzewa życia...".

– Oaxaca to drzewo życia?

Lupe zachwycają kwieciste spódnice Tehuanek, którymi zamiatają po ulicach, wzniecając za sobą kłęby kurzu, ich włosy ozdobione kolorowymi wstążkami, aksamitne lub satynowe tuniki haftowane w kwiaty i ptaki, złote monety przekształcone w medale i naszyjniki, długie filigranowe kolczyki i zęby, jakżeby inaczej, również złote: „Patrz, Brzuchaczu, noszą na sobie cały rodzinny majątek, brakuje tylko, żeby sobie uwiesiły na szyi kamienny moździerz". Gorący klimat, pełen szmerów, odurza ją, dlatego reaguje z opóźnieniem, kiedy doña Laila, która nigdy nie podnosi się ze swojego hamaka, staje naprzeciw niej:

– Słuchaj no, Gniada Mulico, dziewczyny chcą od ciebie odkupić twojego Tłustego Golca.

– Kogo?

– Twojego męża. Ile za niego chcesz?

– Ani to mój mąż, ani nie zamierzam go sprzedawać.

– Prócz złota dziewuchy gotowe są ci dać krowę i dwa świniaki.

– Co?

– Jeśli uważasz, że to za mało, mogę ci dorzucić kawałek ziemi i opłacić ludzi, których sobie wybierzesz, żeby ją uprawiali.

W nocy Lupe okłada Diega pięściami. „To twoja wina; ty ośmieliłeś te dziewuchy, dlatego miały czelność, jeszcze nazwały mnie Gniadą Mulicą, jak ty. A na ciebie mówią Tłusty Golec".

Kiedy Lupe się wścieka, wygląda olśniewająco i Diego czuje, że po plecach przebiegają mu dreszcze, jakich wcześniej nie znał. W jej lamparcich oczach rosną dwa obsydianowe noże gotowe go poćwiartować. Wszystko w niej jest gwałtowne; śmiech brzmi jak wybuch. Jest boginią urody Xochiquetzal, ale także zdradziecką boginią płodności Chicomecóatl. Słodka Angelina Beloff blednie i znika w zestawieniu z tym szmaragdowo upierzonym wężem. Tehuantepec, jego wody, mięsiste zielone liście, śniada dłoń chwytająca miseczkę, by polać się wodą, ramię, piersi o kształcie gruszek, mokre włosy, otwierają wrota, napełniają po brzegi czarę jego nowej inspiracji. Teraz tak, teraz Diego wie już, co malować! Kobieta w kąpieli to coś dla niego, kobieta kąpiąca się, która jest wszystkimi kobietami z Oaxaki, która jest śpiącą u jego boku Lupe. W rzece stoją Tehuanki z glinianymi dzbanami, ich zmysłowość osiada na opuszkach palców, współgra z pożądaniem Lupe, ciałem Lupe, oczami Lupe. Pociągnięciami pędzla omiata jej uda i zatrzymuje się na tym ciele, jeszcze nawet piękniejszym niż u kobiet z Juchitán, które na niego polują. Lupe zaklina się: „Kocham cię z całej duszy". Odpowiada jej, że on również ją kocha, że Lupe jest jego nową skórą, jego prawdą, że odwróciła go na lewą stronę i ukierunkowała ze środka na zewnątrz.

Wreszcie Lupe oświadcza mu: „Mój tata pyta, co robię w Meksyku, na pewno coś mu nagadały moje zawistne kuzynki. Żałosne kreatury! Muszę wrócić do Guadalajary". Diego czuje się porzucony, tym bardziej że teraz Rivas Cacho nie odzywa się do niego słowem.

Niepodobna żyć bez tej kobiety, niepodobna żyć bez tego kraju.

ROZDZIAŁ 3

ŚLUB PEWNEGO KOMUNISTY

Każdego, kto tylko zechce jej słuchać, informuje, że wyjdzie za Diega Riverę. Prócz tego Lupe zaskakuje go swoimi listami z Guadalajary, podobnie jak wtedy, gdy pewnej nocy podczas spotkania towarzyszy partyjnych nagle poprosiła o głos pośrodku ciężkiej ciszy: „Biedaczka, jak śmie". Jej słowa zdumiały wszystkich, bo odwołała się do wrodzonej inteligencji.

Chudość upodabnia ją chwilami do niezgrabnego wyrostka, jej uroda opiera się na nieprzewidywalnym zachowaniu. Wie więcej, niż mogłoby się wydawać, a spoza arogancji przeziera niezwykłe życie wewnętrzne.

Amado przyniósł mi zdjęcie środkowej części już ukończonego muralu. Moim zdaniem jest bez porównania lepsza niż to, co zostało namalowane po bokach. Jaka prostota! Prześliczna roślina, jak wszystkie te, których tyle jest w Istmo. Ile w niej życia! Przypomina mi jedną, którą widzieliśmy razem, nie ma w niej już tego przesadnego wyrafinowania i napięcia pierwszej części, jest za to niewiarygodna żywotność. Myślę, że moja obecność ci szkodzi; pewnie wyczerpujesz swoją fantazję i przeze mnie tracisz moc. Moc, która tutaj emanuje z całą siłą, udokumentowana w części środkowej.

Boję się wyznawać ci moje uczucia; po tym co właśnie powiedziałam, wydaje mi się, że mówiąc ci o miłości, odciągam

cię od pracy… Trudno! (wybacz mi). Kocham Cię tak bardzo, że nic, nic, absolutnie nic prócz Ciebie mnie nie interesuje! Oczekiwanie przez miesiąc na nasze spotkanie to dla mnie cała wieczność; umieram z obawy, że listy, które mi obiecałeś, nie nadejdą, i myślę, że jestem dla ciebie ciężarem, a kiedy przebywamy razem, zabieram ci mnóstwo czasu, a na dobitkę nie mogę mieszkać w Meksyku: ten klimat mnie przeraża… Pracuj dużo, dzięki temu szybciej będziesz mógł przyjechać, i nie żałuj czasu, jaki spędzisz tutaj ze swoją Muliczką. Odżywiaj się dobrze. Od czasu do czasu wyjdź trochę na słońce, bo dzięki temu nic ci się nie stanie, nawet jeśli będziesz pracował przez cały dzień. Myśl o swojej Mulicy (ale tylko w przerwach od pracy). Nie zapominaj, że ona kocha Cię głęboko. Żegnaj, Tłuścioszku.

Diego jedzie do Guadalajary, żeby poznać rodzinę Lupe: „Wszyscy oni są niezrównanie piękni". Światowy i uwodzicielski, po obiedzie wychwala jedną po drugiej kobiety z domu Marínów; najśliczniejsza jest oczywiście zajmująca miejsce u szczytu stołu głowa rodziny, Isabel Preciado, matriarchini. Jesús o niebieskich oczach wygląda jak południowiec z Hiszpanii; Carmen także jest Andaluzyjką; najstarsza Justina, blada blondynka, to pracowita odpowiedzialna mróweczka; zupełnie do niej niepodobna Victoria jest najpiękniejsza, tak samo jak zapotecka Guadalupe, ze swoimi ciężkimi wargami i biblijnym nosem Żydówki. „Jej drzewo genealogiczne ma korzenie w Egipcie, przechodzi przez biblijną pustynię i osiąga kulminację w oczach Lupe". Federico, młodszy brat, równie śliczny jak Lupe, także z pewnością jest Żydem; María to faworyta króla Salomona, zasługuje na alabastrowy tron; Isabel, najmłodsza, najdelikatniejsza, z pewnością urodziła się na Tahiti jak Victoria, kolejna wyspiarka. Warto wyobrazić sobie ich kąpiel w wodach Pacyfiku.

Zdumieni Marínowie słuchają w milczeniu. Diego imponuje swoimi rozmiarami, zajmuje pół jadalni.

– To w końcu jesteśmy z Madrytu czy z Egiptu? – pyta Justina.

Diego analizuje jej sefardyjskie, papuaskie, egipskie, hiszpańskie i zapoteckie cechy. Niczym kochanek z *Pieśni nad pieśniami* wyjaśnia między jednym a drugim łykiem czekolady i niezrównanymi

chilaquiles[8]: „Oto przyczyna twojego powabu, oto i źródło twojego wdzięku, oczy niczym gołębice". Lupe jest jedyną brunetką, słońce wybrało ją sobie spomiędzy wszystkich. Jej siostry i bracia to ledwie niedoskonałe kopie tej dziewczyny o nadzwyczajnej urodzie.

– Słuchaj, Lupe, czemu on do ciebie mówi Gniada Mulica? – docieka młodsza siostra, Isabel.

– Bo nie ma nic piękniejszego pod słońcem niż ciemna sierść mulicy.

Lupe zdumiewa, że Diego tak uparcie podkreśla urodę i tygiel ras w rodzinie Marín. Dotychczas pragnęła, by wszystkich, z wyjątkiem Jesúsa i Justiny, szlag trafił. Patrzy na swoje rodzeństwo nowymi oczami. „Słuchaj, myślisz, że naprawdę jestem Egipcjanką, jak mówi twój pretendent?", pyta Victoria.

Diego przeżywa fascynację rodziną Marínów. Niezwykle wesoły, hałaśliwy niczym dzwon, styl bycia w pięć minut zapewnia mu magnetyczny efekt, a po godzinie rozmowy nikt już nie pamięta, jak bardzo jest szpetny, już tylko on liczy się w jadalni. Uśmiecha się, pokazując zaskakująco małe w zestawieniu ze swoją posturą ząbki. Z łatwością wybucha śmiechem. Gromki rechot wstrząsa nie tylko jego piersią, lecz całym jestestwem. Zajmuje się wszystkimi; gorące pragnienie, by każdemu sprawić przyjemność, wręcz wrze w jego drobniutkich dłoniach, aż Victoria dopytuje się z niedowierzaniem: „To tymi rękoma maluje?". Kiedy Diego mówi im o Partii Komunistycznej, zainteresowanie rodziny słabnie. „Naprawdę chcesz się związać z tą wielką górą sadła?", pyta znów Victoria i zapewnia siostrę, że jego brzydota będzie rosła z wiekiem. „To geniusz. Mnie już zawojował, nie potrafię żyć bez niego, a jego szpetota mnie pociąga", irytuje się Lupe.

– Spójrz na swoje rodzeństwo. Ten wielkolud zajmuje zbyt wiele miejsca. Co on jada? – pyta Federico.

– Zawsze jest na diecie.

Lupe nie rozumie zapału Diega do „garnków" i „skorup", jak

---

[8] *Chilaquiles* – popularne danie kuchni meksykańskiej podawane zazwyczaj na śniadanie. Składa się z chrupkich *tortilli*, zwanych *totopos*, w czerwonym sosie z pomidorów i *chili*, z dodatkami typu ser i cebula.

nazywa podziemne skarby dawnych mieszkańców Meksyku. Całe szczęście, że w Guadalajarze nie ma zbyt wielu wykopalisk, bo Diego zachwyca się Teotihuacánem, Uxmalem i „bożkami", których Lupe widziała na półkach w gabinecie i których uważa za paskudnych. Niepodobna pojąć, czemu Diego tak się ekscytuje kawałkami ceramiki, na którą wydaje ciężkie pieniądze, zamiast kupić sobie dom. Odrzuca ją na widok wszystkich tych glinianych kołatek, żmij i turkusowych masek, a tymczasem jej ukochany zapewnia, że Aztekowie wspięli się na poziom abstrakcji wcześniej niż jakikolwiek inny lud i jakikolwiek inny twórca w świecie. „Lupe, wiesz, co to Aztlán?", pyta ją. Na żywo Lupe potrafi rozpoznać królika, kojota lub nawet tygrysa, lecz nie jest w stanie odszyfrować ich w hieroglifach na ceramice czy świątynnych ścianach.

– Czy nie widzisz, że w dwóch albo trzech liniach aztecki rzemieślnik daje nam to, co najważniejsze, czystą esencję? Nasza rasa należała do gigantów, pisał o tym już Clavijero.

– Nie wiem, kim jest Clavijero – peszy się Lupe i obiecuje sobie, że znajdzie kogoś, kto opowie jej o owej minionej wielkości, o której wciąż gada Diego.

David Alfaro Siqueiros opowiedział Diegowi, że don Ramón del Valle-Inclán zakochał się w Lupe, ledwo przyjechał do Meksyku. Na stacji w Guadalajarze dwie śliczne dziewczyny, María Labad i Lupe Marín, poprosiły o pozwolenie na wejście do pociągu. „Chcemy zdobyć autograf słynnego don Ramóna Maríi del Vallego-Inc_lána y Montenegro, markiza Bradomin i krewnego Meksykanina Roberta Montenegro".

Don Ramón, któremu podobnie jak Cervantesowi brakowało ręki, napisał na tomiku dla Lupe:

O nieszczęsny mój losie!
Skrzyżowałeś dziś nasze drogi,
gdy brodę nieuchronną siwizną
oprószył mi czas jakże srogi.

Powtórzył to raz jeszcze, gdy spotkał ją w Teatrze Degollado: „Lupe, czyż nie byłoby wspaniale zmieszać czarne światło twych loków ze śnieżną bielą mej brody? Czy to nie przesadna śmiałość z mej strony? Och, sama zadecyduj!".

Lupe nie odpowiedziała, ale oświadczyła Maríi Labad:

– Słuchaj, ten cały Valle-Inclán trzyma się lepiej niż mój pretendent José Guadalupe Zuno.

Towarzysze Vallego-Inclána, Julio Torri, Daniel Cosío Villegas, Pedro Henríquez Ureña, również byli pod wrażeniem nieokiełznanej urody dziewczyny. We wcześniejszych latach Lupe i jej przyjaciółka miały w zwyczaju chadzać do klubu Círculo Bohemio, któremu w Guadalajarze przewodniczyli Zuno i Siqueiros. Kiedy Lupe usłyszała, że mówią o Diegu Riverze, nie zawahała się poprosić Zuna o pięćdziesiąt pesos. „Wyjdę za niego, nie za ciebie".

Diego wraca do miasta Meksyk i przestaje do niej pisać. Jego mural w Escuela Nacional Preparatoria pochłania go bez reszty. Lupe puszczają nerwy: „Co mam robić? Muszę stanąć na jego poziomie".

Czasami przytłacza ją legenda Diega; choć zaplanowała swój wyjazd do Meksyku wyłącznie w tym celu, żeby go zdobyć, potem przy pierwszej okazji zmieniła zdanie. „Wyjdę za niego". Choćby po to, by przebić swoją siostrę Maríę. „Utrę jej noska, bo to Diego jest malarzem, takim prawdziwym, uznanym przez wszystkich, a nie ten jej".

Nocą obawa chwyta ją w swoje szpony na całego. Jak ona, Lupe Marín, może się porównywać z mężczyzną o tyle od niej lepszym, który przeżył czternaście lat w Europie i poznał tylu słynnych ludzi? Lupe, wysoka i zuchwała, nagle się kurczy, ogarnia ją niemiłe uczucie. Gdy więc Diego odpowiada: „Teraz nie mogę znów jechać do Guadalajary, lepiej ty przyjedź do mnie", nie zastanawia się długo. „Przyjadę, ale pod jednym warunkiem: musimy wziąć ślub i to w kościele". Odpowiedź Diega jest miażdżąca: „Komuniści uznają tylko wolne związki".

„Moi rodzice, Francisco i Isabel Marín, nigdy się na to nie zgodzą. María wyszła już za Orozco Romero i ma wszystkie błogosławieństwa w komplecie".

Diego jest ateistą, nikt go nie zmusi, by zrobił coś, w co nie wierzy. Lupe podskakuje nerwowo i argumentuje: „Wobec tego co ci szkodzi ożenić się w kościele, tłuścioszku?".

Ku zdumieniu wszystkich Diego się zgadza.

Jego siostra María Rivera rozmawia z ojcem Enrique Servínem, byłym dyrektorem katolickiego liceum, w którym uczył się Diego. Ksiądz, obecnie proboszcz w parafii Świętego Michała Archanioła przy ulicy San Jerónimo, nakazuje, by Diego przyszedł z nim porozmawiać. Ten stawia się z pistoletem za pasem, co wyprowadza z równowagi Enrique Servína. „Człowieku, nie musiałeś tu przychodzić uzbrojony... Udzielę wam ślubu, ale nie ze względu na ciebie czy na nią, bo jest równie bezwstydna jak ty, lecz przez wzgląd na jej rodzinę. Ale karteczkę od spowiedzi musisz mi przynieść".

Ignacio Asúnsolo spowiada się zamiast Diega i żąda karteczki na nazwisko Rivery.

Lupe wyjaśnia Maríi Oldze, siostrze malarza Alfonsa Michela – który tak jak ona pochodzi z Guadalajary – że jej rodzice nie przyjdą. „Chciałabym, żebyś była moim świadkiem. Moja matka Isabel Preciado wolałaby, żebym wyszła za lekarza, prawnika, jakiegoś kolegę moich braci, chudzinkę o poczciwym wyglądzie, a nie za Diega. Tata oczywiście najbardziej by chciał, żebym przez całe życie została przy nim jak ostatnia tumanka".

20 lipca 1922 roku, w dniu ślubu, Diego, kawaler lat trzydzieści pięć, ślubny syn Diega Rivery (nieżyjącego już), pochodzącego z Guanajuato, i Maríi Barrientos, wdowy po Riverze (położnej), stawia się z czerwoną wstążką w kapeluszu i w niewypastowanych butach po kolana. Oczywiście zapomniał o obrączkach ani nie ma pieniędzy, by je kupić. Lupe, lat dwadzieścia sześć, ślubna córka Francisca Marína i Isabel Preciado, klęcząc przy barierce przed ołtarzem, przyjmuje z zamkniętymi oczyma komunię świętą. „W tamtym okresie jeszcze mocno wierzyłam", wyjaśni później. Ojciec Servín niechętnie udziela im ślubu. Xavier Guerrero, na którego wołają Gaduła, Senna Małpa albo Święte Żarna (bo nigdy się nie odzywa), i Amado de la Cueva są świadkami Diega. María Olga Michel obejmuje Lupe i mówi jej, że ma wielkie szczęście.

ROZDZIAŁ 4

TOWARZYSZKA MICHEL

Nowożeńcy osiedlają się przy ulicy Flora, niedaleko Frontera, na osiedlu Roma, bo tam mieszkają Julieta i Jorge Juan Crespo de la Serna, przyjaciele Diega.

– Jak długo zamierzasz malować, Brzuchaczu? Aż słońce zajdzie?

– Nie. Jak słońce zajdzie, inne światło się znajdzie. Widzisz, nawet mi się rymuje, bo tak poza tym jestem też poetą.

Zadowolony z siebie Diego z zakasanymi rękawami, wesolutki, wielką chustką ociera łzy, które cikną mu po twarzy, tak bardzo zaśmiewa się z pomysłów Lupe. Nie da się go nie kochać, godziny upływają, nikt nie zbiera się do wyjścia. Gawędziarz, uwodziciel. „Nigdy nie jesteśmy sami", skarży się Lupe. „Bo wszyscy mnie potrzebują. Nie jesteś ze mnie dumna?" „No tak, ale dlaczego tak często przychodzi Concha Michel?"

– Bo ta towarzyszka jest bardzo lojalna. Concha śpiewa *corridos*, które zebrała po zapadłych wsiach, ciska obelgami i mówi różne wielce dowcipne rzeczy na temat Kościoła. To wcielona rewolucja.

Dwa tygodnie później Lupe zaczyna rozumieć, że życie u boku Diega dalekie jest od spodziewanego raju. Mają tylko łóżko, palenisko, trzy patelnie, kilka łyżek na krzyż, a ubrania przechowują w skrzynkach po warzywach. Diego ciągle zostawia ją samą, a ilekroć ktoś puka do drzwi, nieodmiennie okazuje się, że to jakiś towarzysz prosi o pomoc, „bo nie mamy płótna na transparenty na mityng". „Pieprzone darmozjady, łachmaniarze!" „Lupe, nie złość się, to dla dobra sprawy", tłumaczy Diego.

Za to z przyjemnością przyjmuje Conchę Michel, która w wieku czternastu lat zaśpiewała w Muzeum Sztuki Współczesnej w Stanach Zjednoczonych na urodzinach Rockefellera, a teraz jest partnerką komunisty Hernána Labordego.

– Słuchaj no, czemu twój mąż nosi zawsze czarny kapelusz? – pyta Conchę.

– Żeby mu nie pouciekały pomysły.

Chociaż Concha udziela się w Partii Komunistycznej – Diego Rivera nie mówi na nią Concha, tylko towarzyszka – i wpada często, by poprosić o wsparcie dla sprawy, Lupe ma do niej zaufanie, Concha budzi jej ciekawość. Słucha jej z uwagą. Michel jest raczej drobna, na głowie nosi koronę z warkoczy. Staje naprzeciw Lupe, a ta wywala prosto z mostu:

– Bardzo się różnimy, ale lubię cię.

– Ja ciebie też, dlatego zapraszam cię na zebranie partii.

– O nie! Tylko nie to, nie znoszę tych idiotów.

Lupe myli się, mówiąc, że nie są do siebie podobne, bo jedna jest wysoka, a druga malutka, jedna szczupła jak trzcina, a druga okrąglutka. Łączy je pochodzenie, obie są z Guadalajary. Concha urodziła się w Villa de Purificación, potem wydalono ją z zakonu Świętego Ignacego, bo stanęła na czele ucieczki nowicjuszek i akcji spalenia na stosie posągów świętych. Jednak właśnie tam nauczyła się grać na gitarze i śpiewać i teraz urzeka wszystkich swoim głosem, kolorowymi warkoczami i gitarą, którą wszędzie ze sobą nosi. Lupe urodziła się w Zapotlán el Grande 16 października 1895 roku, a jej starsza siostra Justina nauczyła ją szyć. Concha jest od niej o cztery lata starsza i patrząc na nią, myśli sobie: „Lupe jest sto razy lepsza od tej szmaty Rivas Cacho!".

„Mam przyjaciółkę". Przyjaźń z Conchą jest schronieniem dla Lupe. „Mam przyjaciółkę", powtarza sobie cicho. Nie zna codziennej praktyki przyjaźni, tej serdeczności, delikatnego ciepła. Nigdy nie przyjaźniła się z siostrami. Justina, która nauczyła ją szyć, była o tyle starsza, że z powodzeniem mogłaby być jej matką; inne jej nie akceptowały, bez przerwy gnębiły: chuda, tyczka, Cyganicha, wielka gira, rozbiaka; nie mogła się doczekać, kiedy da stamtąd nogę. Więź z Conchą trzyma ją przy ziemi, zmusza do zastanowienia się. „O tym powiem Conchy, a o tym nie". Nie ma mowy, by powiedziała jej o wszystkim, co myśli, bo Concha należy do partii, a ona nie. Concha ma sprawę; Lupe swój cel już osiągnęła: wyszła za najważniejszego człowieka w Meksyku. Concha wierzy w dobro ogółu, a Lupe niczego nie chce oddać. Concha chodzi w kwiecistych spódnicach i tunikach podkreślających jej krągłe ramiona, a największym marzeniem Lupe byłoby znaleźć się w magazynie mody „L'Officiel". Jednak Concha jest jej przyjaciółką, a kochając ją, również siebie kocha trochę bardziej.

***

Kiedy nie widać na horyzoncie proszących o datki komunistów, życie staje się łatwiejsze i Lupe nawet się śmieje. Wychodzi z Diegiem na ulicę, przepełnia ją duma, że może iść, trzymając pod ramię tego niezwykłego mężczyznę, który wita się z przechodniami: „Dzień dobry, miłego dnia życzę", i ma ten dar, że potrafi wpaść w zachwyt nad splotem maty zwiniętej w rulon i opartej o ścianę, nad smakiem sosu *mole* prosto z garnka. Co rusz robi nowe odkrycia: ulica wybrukowana jest talentami, na targu tańcują gigantyczne rzodkiewki powykręcane niczym księżycowe korzenie; Diego wyciąga ołówek i papier, portretuje chłopca, bierze go w objęcia niczym matka syna. Jakże silne są objęcia Diega! „Od razu widać, że lubisz dzieci – mówi mu Lupe. – Ja tam wolę się od nich trzymać z daleka".

„Przespacerujemy się trochę, Gniada Mulico". Czasem warczy jak lew, to znów miauczy. Zakrywa dół twarzy swoją wielką chustką, nasuwa mocniej kapelusz i z pistoletem w ręku idzie wielkimi krokami środkiem chodnika, wprawiając przechodniów w popłoch. „To żarty, nic wam nie zrobi", uspokaja ich Lupe.

Diego lubi nosić za pasem dwa pistolety. W mieście Meksyk kto tylko może, ma pistolet „do obrony". Wielu wieśniaków trzyma zawiniętą w szmaty strzelbę, jeszcze z czasów rewolucji.

Pod wybujałymi kwiatami przyszytymi do słomianego kapelusza Lupe czuje się coraz szczęśliwsza.

Cóż to za widok!

Miasto z domami z *tezontle*[9] wdziera się do serca; Diego i Lupe z łatwością przemierzają jego ulice, nie bez przyczyny wprawiło w entuzjazm Bernala Díaza del Castillo. Wulkany widać nie tylko z *azotei*[10], lecz nawet z poziomu chodnika. „Dzień dobry Izta, witaj Popo", pozdrawia je Diego. Meksyk pachnie chlebem. Z wielkimi koszami na głowie, na rowerach, sprzedawcy chleba rozdzielają go i nie upada im na ziemię ani jedna bułka, ani jedna *concha*, palmir czy bagietka. Kobiety nigdy nie skarżą się nad swoimi żarnami, żną na klęczkach, póki ciasto nie jest gotowe, by uklepać je i uformować okrągłą tortillę. Piętnaście milionów Meksykanów udaje się co roku 12 grudnia do Villa, do bazyliki Najświętszej Panienki z Guadalupe, gdzie pokrywa Czarną Madonnę nardami i kaliami, je *tamales*[11], *tostadas de pata*[12], kukurydziane placuszki *garnachas* i prosi, by Electropura nadal rozdawała butle z wodą na lemoniady z hibiscusa, cytryny i tamaryszku i żeby zawsze było mleko. I kukurydza. I fasola, i, i, i…

Diego to człowiek publiczny. Nikt nie jest w stanie usunąć go w cień; za to Orozco izoluje się i dokarmia swoje urazy; Diego jest miły, Diego jest newsem, dziennikarze go uwielbiają i biją mu brawo. Lupe nigdy wcześniej nie była na świeczniku, teraz lśni światłem odbitym. Już nie wydaje jej się takie straszne, gdy pytają ją z wielkim respektem, czy wie, o której przyjdzie Diego. Bycie w centrum uwagi dzięki sławie męża stopniowo przypada jej do gustu, ale nie odzywa się za dużo, by się nie zblamować. Diega fascynują pochwały, pojawianie się w prasie dodaje mu animuszu. Więc Lupe także przegląda „El Universal", żeby sprawdzić, czy nie ma „czegoś o nim".

Nie otwiera już drzwi z wrogą miną. „Proszę, proszę do środka", mówi do dwóch „cudzoziemców". Jeden z nich to Francuz, Jean Charlot, a drugi – gringo, Paul O'Higgins. Szukają mistrza.

---

[9] *Tezontle* – czerwona skała wulkaniczna.
[10] *Azotea* – płaski dach wykorzystywany jako taras do prania i suszenia ubrań, element charakterystyczny dla budownictwa meksykańskiego.
[11] *Tamales* – nadziewane farszem mięsnym lub warzywnym ciasto z mąki kukurydzianej zawinięte w liść bananowca lub kukurydzy i ugotowane na parze.
[12] *Tostadas de pata* – prażona tortilla kukurydziana podawana z mięsem z nóżek wołowych lub cielęcych.

– Jakiego mistrza?

– Słyszałem o nim w Stanach Zjednoczonych.

– I stamtąd przyjeżdżacie? – zdumiewa się Lupe.

Nigdy nie poznała żadnego gringo, tym bardziej Francuza; jedyny cudzoziemiec, z jakim miała do czynienia, to Valle-Inclán, brodaty dziadek z Hiszpanii. Wiele lat później przyzna: „Nie byłam na to przygotowana, ale ten szum wokół Diega zaczął mi się podobać".

– Charlot jest Francuzem, przyjechał do Meksyku dwa lata temu – wyjaśnia jej Diego.

Jedzą w gospodzie Los Monotes należącej do José Luisa Orozco, brata José Clemente Orozco, który na ścianach namalował figlarne scenki, karykatury z artystycznego świata, kobiety z odkrytym biustem i mężczyzn wymachujących nad głową pistoletami i strzelbami.

Posiadacze ziemscy, którzy stracili swoje majątki, ubolewają, że Diego Rivera – podobnie jak drugi przeklęty, José Clemente Orozco – przedstawiają ich na muralach w karykaturalnej postaci. Ani Cortés, ani wicekrólowie nie byli przecież syfilitykami, i nie zapominajmy o franciszkanach, któż jak nie oni obali pogłoski o okrucieństwach względem Indian. Co ciekawe, David Alfaro Siqueiros jest mniej zjadliwy, bo jego ojciec prowadził właścicielom ziemskim buchalterię, miał przy tej okazji do czynienia z „przyzwoitymi ludźmi". Ponadto ponoć upierał się w jakiejś kantynie, że w dniu, kiedy zostanie postawiony pomnik Cortésowi, „ucywilizujemy się".

Za to zagraniczni goście czczą Diega i szukają go częściej niż jakiegokolwiek innego Meksykanina. „Mistrz". Podziwiają jego kreskę i kolory, możliwość przyglądania się, jak pracuje na rusztowaniach, uważają za przywilej.

Zachęceni przez senatora Manuela Hernándeza Galvána, który podobnie jak Rivera chodzi uzbrojony, Diego i Lupe urządzają sobie w niedziele spacery po San Ángel, Churubusco, nad rzekę w Dinamos de Tlalpan. Robią wycieczki do piramid w Teotihuacánie, jadą na piknik aż do Tepotzotlánu, gdzie zachwycają się fantastycznym ołtarzem z czystego złota, a kiedy Diego nie może brać udziału w tych wyprawach, bo musi malować, „zanim nie wyschnie mu podkład", Lupe przychodzi sama na kostiumowe bale Edwarda

Westona i Tiny Modotti w El Buen Retiro. Przebiera się za dziewczynkę: w skarpetkach, plisowanej spódniczce, bluzce z okrągłym kołnierzykiem i ze szkolnymi warkoczykami zwieńczonymi różową kokardką. Całkiem słusznie występuje w stroju uczennicy, bo według Dalili i Carlosa Méridy zachowuje się jak źle wychowana panienka, ożywia imprezę swoim donośnym głosem, hałaśliwymi odpowiedziami wybuchającymi niczym petarda. Weston nie spuszcza z niej oczu. „Co za wspaniała głowa! Jaka postawa! Jakie niezwykłe dłonie! Chcę, żeby dla mnie pozowała". Dalila – przepiękna – i Carlos Mérida, niedawno przybyli z Gwatemali, też wnoszą do towarzystwa świeży powiew.

– No to zapraszam was na podwieczorek, zrobię wam najlepszą czekoladę w Meksyku – woła Lupe.

Weston przynosi swoje zdjęcia do domu przy Mixcalco 12. Na parterze mieszka tam Lola Cueto, która tka gobeliny, maluje i rzeźbi (nie wspominając już o robionych przez nią laleczkach, które podbiły serca wszystkich), i jej mąż Germán, rzeźbiarz. Weston przynosi pod pachą swoje portfolio, otwiera je przed Diegiem. Malarz odchodzi z nim i Tiną Modotti na bok, uważnie przegląda fotografie. Zatrzymuje się dłużej przy nagiej Tinie. „Twoja żona to fenomen, prawdziwe dzieło sztuki, wywołuje nie tylko podziw, lecz także pożądanie". Weston tylko częściowo rozumie po hiszpańsku, lecz żar bijący ze słów malarza i skupienie, z jakim ten przygląda się każdemu zdjęciu, pochlebiają mu. Tina tłumaczy. Westona w Stanach nigdy nikt nie pochwalił tak inteligentnie. Także Tinie udziela się ekscytacja i patrzy z wdzięcznością na Diega. Przychodzi czas na podwieczorek, Lupe uśmiecha się, jest w wyśmienitym nastroju. Niewątpliwie, jej czekolada w małych glinianych dzbanuszkach to prawdziwy rarytas. Tina prosi o drugą porcję i wyjaśnia Westonowi, że czekolada to doskonały afrodyzjak.

ROZDZIAŁ 5

MEKSYK POREWOLUCYJNY

Obłęd! Muralista tkwi na swoich rusztowaniach po osiemnaście godzin. Diego pracuje najwięcej, pokrywa freskami ściany budynków publicznych. Z tego rusztowania pociągnięciami pędzla postanowił chyba uratować Meksyk. Pokazać go światu. Tytaniczne przedsięwzięcie, nawet jeżeli wielu urzędników, włącznie z samym Vasconcelosem, nazywa jego malowidła „małpoludami".

Od czasów podboju Meksyk emanuje barwami słońca. Konkwistadorów olśnił czerwienią, niebieskim, ochrą. Fasady w stolicy krzyczą radośnie; indygo podnosi na duchu, mocny róż zaprasza do tańca, żółć wzbudza zaufanie, niebieski „ciąży dojrzałym fioletem", jak domagał się poeta Carlos Pellicer; jest wielkie zapotrzebowanie na malarzy ściennych i nawet *pulque*[13] poprawia się owocami „żeby złapało kolorek", proszę bardzo: różowe *pulque* z truskawki, zielone z selera. Ileż energii na tych ojczystych murach! *What a feast, Mexico!* Fotograf-gringo Edward Weston przebiega ulice, polując na szyldy barów serwujących *pulque*, potem notuje skrzętnie swoje zdobycze w zeszyciku. Mowy nie ma, by znalazł coś podobnego w Los Angeles; tam wszystko jest płaskie, nie ma Plaza Mayor, piramid, pomarańczy ani liści bananowca upiętych u sufitu, nie ma targów kwiatowych, gdzie mieczyki

---

[13] *Pulque* – popularny w Ameryce Środkowej niskoprocentowy napój alkoholowy wytwarzany z agawy.

otwierają pąki na oczach kupujących, nie ma tłumów w słomkowych kapeluszach. Ten kraj to dar nieba, tutaj niespodzianki czekają na każdym rogu.

Faceci z Jajami Nie Cioty, Moje Biuro, Mądrzy Ludzie Co Szkół Nie Kończyli, Złoty Kogut, Wspomnienia Z Przyszłości, fotograf Edward Weston notuje nazwy barów z *pulque* i cieszy się donicami z geranium w oknach od ulicy. „Będę spał na macie", oświadcza Tinie Modotti.

– Nie przyjdziesz się przespać, Brzuchaczu?

Jedyne, o czym myśli Diego, to jego mural, rozgorączkowany sypia co najwyżej cztery godziny dziennie.

– Wrócę dziś bardzo późno, nie mogę ryzykować, że potem nie złapię koloru.

O czwartej rano Diego pada ciężko na swoje łóżko.

– Jak dalej tak będziesz robił, przekręcisz się, Brzuchaczu.

Diego nie przywiązuje też wagi do tego, co je.

Nagle, znikąd, dzwoni mu w uszach policzek.

Diego nie wierzy, uderzyła go własna żona, dalej go bije. Kolejny cios leci ku jego głowie, a następny ląduje na klatce piersiowej. Furia dobrze celuje. Diego chwyta ją za rękę, ale Lupe udaje się jeszcze raz go dosięgnąć, pięść spada na wargi, leje się z nich krew. Upłynie chwila, nim malarz otrząśnie się ze zdumienia, a już kolejny cios, tym razem z lewej ręki, trafia go w szczękę. „Co ci jest, kobieto, zwariowałaś?" Nagła wściekłość Lupe zbija go z tropu. „Wydrapię ci oczy", grozi, patrząc dziko. W południe na rusztowaniu Xavier Guerrero pyta Diega o siniaka na szyi.

– Próbowała mnie udusić.

Starczy, że jakaś dziewczyna zbliży się do muralisty, a Lupe już go bije. „Zachęciłeś ją! Czego tu szuka ta chuda małpa?"

Jej wrzaski przenikają przez na wpół namalowane płótna i szkicowniki. „Nigdy nie robisz nic innego, tylko malujesz, malujesz i malujesz, gruby obleśniku!" Nie tylko krzyki zakłócają ciszę, Lupe tłucze też talerze, drze płótna, szkice na następny mural. „Patrz, patrz tylko, co zrobię z twoimi bazgrołami".

Diego podziwia dzikość jej gniewu. Sceny zazdrości pochlebiają mu. Przekonuje sam siebie: „Biedaczka, nikt jeszcze nie kochał mnie tak mocno". Gotów na wszystko, by tylko jego żona dalej była wspaniałym stymulującym spektaklem, uspokaja ją:

– Rób co chcesz, i tak cię kocham.

Lupe także kocha swojego wielkoluda. Nie tylko kocha, uwielbia go. „Byłam w nim zakochana. Jego wygląd nie miał dla mnie znaczenia; cały jego styl bycia, temperament, to, co malował, wszystko w nim mi się podobało".

Diego pragnie tylko jednego: żeby jego samiczka pozwoliła mu tworzyć. Wypełnia więc dla niej dom koszami owoców, a po każdej kłótni przynosi w prezencie kapelusz z kwiatami. Gniada Mulica dławi się czereśniami i ananasami, teraz już zbiera łupiny, które wcześniej rzucała na ziemię. Odkrywa kolory, grubość pociągnięć pędzlem i pełna jest pasji dla dzieła tego mężczyzny, który właśnie ją wybrał spośród wszystkich kobiet.

– A może przynosiłabyś mi obiad na rusztowania, Gniada Mulico?

Lupe się stara, poczynając od haftowanej, dobrze nakrochmalonej serwetki w koszu. „Zrobiłam ci taki zwykły rosołek z kurczaka". Diego uświadamia sobie, że nigdy nie próbował czegoś podobnego. Teraz Lupe błogosławi Isabel Preciado za to, że była tak dobrą kucharką. Pilnuje, by własnoręcznie usmażone tortille docierały jeszcze cieplutkie. Nawet zwykłe *taco* zrobione jej rękoma smakuje inaczej.

Ściany domu przy Mixcalco w Merced pokrywają się śpiącymi Lupe, Lupe z rozchylonymi wargami, Lupe w kąpieli, Lupe krzyczącymi, Lupe z wysoko uniesionymi ramionami, Lupe potarganymi, Lupe całkiem pozbawionymi biustu obok dwóch gruszeczek kobiety kąpiącej się w przesmyku Tehuantepec.

– Lupe wkłada sobie rajstopy do biustonosza – demaskuje ją Diego przy Westonie i Tinie, posiadaczce dwóch cudeniek.

Jak Lupe pozbiera się po zdradzie?

– To najlepszy dom, jaki kiedykolwiek miałam – mówi Lupe do Diega, wchodząc do mieszkania przy Mixcalco, pobielonego wapnem, jasnego, intensywnego jak ona sama.

Jest coś ludowego w tej kobiecie, która jak nikt zna przyprawy i zadaje przyjaciołom zagadki, gdy gotuje wodę na napar z melisy:

Czarny ze mnie pąk.
Nie mam nóg ni rąk,
po morzu żegluję,
po ziemi wędruję
samego Boga przybiłem,
choć „w" potem zgubiłem.

Wszyscy próbują zgadnąć, a Lupe wykrzykuje tryumfalnie:
– Goździk, tępaki!
„Brzuchaczu, dam ci łaty na ogrodniczki i uszyję dla ciebie płócienne portki". I jak w piosence: w poniedziałki, wtorki szyje baba portki, zaczyna w ręku, wykańcza przy maszynie. Wykrawa mu też koszule. „Schodzi mnóstwo materiału. Musisz schudnąć". „Może bym ci uszyła dobrą wełnianą kurtkę? Nie chcę, żebyś marzł".
O drugiej po południu, punktualnie jak w zegarku, pojawia się z jego grubą tortillą *itacate*: „Tłuścioszku, obiadek przyszedł". W czasie gdy on próbuje niezrównanego *guacamole* i nakłada sobie na *taco*, co tam akurat ugotowała, ona ogląda mural. Diego jest pod wrażeniem jej komentarzy: „Tutaj ździebko przesadziłeś z czerwonym"., „Ta twarz nie ma wyrazu". „Dodaj trochę żółci tej kukurydzy". „Słuchaj no, Brzuchaczu, czemu nie używasz *achiote*[14]? Daje doskonały kolor".
Diego słucha jej niemal z podziwem.
– Jak dalej nie będziesz o siebie dbał, przekręcisz się.
Diego słucha jej jak szumu deszczu.
– Gdybym nie mógł malować, wolałbym umrzeć.
– Co ci jest?
– Tęsknię za zapachem lawendy.
– A ja tęsknię za pieniędzmi, które wydałam.
Diego daje jej lekcje rysunku, żeby Lupe mogła uczyć w szkole „La Corregidora" w Merced, gdzie oferują także kursy kroju i konfekcji oraz innych umiejętności manualnych. Choć bardzo się stara, Lupe rysuje marnie.

---

[14] *Achiote* – arnota z tłuszczem tapira, używana jako czerwony barwnik już w czasach prekolumbijskich.

– Gniada Mulico, nie nadajesz się.

Za to, i to już od dziecka, ma talent do szycia. W Guadalajarze została fanką „Vogue'a" i „L'Officiela" (strasznie drogich!), jedynie z pomocą siostry Justiny nauczyła się robić wykroje i ciąć tkaniny pewną ręką.

– Jestem pewna, że mogłabym uczyć kroju, to by mi bardzo odpowiadało – mówi do męża.

Diego wyrabia kolejne metry muralu. Najwięcej roboty ma na początku, bo szablony trzeba dopasować z ogromną precyzją.

W przeszłość odeszły czasy walki zbrojnej, choć wszyscy mają broń, a strzelanie jest pokusą, drogą ulżenia sobie. Nie trzeba już budować kraju na wystrzałach, ale trzymanie palca na spuście weszło ludziom w nawyk. Muraliści robią to pod hasłem Davida Alfara Siqueirosa: „Kroczymy jedyną słuszną drogą". W jego malarstwie bohaterami są najbiedniejsi, bezimienni, zepchnięci na margines, wydziedziczeni. Porfirio Díaz obchodził stulecie Niepodległości, popijając francuskie wina i serwując na bankiecie *coq au vin*, teraz są inne klimaty, prezydent Obregón chce, by lała się tequila, by zarzynano indyki i rozdawano kawały chrupiącej słoniny. Wcześniej czytano sfrancuziałego Ignacia Manuela Altamirana i Manuela Payna, teraz lepiej zorientowani szukają tygodniowego dodatku dziennika „El Paso del Norte", w którym ukazuje się w odcinkach *Gniew* Mariana Azueli.

Meksyk malowany przez Diega to Meksyk sprzedawczyń kalii, handlarek owiniętych w chusty, dzieci chowanych na ulicy, śniadej skóry i bosych stóp, Meksyk 2250 metrów wysokości nad poziomem morza, najczystszego powietrza, wulkanów, natury, bo w jego sercu, trzewiach, oczach kipią i wrą Indianie. Obok niego Lupe jest ledwie cudowną drobinką, która wrzaskiem i ciosami pięści domaga się uwagi, choć gdyby on chciał ją wymazać, zniknęłaby w jednej chwili.

ROZDZIAŁ 6

WŁOSZKA

Lupe nudzą wizyty malarza Xaviera Guerrera, który często przychodzi w towarzystwie Alvy de la Canal. Sennym głosem opowiada, krok po kroku, jak przygotować ścianę, powtarza, że trzeba zdjąć wcześniejszy podkład i położyć dwie warstwy farby asfaltowej, które zabezpieczą mur przed wilgocią. Tą samą farbą należy wypełnić także wszystkie szczeliny i rowki. Kiedy wyschnie, konieczna będzie jeszcze jedna warstwa, pozwalająca nadać powierzchni gładkość i pozbyć się pęcherzyków powietrza.

Lupe ma już dosyć gadania o żywicach, szpachelkach, olejku lawendowym, teksturze i konsystencji. I o walkach ludu w Meksyku. Xavier Guerrero i Ramón Alva śpiewają w kółko na jedną nutę: technika fresków, szorstka gładź z grubego piasku i wapna, gładź z drobnego piasku i wapna. Powtarzają, że trzeba rozcierać pigment z wodą, tylko z wodą, i że zaprawę należy robić w proporcji dwie trzecie cementu na jedną trzecią wapna i bez grubego piasku. Xavier Guerrero ma decydujący głos i zapewnia, że po wsiach zaprawę robi się w proporcji jedna trzecia cementu, a nie dwie trzecie, bo najważniejsze, żeby położyć na ścianie warstwę mleka wapiennego ze starannie utartego i porządnie zgaszonego wapna z domieszką soku z opuncji.

– Ach tak? To ciekawa jestem, jak można przechować sok z opuncji? – wtrąca się Lupe. – Bo tak się składa, że na zbieraniu go schodzi mi mnóstwo czasu.

– Trzeba namoczyć i zmiażdżyć liście, a potem poczekać, aż zgniją i sfermentują. Sok, który puszczą, miesza się z wodą i gotowe. Opuncja jest najlepszym spoiwem dla kolorów.

Rozpoczynając mural, Diego szkicuje postacie węglem na powierzchni przedostatniej warstwy już wysuszonej zaprawy; robi to szybko, rozmieszcza swoje postacie w mgnieniu oka, potem rysunek nabiera mocy, kolorami rozcieńczonymi w wodzie znów poprawia kontury, aż uzyska efekt, który go zadowala. Gdy jest już pewien, jak chce to namalować, umieszcza na ścianie szablony. To ponumerowane kartki przezroczystego pergaminu. Do uzyskania kolorów używa różnych pigmentów: czerwonej ochry, czerwieni weneckiej, ochry, grynszpanu, błękitu kobaltowego, ultramaryny, sjeny palonej i czerni z winorośli. Wyciska je na blaszany talerzyk: kolorowe bobki, które pożre jego pędzel.

Pędzle wszelkich rozmiarów czekają, aż wyciągnie je z szerokiego kubka, by nakładać ziemię z naturalnej sjeny, ziemię ze sjeny palonej, ziemię Pozzuoli.

Z początku Lupe pytała go, ile metrów kwadratowych namalował, ale szybko zaniechała tego zwyczaju, bo Diego przychodził wykończony i fukał: „Dziś namalowałem sześć metrów", po czym padał na łóżko, gdzie zasypiał kamiennym snem, ledwo przyłożył głowę do poduszki. Wcześniej, gdy malował tylko metr, proponował jej przynajmniej, by poszła z nim odwiedzić Carlosa i Dalilę Méridów albo gringo Edwarda Westona i Tinę, teraz jednak chce jedynie spać.

– A kiedy będziemy się kochać?

– Póki co kocham się jedynie z muralem.

Kiedy Lupe słyszy słowa, takie jak tynk czy gładź, wapno lub grys marmurowy, zatyka uszy rękoma. Od miesięcy wie już doskonale, że najlepsze wapno to takie, które ma wysoką zawartość wapnia. Wie też, że jeśli chce się uniknąć fatalnych skutków, wapno powinno być gaszone przez przynajmniej dwa i pół miesiąca.

Diego we wszystkim ustępuje Lupe. Angelina Beloff, Rosjanka, składała się w ofierze gotowa na każde poświęcenie; Diego z powodzeniem mógłby wziąć nóż i uciąć jej palec albo ucho; Lupe za to dba o swoje interesy. Nie jest jedynie żoną, towarzyszką czy matką, domaga się uwagi, przypuszcza ataki. Jej uczucie, jawnie subiektywne, żąda więcej niż miłość Angeliny czy ognistej Marievny Vorobieff Stebelskiej, rywalki Angeliny w Paryżu, więcej niż egoizm Rivas Cacho zaspokojonej przez publiczność. Białe noce przeciągają się i Diega zaczynają przerażać wymagania żony. Któregoś dnia przygotowując szablon, odkrywa ze zdumieniem, że namalował Lupe ze sztyletem. Lupe go niepokoi, a przecież chciałby ograniczyć swoje życie do malarskiego transu.

Dla Lupe Diego jest codziennym odkryciem: odkryciem jej kraju, miłości, ale także trudu. Chyba nikt nigdy nie harował tak ciężko jak on – nie tylko maluje, lecz jeszcze zwołuje zebrania, dyskutuje, organizuje, a potem powraca wyczerpany do domu przy Mixcalco. Nigdy nie widziała, by ojciec pracował z takim oddaniem. Przyjaciele Diega są tacy sami. Germán i Lola Cueto wychodzą co rano o świcie, przekonują biegające po ulicy dzieciaki, kobiety śpiewające przy praniu, dziewczyny polewające się wodą z miseczki na *azotei* przed wieczornym wyjściem na tańce. „Będziecie szczęśliwi, jeśli nauczycie się czytać i pisać!", powtarzają co rusz. Odkrywają, że najlepszymi nauczycielami są pacynki, i organizują przedstawienia teatrzyku kukiełkowego, w których bohaterami są mydło i szczotka do włosów. Meksyk musi stać się krajem, w którym ludzie nie tylko znają znaczenie higieny i edukacji, lecz także idą spać najedzeni. Oni, Germán i Lola, pokażą drogę mieszkańcom Mixcalco. Ich poświęcenie nie zna granic.

Od kiedy José Vasconcelos wrócił ze swojego długiego wygnania do Stanów Zjednoczonych, jego nazwisko co chwila pojawia się w rozmowach. Dla niego nauczenie wieśniaków czytania i pisania to prawdziwa misja, jak dla franciszkanów ta, którą maluje Orozco. Trzeba jechać na wieś, Indianie to wielka tajemnica Meksyku, pomimo Benita Juáreza nadal żyją w nędzy. Vasconcelos przekonuje, że nigdy nie będą częścią nowoczesnego państwa, póki nie poznają hiszpańskiego. Edukacja stanowi wielką nadzieję Meksyku, jedyny ratunek każdego kraju. Młody ekonomista Daniel Cosío Villegas zapewnia: „Oddychamy tutaj atmosferą ewangelizacji…". Według Vasconcelosa w Meksyku rodzi się właśnie rasa wyższa niż inne, brązowa. „Wykuwamy kraj niepowtarzalny", mówi. Podczas swojej podróży do Chile w 1921 roku przekonał Gabrielę Mistral, by przyjechała do Meksyku, wzięła go pod opiekę i napisała swoje *Lektury dla kobiet*. Palma Guillén, pierwsza meksykańska wykładowczyni uniwersytecka, zostaje jej sekretarką i towarzyszy podczas wizyt składanych w szkołach wzdłuż i wszerz republiki. Zakłada wraz z *maestrą* szkołę dla kobiet przy ulicy Sadi Carnot. W *misjach kulturalnych* Luis Quintanilla, grawer Leopoldo Méndez, autor *Kawiarni niczyjej* Arqueles Vela, a także Manuel Maples Arce, Germán List Arzubide i Fermín Revueltas zmieniają się w nauczycieli i porządkują życie innych, zapominając o swoim własnym. Najpierw dzieci bez szkoły, potem wieśniacy w płóciennych portkach przyglądają się przepięknemu Leopoldowi kreślącemu litery alfabetu na tablicy albo na piasku plaży lub ulicznej ścianie czy na ziarnach ryżu. By sprawić im przyjemność, Méndez rysuje każdego ze swoich słuchaczy i wyrywa strony z zeszytu: „Masz, proszę, bierz, trzymaj, no dalej”. Rozdaje im w prezencie jedyny portret, jaki będą mieć w życiu. Żegnając się, powtarza niestrudzenie: „Jesteście ziarnem naszego kontynentu”.

José Vasconcelos przekonuje prezydenta Alvara Obregóna – obdarzonego wspaniałą pamięcią – że jego misja jest *cywilizacyjna*. Jeżeli prosty lud pozostanie zmarginalizowany, to koniec, nie ma ratunku. Meksyk jest dla wszystkich. *Indianie* muszą podźwignąć się ze swojego zapóźnienia, czego domaga się Domingo Faustino Sarmiento na argentyńskiej pampie, w przeciwnym razie Ameryka Łacińska zniknie z map.

– Wiesz, czym jest wszechświat?

Nie, Lupe zna się tylko na Diegu, w dodatku uświadamia sobie, że nawet o nim nie wie zbyt wiele, tym bardziej nie ma pojęcia o polityce, Indianach i innych pieprzonych bzdurach. Pewnego wieczora Vasconcelos mówi o kosmicznej rasie i pokazuje na nią, a ona słucha oniemiała i zastanawia się, czego od niej oczekuje i czym do diabła jest to całe przeznaczenie. Nigdy nie czytała Homera, Wergiliusza, Platona, Tołstoja czy Szekspira, nie ma pojęcia, co oznacza termin *metysaż* ani jaka może być przyszłość tego bajecznego Meksyku, który razem budują. Vasconcelos opowiada o Zeusie, który zadał się z Alkmeną. Ta sprawiła, że noc trwała dwadzieścia cztery godziny, i poczęła syna tak silnego jak jej miłosna żądza: Herkulesa. Jakie będą dzieci Lupe i Diega? „I co ja mam teraz zrobić?", zastanawia się Lupe. Słyszy te wszystkie słowa: *laickość, rewolucja, filozofia, historia, oświecenie* i głupio jej, bo nie wie, co z nimi począć.

Głos Lupe jest mocny i równy, nie mieszczą się w nim wątpliwości; chwilami może się zdawać monotonny, z jedynym przerywnikiem w postaci owego sławetnego: „Ej, ty". Sama siebie uważa za postrzeloną. Gotowanie przychodzi jej bez trudu i sprawia się z tym w mgnieniu oka. Jedną ręką rzuca sztućce na stół i trafiają dokładnie tam, gdzie powinny, a w porze obiadu talerze płynnie pojawiają się i znikają, bo Lupe nigdy nie siada, póki nie obsłuży wszystkich.

– Chodźmy do El Buen Retiro, jestem zmęczony, chcę zobaczyć, jakie zdjęcia porobił gringo.

– Powiedz lepiej, że chcesz zobaczyć tę Włoszkę.

Włoszka Tina Modotti przykuwa uwagę. Zupełnie inna niż Lupe, niziutka i swobodna, porusza się z gracją. Nie musi krzyczeć, by dojść do głosu i przeforsować, czego potrzebuje. Obie pary, Tina i Weston, Lupe i Diego, wchodzą na *azoteę*, a Tina wspina się po schodach w taki sposób, że trudno ją przeoczyć.

„Bezwstydnica", myśli Lupe.

Tina cieszy się z żartów Lupe, patrzy na nią z podziwem. Cóż za wspaniałą twarz ma ta Meksykanka, jakie dłonie, jaka końska grzywa!

– W tę niedzielę, jeśli chcecie, możemy się wybrać do Xochimilco – proponuje Diego.

– Brzuchaczu! Nie masz przypadkiem dużo pracy?

W niedzielę, jednak bez Diega, który nie mógł dotrzymać im towarzystwa, wiosłują z Robertem Montenegro oraz Carlosem i Dalilą Méridą kanałami *amerykańskiej Wenecji*. Lupe wkłada ręce do wody. Widok sałaty, botwiny, różowych, niebieskich i fioletowych lewkonii wprawia ją w dobry humor. Poza tym Weston wybrał barkę z daszkiem o nazwie „Lupita". Z głównego kanału można podziwiać oba wulkany, szczególnie biały i majestatyczny Iztaccíhuatl, i zadowolona Lupe recytuje: „Woda, ale nie z rzeki, humor poprawia z deczka. Co to takiego?". Nikt nie wie, że to wódeczka. Nie potrafią też pić *pulque*, którą proponuje im wieśniak podpływający do nich na smukłym kajaku. Lupe śpiewa „*La borrachita*", pyta: „Znasz to, Tina?". Pewnie, Tina także nauczyła się tego od Conchy Michel.

– Jasne jak słońce, Lupe jest kobietą z ludu – mówi Ricardo Gómez Robelo do Adolfa Besty Maugarda.

Lupe przyjaźni się z Gómezem Robelem, który szaleje za Tiną, z Adolfem Bestem Maugardem i Robertem Montenegro, którzy nie wiedzą, gdzie ułożyć w barce swoje długie nogi. Obaj malarze ubóstwiają jej urodę, zachwyca ich także Tina Modotti, chociaż Best Maugard woli Meksykankę: „Lupe, jesteś żywym ucieleśnieniem naszej kultury", i podaje jej kalię uciętą przy brzegu. Lupe jest zazdrosna o Tinę, mimo że Włoszka posyła jej szerokie uśmiechy. Potem Tina wygłasza zachwyty na temat jej oczu: „Absolutnie niepowtarzalne, oczy, jakich nigdy wcześniej nie widziałam i nigdy więcej nie zobaczę", i nagle nie wydaje się już tak groźną rywalką. „Poradzę sobie z nią i z dziesięcioma innymi".

Daszki barek przyozdobione imionami ułożonymi z kwiatów nadają kanałom Xochimilco kobiecy charakter. Cuemanco nie jest już wąską rzeczką, którą płynie woda, lecz potokiem kwiatowych kielichów. „Lilia symbolizuje czystość, a czerwona róża namiętność. Orchidea to pokusa, a słonecznik fałszywe bogactwo, bo na drugi dzień usycha" – wyjaśnia dumna z siebie pani Rivera.

– Napiję się *pulque* z selerem – postanawia Weston.

Każde najprostsze danie wydaje mu się ekstrawaganckie. Prosi Lupe:

– Czemu nie zabierzesz nas z Tiną na targ w San Juan?

– A nie wolicie pójść do Viga, gdzie jest większy rynek? – zapala się do pomysłu Lupe.

– Jak mam wam przyrządzić cykady? Smażone, prażone czy gotowane? Same czy z solą i cytryną? Posypać chili? – pyta sprzedawczyni, podsuwając im swoje garnki z kajaka.

Cudzoziemcy dowiadują się, że *chincuiles* to larwy hodowane w agawie i że nic nie może się równać z tortillą z *guacamole*. Uczą się jeść smakujące ziemią *mixiote*[15] i *chicatanas*, „czerwone mrówki,

---

[15] *Mixiote* – mięso duszone w liściu agawy.

którym najpierw urywa się głowę i odnóża o gorzkim smaku, a potem uciera się je z solą i pieprzem kajeńskim".

Krewetki są malutkie, bez porównania ze śródziemnomorskimi, ale okazują się soczyste. Tina próbuje kaczki obłożonej błotem i owocami opuncji, ale ponieważ danie ma mocny posmak ziemi, woli je w sosie *pipián*[16]. Weston pęka z dumy, bo jego podniebienie wytrzymuje pieprz kajeński, którego obawiają się nawet Jukatańczycy.

Weston kupuje sobie papierosy w El Buen Tono przy ulicy Pugibet. Oboje, Tina i Weston, kopcą jak piecyki. Lupe zapala swojego pierwszego papierosa, trzyma go między palcem wskazującym i kciukiem i zanosi się kaszlem. Włoszka skręca się ze śmiechu, a Lupe odpowiada jej tym samym. „Bo ja nie palę", wyjaśnia.

Bez wątpienia Meksyk jest magiczny, jego korzenie, kora, nasiona, rośliny i kwiaty odczyniają uroki i budzą dobre emocje, wyciszają nerwy, unicestwiają złe zamiary, rozwiewają zawiść. Weston i Tina Modotti uciekają się do leczniczych ziół, stosują przeciw chorobom kąpiele w schinusie peruwiańskim, rucie i cytrynie, obawiają się złych duchów, zasięgają porad kręgarzy, znachorów i zielarzy. Te pasje zbliżają ich do Lupe z jej mątewką do czekolady, garnkami i miedzianymi rondlami, do jej drewnianych łyżek, żaren do kukurydzy i różnego rodzaju strączków oraz cudownego glinianego cedzaka z otworami nazywanego przez nią *pichincha*.

---

[16] *Pipián* – sos na bazie pestek dyni.

ROZDZIAŁ 7

PICO

Dziennik „El Universal" donosi, że delegat apostolski monsignore Ernesto Filippi przybył z Watykanu do Meksyku, by na wzgórzu Cubilete położyć kamień węgielny pod pomnik Chrystusa Króla. Jeszcze nic tam nie ma, a już wierni biją pokłony, padają na twarz przed wysłannikiem Piusa XI. „Ogłaszam odpust zupełny dla wszystkich obecnych przy tym świętym wydarzeniu". Prezydent Alvaro Obregón jest poirytowany. „To brak szacunku dla naszej konstytucji i dla laickiego państwa", mówi do Aaróna Sáenza i nie zastanawiając się długo, odwołuje się do artykułu 33, według którego z Meksyku mogą być wydalani niepożądani cudzoziemcy.

Episkopat Meksyku tłumaczy się przed Watykanem: „Pragniemy wyrazić Ojcu Świętemu nasze ubolewanie i oburzenie wywołane arbitralną, niesprawiedliwą i bezwzględną decyzją skutkującą wydaleniem Delegata Stolicy Apostolskiej monsignore Ernesta Filippiego. Bardzo nam przykro z powodu obrazy, jaką to za sobą pociąga, niniejszym błagamy o wybaczenie".

Lupe oklaskuje prezydenta Obregóna: „I bardzo dobrze! Pokażemy światu, jacy jesteśmy! Diego mówi, że gdybyśmy posłuchali rad Nigromante, bylibyśmy o sto lat do przodu w rozwoju". „Kto wie, jak na to zareaguje Najświętsza Panienka z Guadalupe! – zauważa Concha Michel. – W Meksyku to ona rządzi".

– No to rządzi źle – woła Diego.

– Ile razy mam ci powtarzać, żebyś się jej nie czepiał? – odgryza się Concha. – Tutaj wszyscy jesteśmy guadalupczykami.

– Zabijają i wykorzystują każdego, który stanie im na drodze, ale są guadalupczykami! – obrusza się Diego.

– Ej, Brzuchaczu, Concha ma rację. Poza tym wziąłeś ślub w kościele.

Zamiast odpowiedzieć, malarz całuje ją w rękę. Lupe irytuje się: „Najpierw godzinami wpatrujesz się w moje dłonie, a potem malujesz je, jakby to były pędy winorośli".

– Dłonie są najtrudniejsze do malowania…

– Trudniejsze niż twarz? Niż ciało?

Nim Diego skończy mural w Escuela Nacional Preparatoria w San Ildefonso, Lupe zachodzi w ciążę. „Co ze mną będzie?" To życie rosnące w jej łonie przeszkadza jej, pozbawia ją wdzięku, nadyma i czyni ospałą. Czasem potyka się, wchodząc po schodach, a czarne loki wychodzą jej teraz garściami. „Wyłysieję". Jest wysoka i szczupła, dlatego brzuch wystaje niczym piłka: „Patrzcie, idzie Lupe z załącznikiem, Lupe z Pico", komentują znajomi.

– Będzie miał na imię Diego.

– A jeśli to dziewczynka?

– Chłopiec, chcę chłopca – denerwuje się Lupe.

Diego miał już synka.

Lupe drażni, że ciągle chce jej się spać, a jeszcze bardziej, że nie może chodzić wszędzie z Diegiem.

Akty Lupe robią wielkie wrażenie na widzach: z jej ciała emanuje energia, jest rzeką, korzeniem.

23 października 1924 roku przychodzi na świat dziewczynka, Guadalupe Rivera Marín. Podobnie jak przyjaciele malarz woła na nią Pico.

Po kilku dniach Pico zaczyna chorować, Lupe jest przekonana, że córka umrze. Dziewczynka płacze bez końca w swojej czapeczce z falbankami, które według Mazahuanek odstraszają złe duchy.

– Nie bądź złą matką, zamocz szmatkę w wodzie z cukrem i włóż jej do buzi – strofuje Lupe Concha Michel.

Z Pico nadal jest źle.

Diego opowiada Alejandrowi Suxowi, argentyńskiemu pisarzowi będącemu przejazdem w Meksyku, że jego malutka córka nie chce jeść.

– Mała umrze, nie możemy zahamować biegunki – wyjaśnia Lupe.

– Kobieto, jest na to rada.

Alejandro Sux gotuje wodę z ryżem i karmi nią Pico z butelki. Dziewczynka pije i zasypia.

Lupe wraca do dawnego życia. Oprócz malarzy wokół Diega kręci się cały dwór, koniec końców należy on do rasy dominującej, uprzywilejowanej, tej, o której mówi Vasconcelos. Wielu Meksykanów uważa go za atlanta, szukają go, jest wśród nich Stanisław Pestkowski, ambasador Rosji w Meksyku w 1925 roku, który cieszy się ogromną popularnością w kręgach politycznych.

Ambasador zaprasza Diega na kolację z Majakowskim, który właśnie przyjechał z Kuby do Veracruz. Na tę okazję Lupe szyje sobie długą suknię z czarnej satyny, cudeńko, które przydaje jej charakteru, na szyi wiesza złoty łańcuch. Po toaście Luis i Leopoldo Arenalowie atakują Diega:

– Sprzedałeś się burżuazyjnemu rządowi! Nie można należeć do partii i pracować dla bogaczy!

Diego milczy, za to Lupe prosi o głos, staje naprzeciw biesiadników i broni go.

Patrzą na nią zaskoczeni. Jak to możliwe, że kobieta ośmiela się wtrącać do dyskusji mężczyzn? Zafascynowany Majakowski obserwuje Lupe, która przypuszcza atak z twarzą czerwoną od gniewu:

– Drodzy państwo, sztuka jest autonomiczna i nie ma nic wspólnego z polityką. Diego może malować, jak chce i gdzie chce, choćby na dupie Stalina, jeśli taka mu przyjdzie ochota.

Ambasador Pestkowski patrzy przestraszony na tę wysoką piękność, która lśni niczym rozpalony węgiel, a teraz żąda od niego odpowiedzi: „Ten wielki kraj, Rosja, którą wszyscy podziwiamy, nie może być chyba tak ograniczony, by cenzurować swoich twórców, prawda, ambasadorze?".

Zdumiony Diego odkrywa w Lupe kobietę, jakiej nawet nie podejrzewał. Nim wyjdzie w ślad za nią, zdąży jeszcze dorzucić: „Nawet przedstawiciele francuskiej burżuazji traktowali mnie z większym szacunkiem niż wy". Majakowski rusza za nimi do wyjścia. Oczy Lupe, w których już zbierają się łzy wściekłości, to niebiesko-zielony magnes. Majakowski całuję ją w rękę, klepie Diega po plecach, fascynuje go ta niezwykła para. Diego zatrzymuje rosyjskiego poetę w drzwiach: „My idziemy, ale ty musisz zostać, to kolacja na twoją cześć. Jutro pogadamy".

Bierze Lupe pod rękę, odchodzą w milczeniu. Dwie przecznice dalej obejmuje ją:

– Jestem ci wdzięczny za to, co zrobiłaś.

Majakowski to jeden z wielu cudzoziemców, którzy przyjeżdżają do Meksyku przyciągnięci jego legendą. Diego wyszedł po niego na stację Buenavista i Rosjanin poprosił, żeby zabrał go na korridę, potem jednak, gdy już się zaczęła, nie potrafił znieść „złośliwej radości" na trybunach i wyszedł zniesmaczony, prawie chory, zakrywając sobie uszy dłońmi, by nie słyszeć *olé!* wykrzykiwanego przez tłum. Diego tłumaczy mu, że Meksyk nadal pozostał uzbrojony, a jego misją jest wysadzenie z siodła potężnego sąsiada. W 1539 roku, kiedy Stanów Zjednoczonych, które Majakowski nazywa Ameryką, jeszcze nie było, Meksyk miał już pierwszą na kontynencie drukarnię. „To my jesteśmy cywilizowani, oni są barbarzyńcami". Meksyk dał światu czekoladę, wanilię, pomidory. „Oj, Diego, przecież wiem". Ostatecznie malarz ucieka się do pomocy poety Xaviera Guerrero, bo na niego czekają jego rusztowania przy muralu, za to Xavier jest dobrym i cierpliwym człowiekiem. „Weź go do »El Machete«, niech pozna Rafaela Carillo i starego Labordego, innych towarzyszy, niech mu zaśpiewa Concha Michel".

Swoją ojczyznę, Stany, opuszcza pisarka Katherine Anne Porter i przez dziesięć lat, między 1920 i 1930 rokiem, wraca do Meksyku, bo „życie w tym kraju jest lepsze niż w Ameryce". Meksykanie nie są obywatelami drugiej kategorii, nie muszą też niczego zazdrościć Stanom Zjednoczonym, wręcz przeciwnie, mają projekt narodu wielokulturowego. Anita Brenner, której rodzice byli właścicielami hacjendy w Aguascalientes, także wybiera Meksyk, zafascynowana jego kulturą, przeszłością archeologiczną i rękodziełem. Wspaniała gringo Frances Toor wzrusza Diega absolutnym nabożeństwem względem miejscowego rękodzieła i zwyczajów. Diego mówi na nią

Paca albo Pancha. Już w grudniu 1921 roku *Robo*, czyli poeta Rou-
baix de l'Abrie Richey, zaproszony do Meksyku przez Ricarda Gómeza Robelo, napisał dwunastostronicowy list do Tiny i Westona.

Więcej jest poezji i piękna w samotnej, owiniętej w *sarape*[17] postaci leżącej o świcie w drzwiach baru z *pulque* lub w młodej
azteckiej kobiecie o skórze koloru brązu karmiącej piersią swoje dziecko w kościele, niż uda się znaleźć w Los Angeles przez
najbliższe dziesięć lat. Możesz sobie tam wyobrazić szkołę sztuki taką jak ta prowadzona przez Ramosa Martíneza? Szkołę,
w której wszystko jest bezpłatne dla wszystkich (Meksykanów
i cudzoziemców): lekcje, jedzenie, nocleg, farby, płótna, mode-
le, wszystko to gratis? Żadnego egzaminu wstępnego. Jedynym
warunkiem jest, by adept chciał się uczyć.

W Taxco William Spratling przekonuje Wenceslaa Herrerę,
najlepszego złotnika w stanie Guerrero, by porzucił filigran i zaczął tworzyć własne wzory. „Rzemieślnicy meksykańscy to coś nie-
samowitego, wywołają sensację w Nowym Jorku i Paryżu". Diego
Rivera kupuje za śmieszne pieniądze „figurki jakichś bożków". Ktoś
zaprasza Cantinflasa, by spędził weekend w Taxco, a ten odpowiada: „Nie, bo nie mówię po angielsku".
Cudzoziemców szokują społeczne nierówności, za to budzi entuzjazm perła rzucona w środek równin w okolicach Puebli – kościół w Santa María Tonantzintla, z barokową kopułą pokrytą sma-
kowitymi amorkami i złotymi ścianami aż kapiącymi od arbuzów,
pomarańczy i fioletowych winogron. Potem goście ze zdumieniem
odkrywają, że władza kleru jest tu nieograniczona. Kościół posiada
rozległe ziemie i majątki nawet w dalekiej białej Méridzie, to on ma
najwięcej do powiedzenia w tym kraju. Ksiądz jest nie tylko panem
swojej parafii, dziedziczy majątki wszystkich dewotek, wdów i Ry-
cerzy Kolumba, którym w konfesjonale udzielił rozgrzeszenia. Nagle oczom odwiedzających ukazuje się nowy, nieoczekiwany Mek-

---

[17] *Sarape* – rodzaj pasiastego wełnianego poncza lub derki, tradycyjne okrycie
Indian.

syk. W kraju, który szczyci się swoją wiarą w trzystu sześćdziesięciu pięciu kościołach Choluli w stanie Puebla, myśl polityczna okazuje się równie wulkaniczna i wewnętrznie sprzeczna co Popo i Izta, gotowe do erupcji, gdyby tylko zwiększyła się liczba grzeszników. Odkrycie Ignacia Ramíreza, który sam nadał sobie pseudonim Nigromante, to zagłębianie się w Meksyk, o którym nie mają pojęcia Stany Zjednoczone ani Europa. To Meksyk budzący grozę. Gdyby znali go Maksymilian i Charlotta, nigdy nie odważyliby się przekroczyć Atlantyku.

Ignacio Ramírez wybrał sobie pseudonim *Nigromante* – imię maga, który otwiera oczy don Kichotowi – bowiem on chce je otworzyć Meksykanom: „Boga nie ma, organizmy żyją same z siebie". Oburza się, bo system edukacji w Meksyku jest najgorszy w świecie; raczkujący przemysł nie dysponuje laboratoriami naukowymi ani specjalistami w dziedzinie rolnictwa, niemal dwanaście tysięcy kilometrów wybrzeża pozostaje niewykorzystywane. Do Ignacia Ramíreza nie przemawia żaden tam „Ojciec, Syn i Duch Święty". Tylko wiedza i nauka mogą poprawić życie człowieka, co zresztą zaświadcza „inna święta trójca wędrująca po świecie, której imię brzmi: elektryczność, para, druk". Kazanie Kościoła katolickiego tłamsi naturalny ludzki bunt obietnicą lepszego życia po śmierci: „Trzeba żyć chwilą bieżącą, cieszyć się naszym tu i teraz". Ramírez wzbudza nienawiść u zakonników i proboszczów, lecz Diego Rivera podziwia go do tego stopnia, że zamierza wpleść w jeden ze swoich murali jego hasło „Boga nie ma", i to przy pierwszej nadarzającej się okazji.

„Żyjemy w wieku rozczarowań, nauka zmusza nas, byśmy przyznali, że wyzwoliliśmy się z wszelkiej religii i wyzbyliśmy złudzeń. Jak moglibyśmy wierzyć w coś ponadnaturalnego, kiedy przeszło dziesięć milionów rodaków umiera nam z głodu, skoro zewsząd otacza nas nędza i choroba?", pyta dziewiętnastoletni Nigromante w Akademii San Juan de Letrán.

Diego Rivera zapamiętale broni Nigromante podczas swoich wykładów i jeśli spod jego pędzla wciąż wychodzą nowi Indianie, to dlatego, że przekonał się podczas pracy przy muralach, że Meksyk nic się nie zmienił od XIX wieku. Teraz, w 1924 roku, Indianie nadal są grupą zmarginalizowaną, a kobiety najbardziej zapomnianą. „To hańba, a winni są księża, którzy wszystko sobie zawłaszczyli". Redagując Prawo Oświatowe dla Republiki Meksyku, Ignacio Ramírez zadysponował, by „każdy ratusz wysłał do Instytutu Literatury młodego biedaka, inteligentnego, najlepiej Indianina, który podejmie studia wyższe".

Lupe, której to nazwisko nic nie mówi, pyta przy kolacji: „Czemu ty tyle gadasz o tym typie?".

– Bo to był najbardziej światły umysł, jaki wydał Meksyk.

– Tylko dlatego, że nie wierzył w Boga?

– Nie tylko, to autor podstawowych praw ludu; dzięki niemu miały zostać rozdzielone wszystkie majątki, których właściciele wiedli próżniacze życie; robotnicy dniówkowi mieli zostać uwolnieni spod niewoli pieniądza; wszystkie dzieci miały pójść do szkoły i miała się skończyć ignorancja zapomnianych; każdy rolnik miał cieszyć się plonami swej pracy; wszystkie kobiety miały być odważne jak ty, Gniada Mulico; miało nie być wyzyskiwanych, a najsłabsi mogli poskarżyć się na swój los.

– A co im przyjdzie ze skarżenia, jeśli tak czy inaczej nikt nie zwraca na nich uwagi? – odparowuje Lupe.

ROZDZIAŁ 8

ŻYZNA GLEBA

Diego znika wcześnie i wraca tak późno, że Lupe traci cierpliwość. Z Pico w ramionach nie może z nim nigdzie chodzić ani nacierać mu pleców w wannie.

– Chcesz powiedzieć, że malowałeś przez cały ten czas? Osiemnaście godzin na rusztowaniu? Masz mnie za idiotkę?

Kłótni jest coraz więcej. Tina Modotti, Włoszka. Tina Modotti, fotografka. Tina Modotti, która bez wahania zrzuca ciuchy, staje się jej koszmarem.

– Mnie Brzuchacz nie oszuka, wiem, że łazi za tą *Monotti* – zwierza się Conchy Michel.

– Uprzedzałam cię, że towarzysz Rivera jest bardzo kochliwy...

– Pomóż mi go zabić.

– Zabić? Zwariowałaś? Dopiero co urodziłaś.

– A ty co myślisz o tej *Monotti*, Concha?

– Ma ładne ciało, miłą buzię, wydaje się z grubsza sympatyczna, ale ty, Guadalupe, jesteś ładniejsza. Jak chcesz go zabić, pomogę ci przez wzgląd na naszą przyjaźń i partię, chociaż w sumie ani partia, ani ja nie mamy teraz powodów, by posłać do diabła towarzysza Diega.

– Słuchaj no, a co niby takiego sympatycznego jest w tej całej *Monotti*?

– Nawet twój brat Federico czeka na swoją kolej, wszyscy za nią szaleją.

– Pewnie dlatego, że każdemu daje, jak to cudzoziemka.

– Ty się nie usuwaj, przynoś Pico pod rusztowania.

– No jasne! Jedyne, co go interesuje w córce, to mazahuańska czapeczka z falbankami, koniec kropka. Ja jestem w ciąży z następnym dzieckiem, a ten się ugania za spódniczkami.

– Pistolet strzela tak samo z kobiecej jak z męskiej ręki – sączy jad Concha.

– No to, Concha, zastanówmy się, jak go zabijemy.

Towarzyszka Michel jest mała i silna. Wszędzie się zmieści, a kiedy opiera ręce na biodrach, przypomina dzbanuszek do *atole*[18] albo dzwoneczek z czarnej gliny z Oaxaki.

Po długich rozważaniach dochodzą do wspólnej konkluzji. Lupe zaprowadzi Diega do kuchni, a Concha, która wcześniej wejdzie na blat, walnie go w głowę tłuczkiem od moździerza.

– Jak upadnie na podłogę, dobijemy go we dwie. Bach! I po Diegu. Tylko najpierw musisz się pozbyć świadków. Kiedy ma wychodne wasza służąca?

Lupe wpada w entuzjazm:

– Mam płótno, zawiniemy go, a potem zakopiemy pod drzewkiem pomarańczowym na tylnym patio, żeby Cuetowie się nie zorientowali.

Conchę nachodzi filozoficzna refleksja: „Jeśli zabijamy Diega za niewierność, powinnyśmy odprawić wszystkich facetów".

Zapada zmierzch, Lupe i Concha czekają. Kiedy przyjdzie? No kiedy on przyjdzie? „Kiedy, do cholery, przyjdzie ten przeklęty bydlak?", wkurza się Concha. W końcu słyszą kroki Diega, Guadalupe otwiera drzwi:

– Wiesz, która godzina? – atakuje Lupe, a jej oczy są zieleńsze niż zwykle.

– Patrz, co ci przyniosłem – Diego wyciąga do niej gitarę.

Guadalupe roztrzaskuje mu ją na głowie, jeszcze – siłą rozpędu – brzdękną wesoło struny, mimo że nikt na nich nie gra. Wali go pięściami po klatce piersiowej, kopie w brzuch i siłą wciąga do

---

[18] *Atole* – napój z mąki kukurydzianej rozrobionej w wodzie z dodatkiem cukru oraz wanilii, kakao, kwiatów pomarańczy lub anyżku.

kuchni; fruwają talerze, kubki, rondle. Concha wdrapała się na blat i czeka, słyszy tylko łoskot tłuczonych na mozaikowej podłodze naczyń. Potem zapada cisza. „Co to znaczy?"

– Ech, nieszczęśni! Ci dwoje już się dogadali i cały plan wziął w łeb – domyśla się Concha.

Guadalupe po cichu otwiera drzwi: „Conchusiu, to ja, nie uderz mnie przypadkiem. Brzuchacz już śpi".

W łóżku Lupe opowiedziała Diegowi, że miały już z Conchą wszystko gotowe, żeby go zabić. Wybuchnął takim śmiechem, że jej też udzieliła się jego wesołość, przez chwilę znów w niego uwierzyła, jednak o świcie zazdrość miała powrócić z nową siłą.

Zmęczony Diego łapie busa dwie przecznice od domu. Kilka godzin później przynosi go z trudem trzech mężczyzn.

– Znaleźliśmy go w rowie.

Lupe wpada w panikę, ale szybko zdaje sobie sprawę, że Brzuchacz, mimo zamkniętych oczu, jest cały i zdrowy. „Panie doktorze, źle ze mną, to zapalenie opon mózgowych", bełkocze Diego, kiedy lekarz pochyla się nad nim ze stetoskopem. Medyk zaleca okłady z worka z lodem na ewentualność wstrząśnienia mózgu. „Proszę mu to położyć na głowie". Ledwo wychodzi, Lupe krzyczy na męża:

– Odstawiasz tu niezły teatrzyk, nic ci nie jest, wycinaj takie numery u swojej *Monotti*, mi tego kitu nie wciśniesz, no już, idź sobie jęczeć do innej.

Wkurzony Diego w furii wyskakuje z łóżka, wywija swoją laską z Apizco, rzuca się na żonę. Lupe ucieka po schodach. Akurat nadchodzą Lola i Germán Cueto, którzy chcą się dowiedzieć o stan Diega. Lupe zagaduje ich, by Rivera zdążył wrócić do łóżka. „Rzecz w tym, że ona jest wiedźmą, rzuciła na mnie śmiertelny urok", informuje ich Diego, który umie wywoływać u siebie gorączkę i dreszcze.

Na rekonwalescencję malarz wybiera sobie dom przyjaciela, Xaviera Icaza, w Xalapie, ale po dwóch dniach już tęskni za Lupe i wysyła jej wiadomość: „Gniada Mulico, przyjedź do mnie, potrzebuję cię".

Więc Lupe jedzie. Powierza Pico Jacobie i wsiada do pociągu. Tym razem to ta Lupe, która kocha Diega, która zadaje zagadki lub recytuje ludowe baśnie:

Czterech braci stworzył Bóg
Jeden drugiemu wróg
Żaden drugiego nie znosi
Każdy z każdego szydzi
Jeden świat na sobie nosi
Drugi ochrzcił Mesjasza
Trzeci grzeszników zastrasza
A czwartego nikt nie widzi

Co to takiego? Nikt nawet nie próbuje odpowiedzieć, Lupe
krzyczy więc tryumfalnie: „Ziemia, woda, ogień i powietrze". Potem recytuje kolejny wierszyk, wymachując trzymanym w ręku że-
lazkiem:

Woda w rzece upływa, upływa,
nigdy jej nie ubywa.
Czas upływa, upływa,
nigdy go nie ubywa.
Życie mknie jak raca,
nigdy nie wraca.

Jak bardzo nieobliczalna może być ludzka istota? Jak bardzo
niepodobna do siebie samej? Lupe odnawia się każdego dnia, jak
życie, jak maleńkie chmurki krochmalu, którym spryskuje ręką serwetki przed wyprasowaniem, by stały potem sztywno na stole przy
każdym talerzu.
– Patrz, Brzuchaczu, w Xalapie trawa rośnie w szczelinach między kostką brukową.
– To przez te mżawki…
Lupe idzie w deszczu na spotkanie Diega, przez głowę przemy-
ka jej myśl, że Angelina Beloff we Francji też otwierała parasol,
by ochronić woreczek węgla, który miał posłużyć do rozgrzania
mieszkania przy rue du Départ.
– Lupe, zamknij parasol. Jutro wracamy do stolicy. Muszę pracować.

Podobnie jak przyszły minister edukacji Narciso Bassols, astronom Luis Enrique Erro daje pierwszeństwo nauczaniu technicznemu, uważając, że stwarza większe perspektywy znalezienia pracy i przyjmuje Lupe z sympatią:

– Umie pani rysować?

– Diego mówi, że nie potrafiłabym narysować nawet kółka, bo jest okrągłe.

– A zna się pani na fryzjerstwie?

– Też nie.

– Na szyciu?

– To i owszem! Na przykład tę sukienkę, którą teraz mam na sobie, sama uszyłam. – Lupe wstaje i Erro może podziwiać jej wysoką sylwetkę. Co za pyszna kobieta! Czystej krwi, prawdziwa rzadkość.

Lupe daje lekcje kroju i konfekcji w szkole Sor Juana Inés de la Cruz w Merced. „Jesteś w swoim żywiole", gratuluje jej Concha Michel. Entuzjazm w oczach chłopskich i robotniczych córek – niektóre z nich pracują jako służące – stymuluje ją: „Jak mam zrobić tę zakładkę?". Po raz pierwszy w życiu Lupe wychodzi naprzeciw innym. Podobnie jak dla uczennic, krawiectwo stanowi dla niej możliwość zarobienia pieniędzy i pozwala wymknąć się z domu, opieka nad Pico spoczywa w tym czasie na barkach Jacoby. Dzięki krawiectwu staje się użyteczna, a to daje jej wiarę w siebie. Lupe chudnie, odzyskuje dawną figurę, aż tu nagle bach! Znów zachodzi z Diegiem w ciążę.

ROZDZIAŁ 9

CHAPO

Fermín Revueltas i Siqueiros zarzucają Diegowi zniszczenie murali Xaviera Guerrero w Ministerstwie Edukacji Publicznej. I jeszcze złe traktowanie Jeane'a Charlota i Amada de la Cuevy. Coraz bardziej agresywny David Alfaro Siqueiros uderza w stół w domu przy Mixcalco, a Revueltas – nie tak wysoki i silny – idzie w jego ślady. Diego przyjmuje ten podwójny atak ze stoickim spokojem. Lupe krzyczy z kuchni:

– Pozwolisz, żeby tych dwóch darmozjadów robiło z ciebie głupka? Nie wstyd ci?

– Za pozwoleniem, Diego – podnosi się Siqueiros.

W asyście Fermína Revueltasa wchodzi do kuchni, łapie Lupe za ramiona, wpycha do pokoju i zamyka na klucz. Nieulękły Diego nie rusza palcem, by mu przeszkodzić.

– Sam zdecydujesz, kiedy wypuścić bestię. – Siqueiros podaje mu klucz i żegnają się, jakby nic nie zaszło.

Kilka dni później Siqueiros czyta na pierwszej stronie „La Prensa", że w oknie Diega Rivery przy Mixcalco wisi transparent: „W tym domu nie postawi więcej nogi ten alfons Siqueiros ani jego koleś pijaczyna Revueltas".

W wyniku drugiej ciąży nieufność Lupe rośnie. „Idziesz do kogoś", rzuca w twarz Diegowi. Stoi przed nim ubrana na czarno, czeka na wyjaśnienia. Znużony Diego w odpowiedzi jedynie zamyka oczy, Lupe pisze więc do Tiny list, w którym wyzywa ją od kurew.

Ledwo przykłada głowę do poduszki, już przypomina sobie o Włoszce, w myślach widzi, jak tamta chodzi, je, śpi. Odtwarza w głowie historię ich znajomości: z początku się polubiły, ale potem Tina bardzo się zmieniła. Podczas swojej pierwszej wizyty w Meksyku wydawała jej się elegancka, delikatna, w dobrze skrojonej czarnej spódnicy, w modnych pantoflach z paseczkiem. „To na pewno włoskie buty". Śmiała się, ładnie poruszała, a przede wszystkim miała eleganckie i wdzięczne maniery. Łapała Lupe pod ramię, by pogratulować jej pięknej pienistej czekolady, i śpiewnym głosem mówiła: „¡Bravo, bravo!". Ale kiedy Weston wrócił do Kalifornii i zostawił ją w Meksyku, zaniedbała się i Lupe z towarzyszką Conchą wkrótce odnotowały zmianę. „Popatrz tylko, nieźle się zapuściła".

Lupe mówi do Conchy: „Widzisz, jak komunizm szkodzi kobietom? Tamta gringo albo nasza Włoszka, czy kto tam jeszcze, nosi się żałośnie, nie dba o siebie, łazi potargana i stale w tych samych ciuchach". „No pewnie, ty za to jesteś zawsze prosto od fryzjera!", odgryza się Concha. „Może i mam niesforne włosy, ale nie chodzę rozkudłana jak ta karłowata komunistka! Zdaje się, że prawili jej tyle komplementów, aż wreszcie sama we wszystko uwierzyła".

– Zazdrość cię zaślepia, twój brat Federico nie wychodzi z jej domu. Xavier Guerrero się w niej kocha, a Kubańczyk Julio Antonio Mella, bardzo zresztą przystojny, przychodzi do redakcji „El Machete" wyłącznie po to, żeby ją zobaczyć.

– A po co ona tam siedzi, skoro nic nie umie?

– Robi zdjęcia i pisze na maszynie.

Niewiele sobie robiąc z napadów zazdrości Gniadej Mulicy, Diego poświęca się kaplicy w Chapingo, dokąd udaje się codziennie o świcie. Jeździ pociągiem do Texcoco z dwoma murarzami, Juanem Rojano i Efigeniem Tellezem. Do tego malarze Pablo O'Higgins, Ramón Alba Guadarrama, najmłodszy Máximo Pacheco i ich pomocnicy.

W 1923 roku rząd Obregóna przeniósł tu do dawnej hacjendy, w której wyrabiano *pulque*, Państwową Akademię Rolną. Przez okna pociągu widać agawy maszerujące w zwartych szeregach, stojące na baczność dęby i drzewa pieprzowe, falowanie kukurydzy. Diega pochłaniają rozważania o kolorach i proporcjach, a także próby odgadnięcia, o czym myśli Máximo Pacheco, pasterz z plemienia Otomi uśmiechający się do niego ze swojego miejsca w wagonie.

– Tutaj nie rośnie pszenica? Wolę chleb niż tortillę – oświadcza Pacheco.

– U nas uprawia się kukurydzę, należysz do kultury kukurydzy, a Pablo, nasz blondynek, do kultury pszenicy.

– To czemu je tortille jak ja?

– Bo chce być Meksykaninem.

– No to pięknie! Chleb zawsze jest lepszy.

Dawna hacjenda w Chapingo ma dziesięć tysięcy hektarów płaskiego i żyznego terenu. Kiedyś był tu jezuicki raj, a teraz błąkają się po tych miejscach niedowiarkowie i ateiści.

Diego wraca wykończony do domu, a Lupe od razu atakuje:

– Chcesz powiedzieć, że zapłacą ci tylko dwadzieścia pesos?

– Tak, a z tego dam jeszcze coś pomocnikom.

– Dwadzieścia pesos! Przecież tyle dostaje malarz ścienny. Nie mogę w to uwierzyć, Brzuchaczu! Pamiętaj, że będziesz miał dziecko.

– My, malarze, jesteśmy robotnikami, nie burżujami.

– Ale twoja rodzina musi jeść.

– Tak, Lupe, ale my, muraliści, pracujemy dla ludu i dalecy jesteśmy od burżuazyjnego indywidualizmu. Jak myślisz, ile zarabia Orozco?

– W głowie mi się nie mieści, że malujesz ściany w Ministerstwie Edukacji, w kaplicy w Chapingo i nie wiem już, gdzie jeszcze, a nie masz na najprostsze potrzeby!

W Chapingo, malując *Pieśń ziemi*[19], Diego oddaje hołd reformie rolnej. Na frontowej ścianie nad schodami pisze: „Tu uczymy wykorzystywać ziemię. Nie ludzi". Przywołuje mity greckie, sierp i młot, w ręce robotników i chłopów wkłada czerwoną gwiazdę. Porzuca ochrę. Wybiera błękit i czerwień, jasny błękit nieba w Chapingo i czerwień róż, których wszędzie tam pełno.

Odziewa Emiliana Zapatę i Otilia Montaño, nawozi ziemię ich ciałem. To dwóch poległych chwytających za serce, owiniętych w czerwone *sarape* swoich poglądów, ze spokojną twarzą i wąsem,

---

[19] *Canto a la tierra.*

który pomimo śmierci rośnie mocny i gęsty niczym kukurydza. Diego wyprzedza skromną postać literackiego Zapaty nakreśloną piórem Jesúsa Sotelo Inclána, pisarza wzrastającego w czasach głodu, pierwszego, który oddał sprawiedliwość przywódcy i bronił go w książce *Pochodzenie i walka Zapaty*[20]. W czasie *Decena Trágica*[21] matka Sotelo Inclána widziała, jak biedacy zbierają z chodnika i zjadają skórki opuncji.

Diego prosi Lupe, będącą wówczas w ciąży, żeby pozowała mu ze swoim nabrzmiałym brzuchem.

– Będziesz główną postacią muralu za ołtarzem. Jesteś idealnym wyobrażeniem płodnej ziemi. Będziesz symbolizowała ziemię, wodę, ogień, wiatr, siłę życia...

– Na ołtarzu?

– Tak, jako Matka Ziemia. Ukoronuję cię tęczą rozwiewaną przez cztery wiatry.

– Kto jeszcze będzie ci pozował? – Lupe nabiera podejrzeń.

– Ty, Graziella Garbalosa, Concha Michel, Luz Martínez...

– A Włoszkę pseudofotografkę też namalujesz? – przerywa mu.

Ku jej rozpaczy Diego z zapałem portretuje Tinę Modotti. To właśnie ją widać na jednym z najpiękniejszych aktów: *Śpiąca ziemia*[22] to ona, choć czarne włosy skrywają jej twarz.

– Na dłoni posadzę ci małą agawę, wyzwanie rzucone nowoczesności.

Kiełkowanie[23] zmienia Tinę w drzewo, korzeń, topolę. Pozowanie z rękoma uniesionymi do góry jest bardzo ciężkie, lecz Tina nigdy się nie skarży. Pozowałaby Diegowi w każdej pozie, w kucki, na brzuchu, z członkami rozrzuconymi w paroksyzmie. Niektóre sesje są mozolne i długie, jednak ona nigdy nie narzeka, nie przerażają jej nawet ataki Lupe:

– Do ciebie nie mam pretensji – rzuca ta ostatnia. – Pretensje

---

[20] *Raíz y razón de Zapata*.
[21] *Decena Trágica* – zamach stanu przeprowadzony w Meksyku w dniach 9–18 lutego 1913 roku, którego celem było obalenie prezydenta Francisca I. Madero (zginął w wyniku zamachu).
[22] *La tierra dormida*.
[23] *Germinación*.

mam do tego niewdzięcznika, bo noszę jego drugie dziecko i powinien nas utrzymywać. Ja nie mogę pracować, bo nasza córeczka jest słaba. Jeśli chodzi o tego bydlaka, interesuje mnie wyłącznie kasa, jaką zarabia.

– Mnie za to nie interesuje nic z tego, na czym zależy tobie, Lupe. Podziwiam go jako artystę. Pozowanie dla niego to przywilej. Nie zagrażam pieniądzom za obrazy i rysunki...

– No to zobaczymy, czy Brzuchacz ze swoim ślimaczkiem podoła twoim nienasyconym apetytom, szmato...

Lupe nawet sobie nie wyobraża, że Tina i Diego godzinami rozprawiają o Uccellu, Giotcie i Pierze della Francesca. Diego dochodzi do wniosku, że Kodak lada chwila zdetronizuje malarstwo. „Fotografii trzeba się bać". Lupe natomiast w kółko rozwodzi się nad drożyzną tortilli i tym, jakie z tych cudzoziemek są kurewki. W życiu nie domyśliłaby się, że Diego znalazł w Tinie rozmówczynię na swoim poziomie. Modernizm, techniki zagrażające przyszłości malarstwa to tematy ważne dla obojga. Stadion Narodowy w budowie będzie mógł przyjąć siedemdziesiąt tysięcy widzów, sztuka staje się monumentalna. Jak patrzeć na świat w dobie postępu technologicznego? Tina robi zdjęcia nowego budynku wznoszonego według planów architekta Carlosa Obregóna Santacilii, chodzi pod gmatwaniną kabli elektrycznych i telefonicznych, portretuje je swoim ciężkim graflexem.

Dla Lupe fakt, że Diego Rivera, jej mąż, przygląda się codziennie nagiemu ciału innej kobiety, stanowi niewyobrażalną zniewagę. Pewnie że dawniej, w Amfiteatrze Bolivara, Diego namalował wiele aktów, ale wtedy ona jeszcze nie pojawiła się w jego życiu. Tylko ona – legalna małżonka – może się przed nim rozbierać. Podlec! Zżera ją zazdrość i ze smutkiem przygląda się własnemu ciału. „Czy ja brzydnę?" Spojrzeniem – palącym niczym siarka – mogłaby spopielić tę całą *Monotti*, jak również każdą inną z owych kurewek, co to kręcą się wokół Diega. To jej przed Bogiem poślubiony mąż. Tylko ona, doña Lupe Marín, jest żoną Rivery.

Carleton Beals i Edward Weston jadą do Chapingo i odnotowują w swoich dziennikach wielkie wrażenie, jakie wywarły na nich murale. Dwa potężne akty zdominowały całą przestrzeń: po prawej Tina Modotti, po lewej Lupe Marín, obie wyzywające, posągowe. Dla Westona fakt, że Diego wybrał na modelkę Tinę, stanowi niezasłużony zaszczyt; dzięki Diegowi Riverze Tina staje się częścią światowej historii sztuki. Tina także jest wdzięczna, że największy malarz kontynentu amerykańskiego wybrał ją spośród wszystkich kobiet.

Przyczynienie się do większej chwały meksykańskiego muralizmu, który wraz z Westonem znają od podszewki, bo nieraz go fotografowali, to dla nich przywilej. Jeśli dzika żona Diega tego nie rozumie, Bóg z nią. Znoszenie jej obelg to poświęcenie w imię sztuki.

Lupe wychyla się przez poręcz balkonu i wygląda na ulicę Mixcalco. Akurat nadchodzi Diego, trzymając Tinę pod ramię. Śmieją się. Lupe w jednej chwili przeistacza się w bazyliszka i krzyczy z góry:

– Co robisz z tą kurwą, bezwstydniku? Wyglądacie jak parka zakochanych!

Tina, która miała pozować, obraca się na pięcie.

„Jeśli jeszcze raz spotkasz się z tą szmatą, następnym razem jak tylko przyjdą twoi towarzysze z Partii Komunistycznej, rozbiorę się przed nimi – grozi mu. – Siądę sobie na twoim fotelu, żeby mnie poznali w całej okazałości i zobaczyli, że jestem znacznie lepsza od tej całej Włoszki. Nawet nie wiesz, ile razy przyprawiła ci rogi, bo z tego co mi wiadomo, twoja Tinusia kładzie się ze wszystkimi, poczynając od tego konusa Xaviera Guerrero".

18 czerwca 1927 roku na świat przychodzi Ruth, śniada jak jej matka, z wyłupiastymi oczami po ojcu.

– Ta mała jest ciemniejsza niż *chapopote*[24] – woła Diego i od tej pory nazywa córkę Chapo.

Lupe zajmuje się Pico i Chapo. Diego nie widuje dziewczynek nawet w niedzielę. Wraca do domu o drugiej lub trzeciej w nocy i pada na posłanie jak Tlaloc na ziemię. Przebywa z żoną i córkami jedynie podczas uroczystości w domu przy Mixcalco.

Zazdrość Lupe trzymającej w ramionach malutką Chapo sprawia, że Diego coraz bardziej oddala się od domu.

---

[24] *Chapopote* – asfalt.

Bojowniczka Tina spędza całe dnie przed maszyną do pisania w redakcji „El Machete" przy ulicy Uruguay. Robi zdjęcia, które trafiają na pierwszą stronę. Nawet jeśli Weston uciekł od niej do Kalifornii – jak utrzymuje Lupe – Tina w Meksyku nadal jest kobietą, której wszyscy pożądają.

„Weston nie wziął jej ze sobą, bo to szmata", upiera się Lupe.

ROZDZIAŁ 10

CONTEMPORÁNEOS

Diego to fenomen, ale Lupe też pragnie zostać magnetycznym kamieniem. Nauczyciel literatury hiszpańskiej Julio Torri przyjeżdża na rowerze aż z Państwowej Szkoły Przygotowawczej przy San Cosme, żeby się z nią zobaczyć. Lupe Marín podoba mu się znacznie bardziej niż młode służące drepczące o szóstej po południu po chleb, na które Torri zaczaja się przy oknie swojej biblioteki. Kiedy Lupe pyta go, czemu nie jeździ tramwajem, odpowiada, że pociąga go ryzyko:

– Nie zapominaj, że rowerzysta to potencjalny samobójca, co chwila musi stawiać czoła psom i kierowcom.

– Może powinieneś dawać lekcje jazdy na rowerze.

Torri przyznaje, że na początku uczniowie śmiali się z niego: „Ale już się przyzwyczaili, teraz jestem ich ulubionym nauczycielem".

Pewnego popołudnia, o piątej, Torri zjawia się z Xavierem Villaurrutią i Salvadorem Novo. Co za przystojny mężczyzna, jak dobrze ubrany!

– Podobasz mi się bardziej niż Torres Bodet, który przyjechał tu kiedyś i przez cały wieczór gadał po francusku do Brzuchacza – mówi Lupe do Novo.

– I słusznie! Nie da się ukryć, jestem od niego lepszy we wszystkim.

– Mówią, że to poeta, ale czytałam parę jego rzeczy i nie zrobiły na mnie wrażenia – woła Lupe. – Za to chętnie bym znów posłuchała naszego milczka.

– Jakiego milczka?

– José Gorostizy. Strasznie mi się podoba, mimo że w ogóle nie otwiera ust.

– Wygląd ma dla ciebie duże znaczenie, Lupe?

– Bez przesady, spójrz tylko na Diega.

José Gorostiza biegnie z lekcji literatury meksykańskiej przy ulicy Donceles na spotkanie z przyjaciółmi w restauracji Sanborns de los Azulejos. Rektor uniwersytetu Alfonso Pruneda bardzo go poważa. Przez wzgląd na jego wielką sumienność proponują mu posadę w Państwowej Szkole Pedagogicznej.

– Ciekawe, kiedy zdążył wydać swoje *Pieśni do śpiewania na łodziach*[25]? – docieka Novo, który zapamiętale krytykuje biurokrację, nienawidzi ludzi obnoszących się ze swoim wielkim patriotyzmem, a na wszystkie spotkania przychodzi spóźniony.

Goście cieszą się z żartów Lupe, które sytuują się gdzieś pośrodku między przebłyskiem geniuszu a plotką z magla. Nie tylko ma wdzięk, pozbawiona jest również zahamowań, niczego się nie boi. Najbardziej pośród nich sarkastyczny Salvador Novo to prawdziwy wielbiciel jej konceptów. Ta kobieta przynajmniej nie patrzy cielęcym wzrokiem jak Amalia Castillo Ledón. Ponadto Lupe słucha go z zaciekawieniem, przyklaskuje jego *boskim* uszczypliwościom i podsuwa *niebiańskie quesadillas*[26] z komosą lub chili.

– Lupe, możesz współzawodniczyć z Parmentierem.

– A co to za jeden?

Xavier Villaurrutia jest dla Lupe prawdziwym odkryciem. Obok Salvadora Novo wydaje się malutki. Przychodzi do domu przy Mixcalco o tej samej porze co Gilberto Owen, jednak cały entuzjazm gospodyni przypada w udziale Xavierowi, który z wielkim staraniem zaczesuje włosy, nosi granatowy garnitur w prążki, kamizelkę, koszulę ze spinkami w mankietach i traktuje wszystkich z kurtuazją graniczącą z ceremoniałem.

– A więc przyjechałeś z północy i mówisz po francusku? – pyta Lupe i Owen wyjaśnia jej, że mieszkał i uczył się w Toluce.

---

[25] *Canciones para cantar en las barcas*, José Gorostiza.

[26] *Quesadillas* – kukurydziana tortilla z roztopionym podczas prażenia żółtym serem.

– To nie jesteś górnikiem z rejonów północnego Sinaloa? – wtrąca Villaurrutia.

– No tak, mój ociec znalazł żyłę srebra w kopalni niedaleko Rosario.

– Jesteś poszukiwaczem złota! – śmieje się Lupe.

Owen nie rzuca się w oczy tak jak Novo, który niedawno, ku zażenowaniu Villaurrutii, wydepilował sobie brwi.

– A co robiłeś w Sinaloa? – docieka pani domu.

– Moje dzieciństwo mogłoby zainteresować chyba tylko Freuda – odpowiada Owen. – Ojciec był Irlandczykiem, a matka Indianką… Była trochę podobna do ciebie, Lupe, tylko że strasznie religijna, marzyła, żebym został biskupem.

– Ty biskupem? Chociaż w sumie… z wyglądu się nadajesz – woła Lupe.

– Doprawdy interesujące: Lupe, która wyszła za brzydala, przywiązuje wielką wagę do wyglądu – wtrąca Novo.

– Z Rosario, górniczej osady w Sinaloa, wyjechałem do Toluki i tam zrobiłem maturę, zamknąłem się w bibliotece, żeby czytać podręczniki do fizyki i teologii. Awansowali mnie na dyrektora chyba dlatego, że pociąga mnie wszystko, co bezużyteczne, i podobnie jak górnicy drążę i szukam…

– Czego szukasz?

– Nowych żył złota, a ty, Lupe, jesteś całkiem niespodziewaną żyłą dla nas wszystkich.

– No jasne! – zaśmiewa się Lupe.

– U ciebie poznałem Villaurrutię i wolnomyśliciela Jorge Cuestę.

– A co to takiego ten wolnomyśliciel?

– Ktoś, kto wyzwolił się z wszelkich pęt.

– E tam, z Cuesty żaden wolnomyśliciel – obrusza się Novo, a Owen wraca do historii swojego życia.

Porównuje Cuestę do *Monsieur Teste* Valérego, „oddanego w całości bezlitosnym dziedzinom ducha”.

– Ty za to zakochałeś się do ogłupienia w Clementinie Otero, przepuszczasz życie w teatrze – wtrąca znów Novo.

Owen ma dosyć jego wtrętów, żegna się, zapewniając na odchodnym Villaurrutię:

– Lupe nigdy nie popadnie w banał. Jest wolna… Myślisz, że byłaby z niej dobra aktorka?

– Gilberto, ty w kółko myślisz o Clementinie Otero.

Chwalą żarciki Lupe Marín przypominające facecje źle wychowanego młodzieńca, najbardziej zachwyca się nimi Salvador Novo. „Nigdy nie zgodzę się zestarzeć, zrobię wszystko, żeby do tego nie dopuścić", zapewnia Novo i nagle się starzeje.

Ogółem goście, którzy wspinają się po schodach na drugie piętro w domu przy Mixcalco, nie sięgają Lupe nawet do ramion. Zawsze jest najwyższa. Owena cechuje skromność, traktuje serdecznie naczelnego dyskutanta, Xaviera Villaurrutię, również małego i szczupłego, ubiera się na szaro lub ciemnoniebiesko. Jego ironiczne spojrzenie przeszywa niczym błyskawica, nawet kiedy broni Lupe przed sarkazmem Novo. W odróżnieniu od tego ostatniego, Owen jest uczuciowy, w dodatku znacznie lepszy z niego poeta niż z Torresa Bodeta.

– Wygłupy to nie wszystko, Lupe – mówi Owen. – Musisz trochę poczytać. Masz, zostawiam ci tu *Braci Karamazow*. Znasz *Wojnę i pokój* Tołstoja?

– Villaurrutia kazał mi przeczytać i zakochałam się w księciu Andrzeju!

Dla grupy Contemporáneos Diego Rivera to grubas obnoszący się po rusztowaniach ze swoim patriotyzmem. W domu przy Mixcalco nie szukają muralisty, lecz jego żony. Diego może znikać nawet na trzydzieści dwie godziny, bo Lupe już się do tego przyzwyczaiła, a kiedy wraca, jej irytacja pobrzmiewa niczym echo wygłaszanych pod jego adresem docinków:

– *Edukowałeś lud?*

Brzuchacz ma dosyć geniuszu Contemporáneos, ich rozbudowanych teorii na własny temat i czasopisma „Ulises", bo zna już dogłębnie próżność bohemy. Był kiedyś w Teatrze Ulises Antoniety Rivas Mercado, gdzie na jego widok malarz Manuel Rodríguez Lozano bezwstydnie dał nogę, jakby zobaczył samego diabła. Nie przemawia do niego sarkazm Novo. Zachwyceni jego Gniadą Mulicą Contemporáneos wydają mu się *déjà vu* czegoś, co przeżył już w Paryżu na początku wieku, w czasach, gdy wszyscy mówili o nim per *le Mexicain*.

Interesują go natomiast niepokoje Jeana Charlota. „Co teraz będzie z rewolucją? Co z niej zrobią?" Charlot pokazuje mu zdjęcia Zapaty i Pancho Villi w mieście Meksyk, ocenia: „Wyglądają tu całkiem nie na miejscu". Zarówno Emiliano Zapata, jak i Francisco Villa źle się czuli w stolicy, krępowały ich najprostsze rzeczy, choćby kupienie kawy w barze. Ich żywiołem była ziemia, nie brukowane ulice. Obaj nawykli do jazdy konnej, bronili poletek kukurydzy ostrogami i uderzeniami bata, podnosząc do góry mauzera i strzelając, a kiedy wypadali z siodła, przejmowały po nich pałeczkę ich kobiety. To był festyn kul, o którym pisał Martín Luis Guzmán. Dotarli do stolicy i z miejsca chcieli wracać galopem do Morelos, do Durango. O co mieli się bić tu, w mieście, gdzie nie było ziemi, tylko ulice z domami?

Gapie ze stolicy patrzyli na nich w ogromnym zdumieniu. Skąd się wzięli ci obcy? „Co za nędzarze!" „Brudasy w wielkich sombrerach!" Mieszkańcy stolicy żegnali się krzyżem na ich widok niczym doña Carmelita, żona Porfiria Díaza. Co robili w mieście? Nieobuci i obdarci, śmierdzący gnojem. Poeta Ramón López Velarde też ich odrzucił, nie wspominając już o Federicu Gamboi, autorze *Świętej*. Rodziny Escandonów czy Iturbide nigdy w życiu nie myślały, że ich robotnicy rolni i koniuchowie mogą stanowić zagrożenie. Posiadacze ziemscy sądzili, że starczy ich krótko trzymać i poić wódką, dać czasem kawałek płótna na portki i skórę na sandały.

Xavier Guerrero zapewnia, że zostali tylko na kilka dni, spieszyło im się wracać do swoich spraw: Zapacie do podziału ziemi, Villi do jego Dorados[27]. W stolicy nie wiedzieli, co zrobić z rewolucją, co z Meksykiem, z fotelem prezydenckim, Sanbornsem, domniemanym sukcesem. Zapata w mrocznym wejrzeniu smolistych oczu nosił pradawną siłę ziemi. Villa, porywczy i prymitywny, miał proste cele życiowe: pole bitwy i krowy.

---

[27] Dorados – oddział przyboczny Pancha Villi.

ROZDZIAŁ 11

JORGE CUESTA

Lupe podoba się Pablo O'Higgins, „bo to porządny i przystojny gringo", ale drażni ją jego nieśmiałość, dlatego też woli towarzystwo cierpkiego i złośliwego Novo. Podobnie jak O'Higgins, Carlos Mérida prezentuje się bardzo dobrze, ale nie zna innego języka niż malarstwo. Sto razy lepiej ulec urokowi Villaurrutii, tego dandysa w łososiowej kamizelce z czterema kieszonkami. Máximo Pacheco, Amado de la Cueva, Ramón Alva Guadarrama i Fermín Revueltas piją zbyt wiele i na dobitkę są fanatycznymi zwolennikami rewolucji meksykańskiej.

Lupe wkracza w nowy świat: to mała Francja przy ulicy Mixcalco. Contemporáneos zachwycają się Gidem. Wprost z Meksyku piszą się na wspólny rejs z Baudelaire'em, na podróż w głąb siebie samego. Przy okazji krytykują tych, którzy w kółko gadają o Meksyku i jego rewolucji. Muraliści wciąż krążą wokół tematu społecznych nierówności. Przystojny Jean Charlot (francuski pomocnik Diega wykształcony u jezuitów) z oburzeniem zarzuca José Vasconcelosowi, że wychodząc z gabinetu, naciska sobie mocno kapelusz na oczy, byle tylko nie widzieć brunatnego oskarżycielskiego tłumu krzyczącego ze ścian.

Wieczorami dziewczynki, Guadalupe i Ruth, chowają się w swoim pokoju, goście widzą je jedynie przelotnie, choć któregoś ranka Tina Modotti uchwyci swoim graflexem Pico w jej czapeczce z falbankami, takiej samej jak używane przez Indian *mazahua*.

Contemporáneos utożsamiają się z *Synem marnotrawnym*, odwagą André Gide'a, przyjmują za swoje hasło „trzeba się zgubić, by się odnaleźć", o czym zapewnia Xavier Villaurrutia, wygłaszając w Bibliotece Cervantesa wykład *Młoda poezja w Meksyku*. Dla pisarza zniknięcie nie jest niczym trudnym, ponieważ nikt nie czyta. Na zakończenie wystąpienia, którego słucha nawet nie dziesięć osób, Villaurrutia podchodzi z niesamowicie wysokim mężczyzną, który wyciąga do Lupe śniadą dłoń, równie wielką jak jej własna:

– Jego matka jest Francuzką; nazywają się Porte-Petit...

– Wygląda jak fakir – ocenia Lupe. – Przerasta nawet Diega Riverę.

– Bo jest szczupły – wyjaśnia znów Xavier. – Nazywa się Jorge Cuesta i urodził się w stanie Veracuz pośród cordobańskich palm i flaszowców. Będzie studiował grę na skrzypcach w konserwatorium.

Lupe porównuje się z Cuestą.

– Już pana zmierzyłam...

Jorge Cuesta wpatruje się w nią jednym okiem, prawym, bo lewe kryje się pod opadłą powieką. „Gdyby nie to uszkodzone oko, byłby przystojny", mówi sobie w duchu Lupe, dokładając starań, by nie patrzeć na powiekę. W tym czasie mięsiste wargi Cuesty muskają w pocałunku jej prawą dłoń.

Siedząc koło Villaurrutii, Jorge obserwuje ją, jak krząta się między kuchnią a salonem. Nie wie, że Lupe zdążyła już zapytać jego kolegę:

– Ej, co mu się stało?

– Jako dziecko, w Córdobie, wypadł niani z rąk i uderzył się o dzbanek, ale zapewniam cię, że jest nieźle zorientowany...

– Niby w czym?

– We wszystkim, w muzyce, nauce i literaturze.

Do Lupe docierają ich rozmowy: „Czytałeś już *Plain-Chant* Cocteau?". „Trzeba odmeksykanizować Meksyk". Alfonsowi Reyesowi na wygnaniu w Paryżu Francuzi zaszczepili zgryźliwość, dlatego stał się taki bystry. W zestawieniu z nim, oni są jedynie jakimiś lunatykami, rozbitkami, którzy nie potrafią zaśpiewać choćby na łodziach jak nieśmiały José Gorostiza, który pisze: „Kto mi kupi na pociechę / serce z pomarańczy? / Nikt nie kupi, pusto w piersi / serce nie zatańczy". Alfonso Reyes gratuluje mu, a Gorostiza odpowiada, że to tylko „kilka sentymentalnych linijek", jednak Villaurrutia nie ma wątpliwości, że te wersy zachwyciłyby Cocteau.

Błyskotliwość Cuesty, trafność jego komentarzy zdumiewają Lupe. To brzytwa równie ostra jak ona sama.

Gorostiza także podziwia Cuestę, a Owen uparcie powtarza, że to krytyk idealny, dosłownie. „Zna całą literaturę francuską, tłumaczy Paula Éluarda, Mallarmégo, nawet Johna Donne'a. Pracuje z godną podziwu dyscypliną. Francisco Monterde zamierza mu opublikować *Zmartwychwstanie don Francisca* w swoim czasopiśmie »Antena«".

Lupe pochlebia, że intelektualiści przychodzą na ulicę Mixcalco dla niej, nie dla Diega. Nie ma pojęcia, że go krytykują; gdyby o tym wiedziała, przepędziłaby ich z miotłą w ręku. Zapewnia nieśmiałego José Gorostizę, że dla niej przyjaźń Villaurrutii to prawdziwy dar niebios, a ten uśmiecha się. Lupe wyjaśnia: „Kiedy Xavier zaprasza mnie na spacer, jestem najszczęśliwszą kobietą pod słońcem".

– Lupe, wielu spośród twoich gości nie szanuje Diega – mówi jej Salvador Novo.

– Wiesz co, mącicielu? Mnie tego nie mówią, bo bym ich zatłukła.

Gorostiza przestaje przychodzić, jednak Novo, Owen i Villaurrutia nie zamierzają jej porzucać. Komentują inteligencję swojej przyjaciółki, celność sądów, łabędzią szyję, dłonie. Co za dostojeństwo! Villaurrutia sięga jej do ramienia, ale Lupe i tak nie odstępuje go na krok.

Jorge Cuesta robi na niej coraz lepsze wrażenie. „Prawdopodobnie właśnie zaprzedaję duszę diabłu", wyrywa mu się pewnego dnia. Lupe, która dopiero co przeczytała *Wojnę i pokój*, przekonuje, że Dostojewski jest więcej wart od Tołstoja, bo „wyciąga wszystko wprost z bebechów. Szaleję też za Puszkinem, jaka szkoda, że umarł tak młodo; ile jeszcze mógłby napisać! Och, ale Dostojewski…!".

– Co czytałaś Dostojewskiego?

– *Braci Karamazow.*

– I co jeszcze?

– Tylko to, a co?

– Nie znasz *Zbrodni i kary*? Zaraz jutro ci przyniosę.

Zafascynowany uosobioną siłą natury odkrytą przy ulicy Mixcalco, Cuesta przychodzi często. Bardzo szybko zaczyna między nimi iskrzyć.

Lupe łączy braci Karamazow z usłyszaną w radiu piosenką o dwóch bliźniaczych drzewach.

– W głębi duszy Raskolnikow jest wyniosły i arogancki. Nie uważasz, że pokazuje to na placu Siennym? – przekonuje Lupe.

– To był udręczony człowiek, sam siebie zapędził w ślepy zaułek.

– I dlatego zarąbał staruchy siekierą?

– To trochę bardziej skomplikowane, Lupe...

– Wiem, wiem, wszystko, co pisze Dostojewski, jest „bardziej skomplikowane".

Lupe jednym susem przemierza pokój, myśli zdają się przebiegać jej ciało niczym elektryczne impulsy, podświetlają włosy. Lśni czernią w oczach Jorge, zarzuca prawą nogę na lewą, unosi wspaniałą głowę, ile siły w jej zębach, w jak szlachetny sposób na niego patrzy, niekiedy błagalnie, innym razem dziko. Jej długie ramiona zakończone cudownymi dłońmi zawsze gotowe są do objęć lub przywalenia z pięści. W uszach Jorge każde słowo Lupe brzmi jak wołanie.

– Słuchaj no, Jorge, czy myślenie to doznanie zmysłowe? – pyta Lupe.

Cuesta cofa się, opowiada jej, że Contemporáneos przygotowują pierwszą antologię współczesnej poezji meksykańskiej, wspólnie piszą fiszki bibliograficzne i recenzje.

– Krytyk to taki, co pomaga innym się zorientować? – pyta Lupe.

Ukrywa w szufladzie z bielizną listy, które przysyła jej Jorge. Nawet Xavierovi Villaurrutii nie zwierza się z wrażenia, jakie wywierają na niej te wyznania: „wydaje mi się, że zaraz runę w przepaść". Czerwone usta Lupe same z siebie przypominają ranę, jakby Diego ją maltretował; w górnej wardze widać głębokie bruzdy gotowe w każdej chwili się otworzyć. Potajemnie czyta list, który Jorge wsunął między stronice *Zbrodni i kary*:

Lupe [...] Rozmawiałem z Tobą, mimo iż mówiąc do Ciebie, czuję, że Cię ranię. Jednego możesz być pewna: siebie samego ranię jeszcze głębiej, ja cierpię dużo straszniej. Największe zło, jakiego zaznałem (i zaznam jeszcze) od losu, to to, że „będę musiał" Cię skrzywdzić, nieuchronnie, „fatalnie", w żaden sposób nie jestem w stanie tego uniknąć, pomimo że wszystko we mnie płacze na ten widok i aż mnie skręca, jestem bliski obłędu. Teraz jednak najsilniejszym we mnie uczuciem jest miłość do Ciebie, „Ciebie całej". Czuję, jak w tej gorączce spala się moje istnienie, ja pozwalam się spalać, przepełniony radością wynikającą z pełnego oddania. [...] Lupe, nie możesz mi niczego odmówić, bo Cię kocham. [...] Jorge.

Lupe przewraca kartki i jak gdyby przyłapano ją na czymś wstydliwym, zerka w stronę drzwi: „Brzuchacz zawsze późno wraca". Myśli sobie, że ten Jorge pisze strasznie zawile, ale tacy właśnie są intelektualiści, koniecznie chcą się czymś wyróżnić. Tylko jak? Za to wszyscy wiedzą, kim jest Diego. Pewnie, teraz, jak już trochę sobie ich posłuchała, Lupe drażni, że musi wyjaśniać Riverze, że rewolucjoniści to bezwstydnicy, zgraja dzikusów i łupieżców, za którymi ciągną same stare kurwy, zapchlone i pociągające *pulque*. Co takie dobrego przynieśli Meksykowi, no proszę, co?

– Ja, Brzuchaczu, w życiu nie założyłabym na siebie żadnego z tych wełnianych swetrów z Chiconcuac.

ROZDZIAŁ 12

MONTE DE PIEDAD

24 grudnia 1924 roku krytyk i lingwista Julio Jiménez Rueda wydaje w „El Universal" wyrok: „Nawet typ człowieka myślącego uległ degeneracji. Nie jesteśmy już mężni, dumni, surowi [...]. Sprawy mają się tak, że obecnie sukces łatwiej znaleźć nie tyle na czubku stalówki, co w jakże złożonym kunszcie toalety". Zdaniem Jiméneza Ruedy zniewieściali pisarze, tacy jak Novo i Villaurrutia, zobojętnieli całkiem na meksykańską rzeczywistość, w głowie im tylko Paryż.

Dwa miesiące później, 19 lutego 1925 roku, Novo odpowiada, również w „El Universal": „Zarówno nam, jak i wam potrzeba czytelników. Różnica polega na tym, że my ich mamy, a wy nie, z oczywistych względów".

Kultura należy do przywódców, jak José Vasconcelos, lub artystów, takich jak Diego Rivera. Jak to możliwe, że garstka źle wychowanych pedziów pod przewodnictwem Salvadora Novo usiłuje przekonać naród meksykański, że najlepsze rzeczy są we Francji?

„Otwórzmy się na świat!", powtarza Villaurrutia.

Torres Bodet publikuje swoją książkę *Contemporáneos: uwagi krytyczne*[28], w której próbuje przedstawić cele grupy.

„Banda sprzedawczyków! Zgraja zarozumialców!", grzmi w odpowiedzi Germán List Arzubide.

Malarz Gabriel García Maroto krytykuje Diega Riverę. Mura-

---

[28] *Contemporáneos: notas de crítica*, Jaime Torres Bodet.

lista nie pozostaje dłużny, przypuszcza szturm na Contemporáneos, nazywa ich „ciotami".

W Argentynie miesięcznik „Sur", a w Nikaragui następcy Rubéna Daría chwalą Contemporáneos. Skutkiem tego w Meksyku Ermilo Abreu Gómez oskarża ich, że są sługusami zagranicy. Wcześniej był współpracownikiem czasopisma „Contemporáneos", w którym opublikował przeszło dwadzieścia pięć artykułów o Sigüenzie y Góngorze oraz Sor Juanie Inés de la Cruz, jednak teraz krytykuje czasopismo „bardziej wyczulone na problemy we Francji niż we własnym kraju", zarzuca mu „wyrafinowanie" i „oderwanie od rzeczywistości. Trudno odejść dalej od meksykańskiego ludu".

– Sam Abreu Gómez oklaskiwał Gutiérreza Nájerę i Rubéna Darío, dla których Paryż jest mekką – irytuje się Novo i wymierza w niego jeden ze swoich satyrycznych sonetów, absolutnie odległy w duchu od „sympatycznych barokowych ornamentów", o jakie oskarża się zniewieściałych poetów:

Ojciec półwzwodem, matka półdupkiem
spłodzili półbyt zwany półgłówkiem
wierny Sor Juanie łysy wyskrobek
wprost z Jukatanu grafomikrobek.

Uważa owego „Ermilinka" za ptasie jajo bez żółtka, a wynoszony przez wszystkich pod niebiosa poemat *Słodka ojczyzna*[29] nazywa bolesnym wypierdem wzdętego Lópeza Velardego.

– Nacjonalizm to najgorsza pułapka, bo czyni nas małymi – protestuje także Cuesta, który nacjonalistów ma za krótkowzrocznych, a lokalną kulturę glinianej misy i kamiennego żarna uznaje za żałosne umniejszenie, „rodzaj egoizmu".

Ten punkt widzenia popierają Samuel Ramos i jego wielki przyjaciel José Gorostiza, choć nie są tak radykalni i w odróżnieniu od Cuesty wierzą w tradycję, co drażni go i prowokuje do słów: „Słyszał kto kiedy, żeby Szekspir, Stendhal, Baudelaire, Dostojewski czy Conrad apelowali o kultywowanie tradycji i ubolewali nad beztro-

---

[29] *Suave Patria*, Ramón López Velarde.

ską ludzi, którzy nie strzegą jej zazdrośnie? Tradycja nie trwa, lecz żyje. To oni właśnie najmniej zaprzątali sobie tym głowę, byli największymi heretykami, jak najdalszymi od tego rodzaju fanatycznej służby [...]. Tradycja jest tradycją, ponieważ nie umiera, ponieważ żyje i wcale nie potrzebuje, by ktoś jej bronił".

Salvador Novo kpi sobie ze "świadomości rasowej". Nie cierpi słomianych mat *petate*, indiańskich sandałów *huaraches*, strzelb z rewolucji meksykańskiej, tak do szpiku męskiej i ukapeluszonej, uważa to za czystą demagogię.

Contemporáneos otwierają się na hiszpańskie Pokolenie 27, na Enrique Díeza-Canedo, Manola Altolaguirrego i Leóna Felipego, nie podejrzewając, że ci wiele lat później będą szukać w Meksyku schronienia. Argentyńczyk Jorge Luis Borges; Luis Cardoza y Aragón z Gwatemali; Urugwajka Juana de Ibarbourou; Kubańczycy Jorge Mañach i Juan Marinello oraz nadzwyczajny Chilijczyk Pablo Neruda przyklaskują Contemporáneos. W Meksyku Cuesta kolekcjonuje namiętnie kolejne numery „Sur".

– W następnym numerze damy wiersz Garcíi Lorki – oświadcza Bernardo Ortiz de Montellano, korektor i dystrybutor czasopisma. Szaleje na punkcie *Snu pierwszego*[30] Sor Juany i sam pisze kontynuację: *Sen drugi*. Potem wpada w zachwyt nad *Romancerem cygańskim* Garcíi Lorki.

– Sor Juana? – pyta zaintrygowany Novo.

– Pewnie, Sor Juana to objawienie!

Następnego dnia rano odbiera u siebie w biurze wiadomość od Novo:

Kolejne fakty z życia ponure
owej mniszki, której chwalisz zalety
są takie, że zatrudniła swą dziurę,
by *Snu pierwszego* spłodzić wersety,
a że w pobliżu nie stał niczyj siurek
w szczapie drewna szukała podniety.

---

[30] *Primer Sueño*, Sor Juana Inés de la Cruz.

Z większą lub mniejszą dokładnością Lupe przechowuje w pamięci wszystko, co słyszy. Cuesta powtarza, że Rivera był bardziej autentyczny jako kubista, takiego Diega nigdy nie poznała. Rewolucja meksykańska drażni go do tego stopnia, że na najmniejszą wzmiankę o niej wpada we wściekłość: „Ruchy rewolucyjne mają między innymi ten efekt, że stanowiska publiczne zajmują osoby, które nie posiadają politycznego doświadczenia, a z reguły brakuje im również jakichkolwiek predyspozycji intelektualnych. Jednak byłoby absurdem wykazywać w ten sposób niedoskonałość czy wadę samego ruchu. Bo każda rewolucja z natury swojej jest katastroficzna dla ustalonych wartości i sprzyja prostactwu; taka jest jej natura i jej zasługa". Odrzuca polityczne zaangażowanie muralistów, uważając je za swego rodzaju pamflet, a spośród Wielkiej Trójcy najbardziej skłania się ku Orozco, choć tego nie mówi już Lupe. „Fresk *Okopy*[31] to dobry przykład wielkości i świeżości jego malarstwa. Nigdy wcześniej nie było w Meksyku sztuki tak godnej", napisze w „El Universal" w 1935 roku.

***

We wrześniu 1927 roku nadchodzi telegram, który wstrząsa domem przy Mixcalco 12. Łunaczarski, komisarz oświaty Związku Socjalistycznych Republik Radzieckich, przyjaciel Majakowskiego, zaprasza mistrza Riverę do Moskwy, by wziął udział w dziesiątej rocznicy zwycięstwa rewolucji październikowej.

– Nie pojedziesz – wpada we wściekłość Lupe.

– Owszem, pojadę. Łunaczarski nauczył czytać całą Rosję. Poza tym zorganizował sąd nad Bogiem.

– Sąd to ja zrobię nad tobą, kretynie.

Lupe rzuca się na niego, Diegowi nie udaje się uchylić przed jej kopniakami i ciosami pięści wymierzonymi w jego brzuch. W pewnym momencie potyka się o krzesło i upada na podłogę jak długi, w całej okazałości swej ogromnej postaci, a Lupe pomaga mu wstać tylko po to, by dalej go tłuc. Atmosfera staje się nieznośna. Trzylet-

---

[31] *La Trinchera*, José Clemente Orozco.

84

nia Pico błaga: „Mamo, nie, nie, nie!". Chapo, która ma zaledwie trzy miesiące, przyłącza się do awantury, zanosząc się płaczem w kołysce.

Pico przez całe życie będzie nosić wspomnienie szarpaniny, razów, policzków, szturchnięć i kopniaków pomiędzy rodzicami.

Dziewczynki mogą polegać wyłącznie na swojej niani Jacobie.

– Wyjeżdżam do Związku Radzieckiego – oświadcza Diego Pablowi O'Higginsowi i Máximowi Pacheco.

– Wynoś się razem ze swoimi cycatymi koleżankami. Po powrocie mnie tu nie zastaniesz – krzyczy Lupe z drugiego piętra domu przy Mixcalco na oczach przerażonych Loli i Germána Cuetów.

Bezradna Pico wspina się na żelazną balustradę:

– Tato, wszystko umiera?

– Tak, Picutko, wszystko umiera.

– Nawet żelazo?

– Tak, nawet ono…

Związek między zardzewiałą balustradą i wyjazdem ojca na długo zapada w pamięć dziewczynki – całymi miesiącami nie chce podejść do barierki.

Któregoś ranka przy Mixcalco Pico złapała pędzel i farby i pomazała płótno, które ojciec zostawił na sztalugach. „Pico, no zobacz tylko, coś ty narobiła!", zirytował się Diego, na co dziewczynka wyjaśniła: „Tata maluje, mama maluje i Pico maluje". Teraz przeraża ją podejrzenie, że to pewnie z jej winy Diego odchodzi.

Przez całe życie przyszłą panią doktor Lupe Riverę Marín będzie dręczyć obsesja na punkcie ojca. Uczepienie się go to ostania deska ratunku, antidotum na złe traktowanie przez matkę. Jeśli on ją kocha, nie może przecież przydarzyć się nic złego. Jednak ojciec odchodzi, a wtedy nie zostaje jej nic poza upokarzającymi wspomnieniami!

Gdy tylko Lupe, jeszcze jako żona Diega, odkryła Monte de Piedad przy Zocalo, włączyła to miejsce do swojej codziennej trasy.

– Słuchaj, grubasku, wiesz co? Zobaczyłam coś ciekawego w Monte de Piedad…

– Co takiego, Marín?

– Taki tam drobiazg, pierścionek…

– Ile kosztuje?

– Tyle co nic...

Jeszcze nie skończyła mówić, a już Diego wkładał jej do ręki pieniądze.

Słabość Lupe do naszyjników, kolczyków i pierścionków jest tak wielka, że ciągnie ze sobą córkę za rękę, a ponieważ dziewczynka nie pozwala jej wybrać w spokoju, przywiązuje ją do kraty przy katedrze i mówi do policjanta: „Zostawiam tu dziecko". Nie czekając na odpowiedź, przechodzi przez ulicę i znika w najjaśniej oświetlonej części Monte de Piedad, gdzie leżą zastawione pierścionki. Uwielbia kolumbijskie szmaragdy, wiele z nich czeka na nią w gablocie, jednak ceny są bardzo wysokie. „No dobrze, w takim razie proszę mi pokazać te medaliki z Najświętszą Panienką z Guadalupe, nie, nie ten, tamten, najgrubszy, ten z diamentami".

Na zewnątrz policjant pyta płaczącej dziewczynki: „Dokąd tak szybko pobiegła twoja mama?". Pico pokazuje palcem na budynek Monte de Piedad.

Gdy Lupe w końcu wychodzi, zastaje córkę zapłakaną i posiusianą: „Mała kretynko! Patrz tylko, jak wyglądasz, muszę cię teraz taką śmierdzącą odstawić do domu". Policjant przygląda się jej i mówi głośno: „Niektóre kobiety nie powinny mieć dzieci". Lupe udaje, że nie słyszała, szarpie Pico i ciągnie ją za sobą do tramwaju, który właśnie ma ruszyć. „Siądź tam z tyłu", sadza córkę jak najdalej się da.

Wieczorem odwiedza ją kilku poetów z grupy Contemporáneos. Lupe przeklina Diega: „ta kanalia, bezwstydnik... Mogę was co najwyżej poczęstować kawą, bo ten drań zmył się, nie zostawiwszy mi złamanego grosza".

Villaurrutia, Lazo, Novo, Owen gadają jeden przez drugiego jak najęci. Lupe podoba się Bernardo Ortiz de Montellano, który otwiera usta dopiero, kiedy wszyscy wyszli, żeby wyrecytować jej wiersz Amada Nerva: „W dniu, kiedy mnie pokochasz, rozjarzy się słońce w zenicie / W noc, kiedy kochać mnie będziesz, nastąpi pełnia księżyca". „Pracuję nad biografią Nervo. Poza tym chciałbym napisać o Lópezie Velardem". Jorge Cuesta również został dłużej niż inni, upiera się, że Nervo był wstrętną postacią o ujmującym umyśle, natomiast zacatekańczyk López Velarde to „ledwie pejzażysta".

Villaurrutia, najlepiej pośród nich zorientowany w polityce, opowiada, że 13 listopada 1927 roku trzech katolickich fanatyków, wśród nich jezuita Agustín Pro, próbowało podłożyć dynamit pod samochód Obregóna. Generał wyszedł z tego nietknięty i tak jak wcześniej planował, pojechał na korridę. Tydzień później rozkazał rozstrzelać wszystkich trzech bez sądu na komisariacie w Tabacalerze.

– Fanatycy zamordują w końcu Obregóna – ocenia Novo.

– A ty, Lupe, co myślisz? – pyta Villaurrutia.

– Że księża i zakonnice powinni smażyć się w piekle.

ROZDZIAŁ 13

OBOLAŁA PRZEZ PEWNEGO DRANIA

Czytelników nie ma zbyt wielu i Contemporáneos doskwiera obojętność. Nakład ich czasopisma ma ledwie pięćset egzemplarzy, a i tak dostają trzysta sztuk zwrotów. Dziennikarze nimi pogardzają, ale ani niechęć, ani krytyka nie umniejszają zaangażowania Cuesty, dla którego dać się pokonać przez przeciętniaków stanowiłoby niewybaczalne ustępstwo.

17 lipca 1928 roku prezydent Alvaro Obregón bierze udział w uroczystym obiedzie w restauracji La Bombilla. Gra orkiestra *mariachi*: „Wychodzę do sadu z konewką / Lecz już podlewać nie muszę / To smutek zalewa mi duszę / Bo cytrynowe usycha mi drzewko". Wystrzał nie pozwala prezydentowi donieść łyżki do ust, Obregón pada twarzą wprost w talerz z zupą.

Teraz wszystko się zmienia! Członkowie gabinetu Callesa krytykują muralistów. Pospolici, przeciętni i konwencjonalni wolą „we wszystkim naśladować Francuzów", których uważają za szczyt elegancji. Studenci niszczą murale nożami i wypisują wulgaryzmy w dolnej części „małpich" fresków. „Czy w Meksyku nie ma nic poza obdartymi Indianami i zabiedzonymi robotnikami rolnymi? Naprawdę wszyscy Meksykanie są tacy brzydcy? A gdzie normalni ludzie? Precz z proletariacką sztuką!"

Nowy sekretarz kultury i nauki José Manuel Puig Casauranc zapewnia:

– Pierwsze, co zrobię, to każę zamalować te straszliwe bohomazy.

W Teatrze Lirycznym komik z poduszką imitującą brzuch, w obwisłym kapeluszu udaje Diega i śpiewa:

Już biegną pod prysznice
Szorują się uczennice
Bo nie chcą, do cholery
Wyglądać jak pawianice
Z fresku Diega Rivery

Contemporáneos też nie uchodzą cało z pogromu, mimo że Jorge Cuesta jest przeciwieństwem Rivery. O ile Diego chodził zawsze przed Lupe, Jorge nie wypuszcza jej ręki, zadręcza ją swoją miłością: „Cierpię przez Ciebie i w Tobie, Lupe, ja krwawię, broczę krwią bardziej niż ty, męczę się bardziej, tak musi być", pisze. Obwinia się: „Jestem tobą *opętany*, niczego co do mnie należy nie mogę odmówić sile, która mnie posiadła, a posiadło mnie uczucie do Ciebie. Sama widzisz, jak bardzo jestem zdeterminowany, sama czujesz, jak jasno postrzegam to wszystko. Dotykam Cię, widzę, dotykam i widzę w sobie: cały jestem z *Ciebie*, poza Tobą mnie nie ma, pozwól zatem, że będę się bronił przed śmiercią".
– Zamieszkaj ze mną, Lupe.
– W akademiku? Jeszcze mi na mózg nie padło!
Lupe rozczarowują jego zmiany nastroju, nagłe milczenie, straszliwe migreny i perfekcjonizm. Trafność jego sądów ją onieśmiela, ale wnikliwa analiza, jakiej ją ustawicznie poddaje, nie przeszkadza jej bez przerwy gadać. Nie zwykła gryźć się w język, nie ma pojęcia, czy jej monologi przypadną do gustu pretendentowi, najważniejsze, że czuje się pożądana. Jakie są jej granice? Marín jest swobodna; Jorge pełen rezerwy. Marín gada, co jej ślina na język przyniesie; Jorge dziesięć razy się zastanowi, zanim coś powie. Marín plotkuje jak najęta, robi, co jej strzeli do głowy, stale opowiada jakieś bzdury; Jorge jest poważny aż po gorycz i wszystko poddaje racjonalnemu osądowi. Jego koledzy nigdy by się nie domyślili, że godzinami z nią rozmawia, a kiedy to niemożliwe, pisze do niej, usprawiedliwia się, błaga, zmusza, by przyjęła jego miłość. W odróżnieniu od Lupe, Jorge nigdy nie przyszłoby do głowy chwalić się, że

zjada dwadzieścia pomarańczy za jednym zamachem albo że „Brzuchacz malował tak długo, że jak w nocy usiadł na kibelku, znaleźli go tam nazajutrz śpiącego. Masz pojęcie?". Jorge rozwodzi się nad francuskim kartezjanizmem i zapewnia, że czasopismo „Contemporáneos" będzie mogło rywalizować w przyszłości z „Mercure de France"i „Nouvelle Revue Française". „A kto to będzie czytał?", zadaje celne pytanie Guadalupe, która nie zna ani słowa po francusku.

Daleki od przyklaskiwania jej żartom, jak to robił Diego, Jorge powstrzymuje ją przed upadkiem z wysoka. Cuesta otwiera przed nią drzwi, ale są to drzwi, które prowadzą w próżnię. Dla niej Jorge nie jest prawdziwym inżynierem, z tych, którzy pracują dla rządu, budują mosty i wręczają żonie pensję, tylko osobnikiem sporządzającym magiczne mikstury, mieszającym wywary i snującym monotonne wywody, które ją nudzą i w żaden sposób nie wpływają na innych, w odróżnieniu od słów Diega Rivery. Najtrudniej jej pojąć jego niepokój. „W wieku trzydziestu pięciu lat zwariuję, to pewne". Za to rozumie Salvadora Escudero, innego, pozbawionego literackich ambicji pretendenta, który umie ją rozśmieszyć.

– Lupe, Escudero to idiota, nie sięga Jorge do pięt – irytuje się Villaurrutia.

Lupe traktuje Villaurrutię jak wyrocznię, ale i tak jest przekonana, że Escudero zna najlepsze lokale na tańce. Za to Jorge zamyka się w swoim pokoju i obserwuje własne objawy. Gdy jej to wyjaśnia i wymienia po kolei wszystkie teksty o gruczołach, jakie przeczytał, Lupe bierze chęć znaleźć dla niego jakieś lekarstwo, bo ona już swoje znalazła: chodzi na tańce z Escudero.

„Płaczę, bo Cię skrzywdziłem: płaczę, jak nigdy dotąd nie płakałem, jednak z oczu nie chcą popłynąć mi łzy, które złagodziłyby nieco moje cierpienie – pisze znów Jorge. – Ale szczycę się tym, wybacz, że mogę tak cierpieć przez Ciebie, cierpieć z powodu ran, które Tobie zadałem. Chcę płakać, lecz pozostaję spokojny, patrzę na siebie. Chcę oszaleć, z każdą chwilą coraz jaśniej to widzę. Chcę zasnąć, odpocząć od męki, a z minuty na minutę jestem bardziej rozbudzony, by jeszcze głębiej cierpieć. Więc płaczę, teraz już ze łzami, bo poczułem sam siebie. Tyle radości, że Cię kocham, a tymczasem Tobie jestem źródłem udręki; płaczę, widząc, że nic nie mogę na to poradzić, że choć nie wiedzieć ile bym się męczył i rozpaczał, nie skryję się sam przed sobą. Cierpię więc nieskończenie, a dreszcz przenika mnie do szpiku kości. Ulituj się nade mną, Lupe, i powiedz mi coś. Mój los błaga, byś ulitowała się nad nim. Jorge".

Lupe nie ma czasu przetrawić jednego listu, a już nadchodzi następny: „Uwielbiam Cię: szaleję za Tobą każdą cząstką mojej istoty, nie ma we mnie ani grama, ani milimetra, który wyparłby się tej miłości. I choćbym to przemilczał, choćbym nic Ci nie powiedział, choćbym się zabił, choćbyś nic nie wiedziała, choćby nikt o niczym nie miał pojęcia ani niczego nie spostrzegł, taka jest prawda. Samo życie domaga się ode mnie, bym cię kochał. Jorge".

Nikt nie zabiegał o nią tak jak Cuesta, nikt nie kochał w taki sposób, a jednak waha się. „Czy on mnie nie zatruwa?"Jorge przytłacza ją swoimi wyznaniami, to umęczony człowiek, można się przerazić, słysząc, jak mówi, że tylko jeden mały krok dzieli zaburzenia w wydzielaniu gruczołów dokrewnych od choroby umysłowej. Męczy ją pytaniami: „Znasz kogoś bardziej nieszczęśliwego niż ja? Kogoś równie podłego, niegodnego, głupszego? Bardziej śmiesznego i żałosnego? Nikogo, prawda?". Przy Diegu czuła się pewnie, Jorge ją zadręcza: kocha ją czy Villaurrutię? Czy nie lepiej być cynikiem niż męczennikiem?

Teraz, o zmierzchu, Lupe wyciąga się w pustym łóżku pustego domu przy Mixcalco, dziewczynki kładą się po bokach, a ją przepełnia smutek. Każe czteroletniej Pico zasnąć, a wówczas cienki głosik małej przerywa ciszę w nieoczekiwany dla Lupe sposób: „Mamo, jesteś obolała przez jakiegoś drania?". Z ulicy od kilku dni dobiega głos nucący modną piosenkę *Obolała z miłości*. Następnego dnia Lupe przygląda się córce z nowym zainteresowaniem i kiedy dziewczynka wraca z parku Loreto ze swoją nianią Jacobą, pyta je:

– Jak wam poszło?

– Mamo, Jacoba ma mnóstwo pretendentów, jeden to piekarz, drugi mleczarz, i gada z nimi codziennie.

– Oj! – śmieje się Lupe – jaka bystra dziewczynka, jaka sprytna, to dziecko ma diabła za skórą, jest straszna!

W odróżnieniu od Jorge Cuesty Pico ją rozśmiesza. On za to przytłacza ją listami i blokuje swoją inteligencją. Ją, której nikt nigdy nie potrafił przed niczym powstrzymać. Choćby był nie wiedzieć jak wyrozumiały, choćby wciąż powtarzał: „Jestem, bo ty jesteś", przy Cueście czuje się nic niewarta.

Jorge kończy studia na wydziale chemii i znajduje kiepsko płatną pracę w Ministerstwie Zdrowia. Jego ojciec domaga się: „Przyjedź do Córdoby i zrób doktorat". Ogarnięty obsesją Villaurrutii, z którym łączy go dziwna relacja pełna miłości i nienawiści, zagłębiony w lekturach Valery'ego, Cuesta jeździ coraz rzadziej w swoje rodzinne strony. Sypia mało, Valery spędza mu sen z powiek; jego zdaniem jedyne, co się liczy, to napisać wiersz przypominający choć trochę poezje Valery'ego. Do znudzenia poprawia te same wersy:

W żar po omacku wsiąka pragnienie,
Zmierza przed siebie żmijowym językiem,
Na darmo miąższu szuka, na próżno
Zakuwa w dyby własne dążenie.
Gest zagubiony ślepym przeciwnikiem,
Spełnienie ulotną losu jałmużną.

Lupe, która tyle mówi o Dostojewskim, nigdy nie pyta Cuesty, co pisze. A Jorge pisze i poprawia, opracowuje artykuły, w których poddaje analizie socjalistyczne szkolnictwo, demagogię Lombardo Toledano, rząd usiłujący uchodzić za rewolucyjny, czerwone pędzle Orozco, muzyka Carlosa Cháveza na stanowisku dyrektora Konserwatorium. Ściera w proch malarskie dokonania swojego przyjaciela Agustína Lazo; poezję swojego kochanka Xaviera Villaurrutii; a także wiersze Jaime Torresa Bodeta; nie szczędzi bezlitosnych ataków poglądom filozofa Antonia Caso.

Starannie, z zajadłością psa myśliwskiego, dobiera każdego z autorów do antologii. „Jesteś Cerberem", mówi mu Villaurrutia, który już przestał się do niego uśmiechać. Novo naciska: „Twoje nazwisko powinno się znaleźć w tej antologii". „Nie napisałem nic godnego uwagi". „Jeśli nie będzie twoich wierszy, to powinieneś się podpisać przynajmniej jako autor opracowania", upiera się Novo, który przeczuwa atak na *Antologię*. „Jesteś naszą myślą krytyczną, naszym sumieniem", woła Villaurrutia, a kiedy Cuesta stanowczo powtarza, że nie opublikował ani linijki, wciąż tylko poprawia to, co wcześniej napisał, Pellicer ironizuje: „I bardzo dobrze, że poprawiasz. A może wolałbyś zostać drugim Torresem Bodetem, który publikuje trzy książki rocznie?".

Jaime Torres Bodet nalega w imieniu wszystkich i Cuesta wreszcie ustępuje: „Ta propozycja to dla mnie zaszczyt; cieszę się, że ją przyjąłem".

Cała grupa wynosi pod niebiosa wybitną inteligencję pretendenta Lupe, robi to na niej wielkie wrażenie. Cuesty nikt nie kwestionuje. Jest najlepszy. „Nie rozumiem Jorge", wzdycha Lupe. „Po prostu go kochaj", proponuje Gilberto Owen. Villaurrutia woli zachować milczenie.

Jak tu nie kochać mężczyzny, który pisze do niej: „Tak czy inaczej całe moje życie należy do Ciebie, przysięgam. Jeśli za mnie wyjdziesz, jeśli zechcesz dzielić ze mną swój los: należę do Ciebie. Jeśli nie chcesz o mnie słyszeć, i tak należę do Ciebie. Jorge".

ROZDZIAŁ 14

A PARYŻ NIE BYŁ JEDNYM WIELKIM ŚWIĘTEM

Antologia współczesnej poezji meksykańskiej ukazuje się w maju 1928 roku nakładem wydawnictwa Cvltvra. Jest surowa i dokładna. Cuesta nie ustąpił choćby na milimetr. Manuel Maples Arce, lider grupy Estrydentystów[32], pisze: „Wydają książkę, w której drukują własne wiersze jako najwybitniejsze próbki współczesnej poezji, to żadna antologia".

Jorge zawiadamia ojca: „Brakuje mi jeszcze obrony do zakończenia studiów, ale odłożę to na później, bo chcę się ożenić z Guadalupe Marín, byłą żoną Diega Rivery".

Rodzina wpada w przerażenie. Néstor Cuesta i Natalia Porte--Petit zastanawiają się: „Czy on postradał zmysły? Jak może nam wyskakiwać z czymś takim?". Siostra Jorge, Nena, płacze bez ustanku i podsyca gniew rodziców: „To rozwódka, siedem lat od niego starsza, ma dwie córki, nikt w stolicy jej nie lubi; interesowna egoistka, kuta na cztery nogi i ambitna, przyjechała do Meksyku specjalnie po to, żeby uwieść Diega Riverę. W Guadalajarze źle o niej mówią. Ma fatalną reputację, to przesądza sprawę".

---

[32] Estrydentyści (Estridentistas) – zainicjowany w 1921 roku w Meksyku awangardowy ruch w sztuce, łączący w sobie elementy kubizmu, futuryzmu, dadaizmu oraz meksykańskiej kultury ludowej i społeczne ideały rewolucji meksykańskiej.

„Ta kobieta rozstała się ze swoim prawowitym mężem, to grzech, w którym nie możesz brać udziału, świętokradztwo przeciwko Kościołowi, w którym cię ochrzciliśmy", protestuje doña Natalia. To jakaś aberracja. Syn, w którym don Néstor i doña Natalia pokładali tak wielkie nadzieje, nie może zapomnieć, ile dla niego zrobili. Czy zdaje sobie sprawę, ile już wycierpieli przez alkoholizm jego brata Víctora?

– To wariatka, kobieta-bluszcz, furiatka, jedna z tych, które przynoszą pecha – przekonuje doña Natalia, zapamiętała zwolenniczka wywoływania duchów, magicznych proszków, domowych sposobów. Szyje szmacianą laleczkę, którą przewiązuje mocno cierniowym naszyjnikiem, wbija jej szpilki w oczy, łono, serce.

Ku oburzeniu doñi Natalii Jorge nie zmienia zdania: „Wezmę z Lupe ślub cywilny. Kościelny już miała z Diegiem".

Roznamiętniony uczuciem bombarduje Lupe listami i zapewnia ją, że jej córkom niczego nie braknie: „Dopóki nie znajdę niczego lepszego, będziemy się utrzymywać z mojej pensji w Ministerstwie Zdrowia i z tego, co mi płacą za artykuły".

Nim skonsumuje swoje „fatalne małżeństwo", ojciec namawia go, by wybrał się do Francji.

– Chyba nie przepuścisz takiej okazji? – doradza Novo. – Francja była światłem przewodnim twojego dojrzewania, to ojczyzna twoich autorów, kolebka światowej kultury. Po powrocie będziesz miał jasny pogląd na temat tego, czym jest poezja".

26 maja 1928 roku Jorge Cuesta wypływa do Europy z Veracruz na statku Compagnie Generale Transatlantique, a jego rodzice dziękują niebiosom. „Tam się z tego wyleczy", pociesza się doña Natalia, która dostaje od syna list z datą 10 czerwca 1928 roku:

Kochana Mamo! Jutro na szczęście będę już w Londynie. Nie cierpiałem w ogóle na chorobę morską, choć w ostatnich dniach pogorszyła się pogoda. Mimo to pobyt na statku był dla mnie nieznośny. Jedzenie obrzydliwe: w kółko mięso z konserwy. Okropnie stęskniłem się za owocami; jak tylko wysiądę na ląd, opcham się pierwszymi, jakie znajdę. Współpasażerowie koszmarnie nudni. Za całe towarzystwo musiała mi starczyć pewna urocza czteroletnia dziewczynka. Przez cały czas chodziłem bardzo smutny, czułem się okropnie osamotniony i przygnębiony na wspomnienie nadziewanych bananów, *tamales*, papai i całej masy innych rzeczy.

Znosiłem to fatalnie, ale teraz, podnoszony na duchu świadomością, że już dopływamy, czuję się znacznie lepiej i mam nadzieję, że szybko odzyskam równowagę, a gdy tylko przyzwyczaję się do nowych warunków, będę mógł zabrać się do pracy i wiele nauczyć.

Dobrze, że wziąłem trochę więcej pieniędzy, w przeciwnym razie mogłoby mi nie starczyć na dojazd do Paryża.

Głowa bolała mnie jeszcze przez dwa dni po wypłynięciu z Hawany. Byłem już mocno sfrustrowany, ale na szczęście dolegliwość odpuściła i gdyby nie jedzenie, męczące towarzystwo i napięcie nerwowe, w jakim jechałem, sama podróż na pewno posłużyłaby mi bardziej i pewnie byłbym już w doskonałym humorze. Mam nadzieję, że w Paryżu całkiem dojdę do siebie. Pewnie babcia Cornelia opowiedziała ci, że odprowadzili mnie na sam statek i że prawie na nic nie starczyło mi czasu; statek stał tylko przez chwilę, a z powodu neuralgii nie byłem w nastroju do pisania. Nie mogłem też pójść do doktora Garcíi. Napiszę do taty z Londynu. Do ciebie też jeszcze poślę list z Paryża. Piszę również do rodzeństwa, ale na wypadek gdyby mi nie odpowiedzieli, ty także daj mi znać, co z Víctorem i z pracą Néstora.

Ucałuj ode mnie Nenę i Nena, pozdrów dziewczyny i wszystkich innych. Kocham cię. Jorge.

P.S. Wyślij mi dwa portrety, które zostawiłem na półce z książkami, i odbierz dla mnie list z poczty i też mi go prześlij. I jeszcze chili i konserwy (mole, sosy).

W Londynie Octavio Barreda (mąż siostry Lupe – Carmen Marín) i Carlos Luquín zapraszają go na obiad, lecz Jorge tylko utwierdza się w swoim rozczarowaniu.

– Sądziłem, że dużo lepiej pasuję do Europy. Tymczasem mam wrażenie, że jestem źle ubrany, nie na miejscu. Prawie z nikim się nie widziałem. Chciałbym sobie kupić płaszcz Burberry, ale nie mam pieniędzy, czuję się śmiesznie.

– Ależ prowincjusze z naszych Meksykanów! – komentuje dyplomatycznie Barreda.

18 czerwca 1928 roku przyjeżdża do Hotelu Suez w Paryżu, przy Boulevard Saint Michel 31. Nic nie jest tak, jak Cuesta sobie wyobrażał, język Valery'ego okazuje się jego przeciwnikiem, a żaden Francuz w niczym nie przypomina *Monsieur Teste*. „Nie rozumiem z tego wszystkiego ani słowa". Speszony ledwie ośmiela się poprosić o stolik w restauracji. Ku jego uldze pociesza go malarz Agustín Lazo:

– Nie martw się, wszystko to kwestia praktyki, za kilka miesięcy będziesz mówił po francusku jak Torres Bodet.

Panują nieznośne upały i o ile wcześniej Carlos Pellicer narzekał na nieśmiałe francuskie słońce i godnych ubolewania paryżan przesiadujących w kawiarniach, to teraz próbuje wychodzić na ulice z odkrytą piersią.

Samuel Ramos, jego przyjaciel z kawiarni América i redakcji „Contemporáneos", pomógłby Cueście, ale chodzi na wykłady Bergsona w Collège de France i za każdym razem, gdy Jorge do niego zachodzi, tłumaczy się: „Właśnie wybieram się na Sorbonę na wykład Gurvitcha z socjologii prawa, który mnie interesuje, bo sądzę, że można by wprowadzić podobne rozwiązania w Meksyku…". „Jestem bardzo zaabsorbowany kursem Bergsona", tłumaczy się znów osiem dni później.

Kubańczyk Alejo Carpentier prowadzi go pod numer 42 przy rue Fontaine, gdzie mieszka Breton, lecz Cuesta nie jest w stanie wydusić z siebie słowa w obecności tego lwa o rozwichrzonej grzywie, który przemawia nader kategorycznie, stanowczym gestem dłoni dając do zrozumienia, by mu nie przerywano. Cuesta prosi go, by powtórzył to, co przed chwilą powiedział, i dalej nic nie rozumie. Jego zawstydzenie jest równie wielkie jak nieład w mieszkaniu Bretona, z którego ucieka na zawsze po pierwszej wizycie.

W siedzibie wydawnictwa Gallimard pyta o André Gide'a, a nabzdyczona sekretarka o oddechu cuchnącym serem Port Salut rzuca burkliwie:

– *Il est à la campagne.*
Naczelni „La Nouvelle Reuve Française" i „Mercure de France" także wyjechali na wakacje.

Jak to możliwe, że Diego Rivera podbił Paryż? Jorge porównuje się w myślach ze swoim rywalem: „Czyżbym był gorszy od tego szarlatana? Diego słabiej ode mnie mówił po francusku, a jednak odcisnął ślad na tutejszym środowisku intelektualistów".

Zgnębiony pisze do Lupe:

Błagam Cię, żebyś mimo wszystko rozważyła moją propozycję, mimo wszelkich uprzedzeń i przeczuć, że wszystko to obróci się na moją szkodę […]. W depeszy pisałem, że Gilberto ma dla Ciebie listy i że wkrótce wrócę. […] Ciężko mi myśleć, że bierzesz pod uwagę ofiarowanie mi jedynie przyjaźni, na co nie zasługuję. Ale ja całkiem szczerze pragnę, byś czuła się wolna. Moja przyjaźń, mój szacunek do Ciebie to nie są rzeczy zależne od mojej woli lub okoliczności; to coś, od czego ja sam zależę, co i mnie stawia warunki i to cięższe od tych, które stawiasz mi Ty, mniej niewinne […]. Ale jeśli wolisz mną pogardzać, proszę bardzo, w gardzeniu sobą jestem niezrównany i więcej mam w tym zaciekłości niż Ty. Jorge.

Po przeczytaniu listu Lupe odpowiada:

Straszliwie mi przykro, że nieświadomie chciałam pozbawić Cię Twojej wolności. Niech na moją obronę przemówi fakt, że nie bierzesz mnie na poważnie. Z czasem dojrzysz dokładnie moją ciężką głupotę w owym śmiałym momencie, kiedy o tym pomyślałam. Jestem bardziej pokorna niż ktokolwiek inny i chciałabym się z Tobą przez chwilę zobaczyć; zrobisz, co uznasz za stosowne. Poza tym zgubiłam adres Carpentiera, masz go może? Za dużo mi dziś piszesz o szacunku. Dziś wszyscy z wyjątkiem Ciebie uważają, że jestem okropna.

– Po cholerę przyjechałeś do Europy, skoro w kółko myślisz o Lupe Marín? – pyta zgryźliwie Samuel Ramos.

Villaurrutia pisze do niego list, w którym się domaga, by odniósł się do krytyk, jakie na temat jego *Antologii* zamieściła „Revista de Revistas Excelsiora". Cuesta zamyka się w domu, by na nie odpowiedzieć. Manuel Maples Arce i inni Estrydentyści, a także Ermilo Abreu Gómez zarzucają Contemporáneos zdradę ojczyzny. Wściekłość miesza się z duszącym upałem wypełniającym pokój, w którym Cuesta pisze rozebrany do naga:

Moim zdaniem Amado Nervo i Rafael López, którzy znaleźli się w *Antologii*, podobnie jak Manuel Gutiérrez Nájera i José de J. Núñez y Domínguez, których tam nie ma, są beznadziejnymi poetami.

W dniu 14 lipca pisze do matki:

Kochana Mamo! Obiecałem sobie pisywać regularnie do wszystkich, a zwłaszcza do Ciebie i Taty, ale wbrew własnemu postanowieniu popadłem w okropny marazm. Będąc w jego władaniu, zawieruszyłem gdzieś nie tylko wolę, ale i świadomość tego, co się dzieje […]. Nie spodziewałem się szoku, jakim okazało się dla mnie poczucie, że jestem tak bardzo sam i tak daleko. Przeżyłem całe godziny prawdziwego strachu, irracjonalnego, głupiego, śmiesznego.

Poznałem w Paryżu ciekawych ludzi, i te znajomości przydadzą mi się bardzo, ale dopiero na dłuższą metę. Mój słaby francuski i przysługująca mi tutaj kategoria dzikiego Meksykanina nie pozwalają mi czuć się tutaj swobodnie, cały czas jestem niecierpliwy i rozdrażniony. Odwiedziłem słynne miejsca głównie po to, by odkryć, że tak naprawdę mało mnie one obchodzą. Poza tym przyjechałem w najgorszym możliwym momencie, w środku lata, gdy wszyscy emigrują na plaże, a teatry i inne takie miejsca są pozamykane. W Paryżu panuje nieznośny upał. Spędziłem ostatnie dni zamknięty w pokoju, nago, niemal płacząc z gorąca.

Pisałem do Ciebie z Londynu, ale nie dostałem żadnej odpowiedzi, z Hawany też posłałem Ci kartkę. Poza tym z Londynu nadałem pocztówki do rodzeństwa i miło by było, gdyby wreszcie odpisali. Pytałem o Víctora. Czy już całkiem doszedł do siebie, a może nadal ma problemy zdrowotne?

Będę mógł poddać się w Paryżu badaniom, przynajmniej do tego nada się mój francuski, ale musiałbym czekać ponad sześć miesięcy, a ja nie chcę już czekać w ogóle. Jutro poślę do Taty depeszę, żeby zwiększył mi kwotę na miesiąc, którą już mi przelał, abym miał pieniądze potrzebne na powrót. Uważam za pozbawione sensu i wręcz nieznośne moje dalsze tu pozostawanie. Ucałuj Nenę i Nena. Uściski dla Ciebie i Taty od Waszego syna. Jorge.

Martwi go alkoholizm, w jaki popadł jego brat Víctor. Po dwóch ponurych miesiącach w Paryżu, który potraktował go okrutnie, Cuesta oświadcza Augustínowi Lazo: „Wracam do Meksyku".

– Doskonale! – odpowiada mu urażony Lazo, bo kiedy pokazał Jorge swoje ostatnie teksty, ten rzucił pogardliwie:

– Bardzo płytkie.

17 sierpnia 1928 roku wraca do Meksyku na holenderskim parowcu „Spaarndam". W porcie czeka na niego ojciec, którego cordobańczycy nazywają *apostołem rolnictwa*; matka Natalia; bracia Víctor, Néstor, Juan i siostra Nena, z każdym dniem piękniejsza ze swoimi grubymi blond warkoczami. Dla nich Jorge jest nie tylko naukowcem i poetą, jest inteligencją wyższą, jedynym, który może ich uratować.

– Opowiadaj, opowiadaj! – dopomina się Víctor.

Tylko Jorge wie, czym była dla niego podróż do Francji: prawdziwe wczasy w piekle.

Don Néstor zatrzymuje starszego syna w Córdobie. Teraz Jorge patrzy na swój kraj innymi oczyma. Koi go przyjazna woń wanilii, cykanie świerszczy. „Musisz mi pomóc". Problemy finansowe zmuszają go, by w desperacji napisał do Manuela Gómeza Morína, głównego doradcy w Banku Meksyku, którego Jorge poznał na chodniku przy ulicy 5 de Mayo i z którym planował niegdyś założenie czasopisma i wydawnictwa. Przez wzgląd na to zaufanie prosi go o pożyczkę na uprawę terenu w Córdobie, bez obciążania hipoteki. „Tylko że nie mam wystarczająco dużo pieniędzy", uprzedza.

1 października 1928 roku zasięga jego porady w sprawie „możliwości zaciągnięcia pożyczki w Banku Rolnym". Na koniec listu podaje swój adres: „Ulica 3, numer 83. Córdoba. Veracruz".

Trudno mu znieść bezustanne wyrzuty ojca: „Zostaw już tę kobietę, zapomnij o wierszach, zejdź z obłoków i zacznij stąpać po ziemi, masz zobowiązania względem swojej rodziny w Córdobie, uprawiaj tę ziemię, jak umiesz... Odwiedzimy gubernatora Veracruz, Adalberta Tejadę, na pewno nas przyjmie...".

Kiedy w końcu Gómez Morín potwierdza pożyczkę w Banku Rolnym, Jorge wraca do stolicy.

– Ta harpia zamąciła mu w głowie bez reszty – załamuje ręce Natalia Porte-Petit.

Jorge coraz mocniej podlega działaniu czarów rzuconych na niego przez Lupe, aż wreszcie wchłaniają one całą jego egzystencję. Kocha ją, kochają się, a dziewczynki, Chapo i Pico, zależą od niego. On, Jorge, uratuje całą ich trójkę.

Tylko jak?

Ojciec proponuje mu zarząd nad cukrownią Potrero, która należy do Ericha Koeniga. To duma Córdoby, bo produkuje najwięcej cukru w stanie. Jorge spada kamień z serca. Dom i praca! Nikt mu już nie przeszkodzi kochać Lupe i jej dwóch córek!

– Lupe, zapewniam cię, że w Potrero będzie nam dobrze. Port w Veracruz to prawdziwy cud. Pod arkadami, w Café de la Parroquia można poznać mnóstwo ludzi. Będziemy chodzić na plażę, dziewczynki nauczą się pływać. Wyjeżdżam do Córdoby, przygotuję wszystko w Potrero na wasz przyjazd.

Lupe nie wahała się. Dawno już podjęła decyzję, że zamieszka z Cuestą. W kwietniu 1928 roku, pełna urazy, pisała do Diega Rivery:

Powiedziałam Twojej siostrze Maríi, żeby zabrała Twoje rzeczy, ale nie chciała, bo nie ma ich gdzie trzymać. Pablo [O'Higgins] też nie chciał. Nikt, nikt nie chce Twoich rzeczy. Może przyjmą je w placówce Związku Radzieckiego; musisz to załatwić. Mam na głowie dwie córki i nie mogę zajmować się innymi sprawami. 14 kwietnia zamierzam się wyprowadzić i jeśli nie znajdzie się nikt, kto chciałby zaopiekować się Twoimi rzeczami, pomyślałam, że dam obrazy Ramónowi Martínezowi; resztę wyrzucę…

Prawdopodobnie do tej pory wezmę już cywilny ślub z Jorge Cuestą… Pośród wszystkich tych ludzi, którzy tak podle mnie potraktowali, on jeden się o mnie troszczył. Choć wydaje mi się zbyt inteligentny i prawdopodobnie zbyt młody, bardzo możliwe, że i tak się zgodzę. Nie wiem, czy będziesz zadowolony, widząc nas razem; jeżeli o mnie chodzi, wszystko mi jedno, czy zwiążesz się z inną.

Kiedy wrócisz do Meksyku, przekonasz się, co tu o Tobie myślą. Wszyscy mówią, że jesteś kanalią i bezwstydnikiem, że nie masz jaj itd. Ci, którzy tak mówią, sami są jeszcze gorsi, ale mimo wszystko lepiej, żebyś wiedział, co o Tobie gadają, zanim się z nimi spotkasz. Guadalupe Marín.

ROZDZIAŁ 15

POTRERO

Lupe wysiada z córkami z pociągu o czwartej rano. Tęsknota za Jorge przekształca się w furię, gdy widzi, że nikt nie oczekuje ich na dworcu.

W ciemnościach idzie przed siebie z Chapo w ramionach i Pico uczepioną spódnicy: „Nie puszczaj się", rozkazuje starszej córce.

Wreszcie dostrzega zwrotniczego z latarką:

– Jak mogę się dostać do Potrero? – krzyczy.

– Na piechotę.

– Nie ma żadnego środka transportu?

– O tej porze nie, ale to zaraz blisko, pięćdziesiąt metrów stąd.

Jeden ze strażników pokazuje jej ogrodzenie cukrowni, bardzo wysokie i długie, można pomyśleć, że w środku mieści się całe miasteczko.

Puka wiele razy, nim w końcu pojawi się owinięty w szlafrok Jorge:

– Ale pech! Czytałem tak długo, że wreszcie zasnąłem. Wejdź, proszę…

– Pech? Nie masz nic więcej do powiedzenia, idioto? – rozsierdza się Lupe.

– Czekałem na ciebie od wczoraj, pilnowałem godziny, ale sen mnie zmógł…

Jaki brzydki początek!

Na zaśmieconym stole Lupe widzi popielniczkę pełną niedo-

105

pałków, puste pudełko po papierosach, słownik, *Fałszerzy* Andrè Gide'a i *Portret Doriana Graya* Oscara Wilde'a.

Jorge bierze Chapo na ręce: „Jesteś głodna? Chcesz szklankę mleka?". Dziewczynce rozbłyskują oczka.

Za to Lupe coraz bardziej pochmurnieje. Dom jest malutki, a w pokojach śmierdzi papierosami, Jorge prawie na nią nie patrzy, jedyną zadowoloną osobą jest chyba półtoraroczna Ruth--Chapo wyciągająca rączki do mężczyzny, który zdaje się nigdzie nie mieścić.

W następnych dniach Lupe siedzi zamknięta w domu, bo powietrze przynosi nieprzyjemne zapachy. Nie rozumie, co właściwie dzieje się w cukrowni. Skromne rozmiary domu odczuwa jako afront. Jorge pojawia się w południe, a nocą ma czas tylko dla młodszej córki Diega Rivery.

Z upływem czasu Lupe upewnia się, że jej kochanek się zmienił: „Mężczyzna robi, co chce, gdy kobieta od niego zależy. Jorge ma mnie teraz pod ręką, dlatego nie zwraca na mnie uwagi", pisze na kartce papieru.

Nie ma małżeńskiego łoża, tylko cztery wąskie prycze.

– Wygląda tu jak w domu kalifornijskich robotników – zauważa Lupe.

– A skąd wiesz, jak mieszkali kalifornijscy robotnicy?

– Z pocztówek Diega.

Obok magazynów w ogrodzie rośnie dużo dających wieczorem cień bananowców. Tam rzeczywiście Lupe może zaczerpnąć powietrza pachnącego wanilią, a dziewczynki biegają zachwycone ciepłą pogodą. Udziela im się bujność natury. Jaka cudowna jest tu roślinność, jaka szlachetna. Lupe słyszy gwizd pociągu i pyta o niego Jorge: „To »Huatusquito«, wąskotorówka, która jeździ z Córdoby do Coscomatepec. Któregoś dnia wybierzemy się tam na wycieczkę". Zapach kawy również może oszołomić.

– Jutro pokażę ci kotły, w których destylujemy alkohol – uśmiecha się Jorge.

Dziewczynki zachwycają się wianowłostkami. „Tutaj kwiatki rosną na drzewach", emocjonuje się Pico. To prawda, gałęzie *guayacan* eksplodują żółcią i różem.

– A może chcecie pozbierać świeże jaja? – pyta Pico Jorge.

„Kury wszędzie się pałętają – zauważa Lupe. – Cały dzień dziobią w ziemi jak kretynki, a z pewnością przy takim słońcu nie znajdują tam ani jednego robaka".

Jorge prowadzi swoją żonę pod ramię, żeby zobaczyła piec węglowy wykorzystywany przy produkcji cukru z trzciny.

– Później wkładamy pociętą trzcinę do tej kadzi, potem przechodzi do destylarni, gdzie dodaje się alkoholu etylowego i…

– A ten straszny pył w powietrzu?

– To z trzciny, przyzwyczaisz się, na początku też mi to przeszkadzało. Patrz, widzisz tamten stół pełen butelek i probówek? To moje laboratorium.

Pojawienie się wysokiego i dystyngowanego Jorge w destylarni nie przechodzi niezauważone; pracownicy pozdrawiają go z szacunkiem. Uznają jego autorytet i Lupe czuje się dumna na myśl, że ten mężczyzna, któremu się kłaniają, wybrał właśnie ją.

Tuż obok destylarni znajduje się kurnik i węglarnia. W żartach Jorge przestrzega Chapo, żeby tam nie wchodziła, bo robotnicy pomylą ją z węglem.

Lupe Marín wybiera jajka, póki Pico się tego nie nauczy, i przynosi do kuchni zbyt ciężki dla niej kosz. W czasie gdy dziewczynka łuska w cieniu bananowca fasolę, jej matka myśli sobie, że to nowe życie jest całkiem inne, niż się spodziewała.

– Mamo, masz takie długie palce, takie zręczne! – podziwia ją Pico.

– Nie będę już do nich mówiła Pico i Chapo, są za duże. Będę je nazywać po imieniu.

W ogrodzie Ruth dokłada starań, żeby nie deptać mrówek. Nie boi się owadów. Cały czas chodzi uśmiechnięta, a na widok Jorge biegnie do niego. Jej siostra dla odmiany wciąż narzeka: „Słońce mnie piecze, brzuch mnie boli, śmierdzi, wyjedźmy stąd, chcę do Meksyku, nie podoba mi się Potrero, chcę do taty".

Choć Jorge dokłada starań, by zaprzyjaźnić się z dziewczynką, ona uparcie go odrzuca. Nie wierzy, że Jorge szczerze się nią interesuje. „Jest bystrzejsza od Ruth i dalej zajdzie w życiu", mówi Cuesta do Lupe, ale mała i tak patrzy na niego jak na wroga.

Jorge spędza cały dzień w destylarni. O zmierzchu jedzą we czworo kolację. Lupe kładzie dziewczynki spać i czeka na Jorge, siedząc na łóżku, lecz on godzinami tkwi przy stole z głową wspartą na dłoniach. Jedynie płacz Ruth odrywa go od lektury, bierze wtedy dziewczynkę na ręce i kołysze, póki z powrotem nie uśnie.

– A teraz co znowu? – wkurza się Lupe. – A mnie kto uśpi?

– Lupe, to dziecko jest bardzo chude, dam jej coś na wzmocnienie, żeby przybrała na wadze.

– Lepiej daj jej spokój, to nie krowa, żeby ją tuczyć.

Nowy styl życia w Potrero zbija Lupe z pantałyku. „Nie przypuszczałam, że kiedyś będę żyć w taki sposób". Nie ma z kim porozmawiać. Jej towarzystwo to trzcina cukrowa, kawa, tytoń, kumkwat. Żadnej Conchy Michel na horyzoncie. Długie rozmowy z Villaurrutią i z Novo zdają się bardzo odległe w tym pejzażu, który pożera myśli i uczucia.

Jest zakochana, próbuje więc przekonać samą siebie, że Jorge i Potrero to najlepsze, co mogło ją spotkać, ale Cuesta patrzy na nią jak na zawadzający mu w ciasnym domu mebel. Po podwieczorku, podczas którego Lupe robi, co może, by go zadowolić, on zagłębia się w lekturze. Lupe przewraca się na łóżku, wreszcie o trzeciej nad ranem woła do niego: „Chcę wrócić do Meksyku", a wówczas Jorge spogląda na nią jak na jakąś *Citrus hystrix*, rodzaj cierpkiej limonki o płytkich korzeniach.

Targ to dla Lupe miejsce najbliższe szczęścia. Obfitość owoców i warzyw pomaga jej pogodzić się z losem. Pomidory, na których zastygły krople wody, lśniące papryczki chili, fioletowe bakłażany, atakują ją ze wszystkich stron, a dźwięk słowa *marchantita* jest dla niej jak balsam. „Kawałątek na spróbowanie, no weź, słoneczko. Chodź no tu, ślicznotko, zaraz ci tu nałożę z zapasem". Kobiety o szerokich czołach wyciągają do niej przecięte na pół pomarańcze, potrawy z chili i ziaren dyni, napoje z płatkami kwiatów i nasionami. Wyliczają jej regionalne owoce, chili z Tabasco, *chili comapeño, tepejilotes*[33] i kolczochy, które są tu najsłodsze na świecie, jak kasty-

---

[33] *Tepejilotes* – pąki kwiatowe dziko rosnącej rośliny *Chamaedorea oreophila* spożywane po uprażeniu z sosem.

lijska dynia. Podsuwają jej strączki *jinicuiles*[34]. Tutejsze awokado rzeczywiście jest wielkie i smakuje jak czyste masło, a utłuczone czarne *zapote*[35] odznacza się niezrównaną słodyczą.

– Z pomarańczą, *marchantita*, proszę mi zrobić z pomarańczą. To jedyny moment, kiedy zapomina o pyle z destylarni, któremu przypisuje swoje nieustanne kichanie. „Jak będzie pani w Córdobie, proszę koniecznie kupić chleb, który tam sprzedają na rynku Revolución", doradza jej straganiarka.

Prawdziwymi przyjaciółmi Lupe są sprzedawcy, którzy powierzają jej los swoich warzyw.

Targ zwraca jej myśli ku Diegowi, ale nie chce za nim tęsknić, zanadto jest na niego wściekła. „Ciekawe, z jaką zdzirą prowadza się teraz ten brzuchacz". Starsza córka marudzi: „Mamo, chcę do taty. Mamo, co tata robi bez ciebie? Mamo, tęsknię za tatą. Mamo, pojedźmy do Meksyku do taty".

W niedziele Jorge wozi je na ranczo Tepatlaxco w górach otoczonych wąwozami. Wyciąga ramiona ku niebu i upiera się, że dotarli na sam szczyt, że są równie wysoko jak niebieskie sklepienie.

„Dotknijcie nieba, macie świat u stóp. Panujecie nad przepaściami i kolorami, tam rozciąga się róż, jeszcze dalej żółć, złota plama za górą to złoty deszcz, w czerni wąwozu prawdopodobnie znajdziecie jakąś grotę, w której mieszka maleńki tygrys. Przepaść możecie oswoić, jeśli tylko zechcecie".

Trudno ocenić, czy płodność pejzażu robi wrażenie na dziewczynkach, jednak Lupe Marín bez wątpienia fascynuje odurzająca woń gardenii. Jorge opowiada, że tysiące z nich rozkwita co rano w Fortín. „Chapo i Pico, patrzcie tylko, każde ziarenko, które przynosi wiatr, rozkwita i przeistacza się w wianowłostkę".

Pod wpływem bogactwa roślinności i dostatku w odwiedzanych ranczach Lupe Marín wyobraża sobie, że prawdopodobnie któregoś dnia, po śmierci straszliwego don Néstora i dwóch straszliwych Natalii, Jorge będzie bogaty.

---

[34] *Jinicuiles* – drzewo bobowate z owocami w postaci strączków o jadalnych nasionach, występujące w rejonie Ameryki Środkowej.

[35] *Zapote* – terminem tym określa się wiele owoców występujących w Ameryce Środkowej i Południowej, takich jak pigwica, pouteria, kazimira, hurma.

– Możemy pojechać do Atoyac na krewetki, ale to całodniowa wycieczka… Spodoba ci się wąwóz Metlac, wszystkich oczarowuje to miejsce…

– Nie pogryzą nas komary? – pyta Lupe.

I protestuje, gdy Jorge oświadcza: „Córdoba to jedna z najlepszych rzeczy najpiękniejszego stanu w kraju – Veracruz".

– Jak niby może tam być ładnie, skoro to tak niezdrowy rejon… Może i jest tam piękna roślinność, ale na rynku doña Fidela wypisała mi całą listę szkód, jakie niosą ze sobą złośliwe gorączki czy malaria…

Jorge opowiada jej, że jego ojciec sieje tytoń pod bananowcami, ponieważ szerokie liście chronią rośliny, a także poprawiają smak ziaren kawy. „Nasiona pochodzą z Abisynii". Powtarza jej też, że wprowadził w Córdobie *pomarańczę pępkową*, małą, słodką i zdeformowaną w taki sposób, że ma brodawkę przypominającą wystający pępek. „Wiesz? Najlepszą ziemią pod uprawę jest veracruzańska selwa", oświadcza z dumą.

Zataja przed nią, że nabrał zwyczaju wstrzykiwania sobie substancji własnego pomysłu, które przenoszą go do raju. Gdyby Lupe chciała ich również zażywać, chętnie by się podzielił, ale Marín nie pije nawet wina stołowego, którego Jorge używa do obiadu.

ROZDZIAŁ 16

MULATKA Z CÓRDOBY

Wreszcie don Néstor i jego małżonka Natalia zniżają się do wizyty w Potrero. Oboje wysocy i postawni: on surowy i dominujący, w ciemnym garniturze; ona w czarnej spódnicy do kostek, z twarzą osłoniętą welonem „przeciw komarom".

– Te komary to pewnie moje córki i ja – komentuje Lupe.

Lupe spotkała się z teściową raz, w stolicy, bo Jorge nalegał, żeby się poznały. Teraz w niedzielę doña Natalia ledwo zerka na dziewczynki, a don Néstor zwraca się wyłącznie do Jorge. Wobec tego Lupe zachowuje pełne urazy dumne milczenie.

– Myślałeś o tym, co ci mówiłem na temat wykorzystania buraków? – pyta don Néstor.

– Tak, ale nie wiem, czy to będzie dobra inwestycja, potrzebujemy ziemi, by je uprawiać, teraz wszędzie rośnie trzcina…

– Przemyśl to, zrób kalkulację, a potem porozmawiamy na spokojnie. Odwiedzili mnie Carlos i Ricardo Capistránowie, którzy są ci bardzo wdzięczni za twoją metodę konserwacji. Ich mango Manila dotarły do Norwegii w idealnym stanie.

Do tej pory mango, najbardziej nietrwały z owoców, gniło podczas podróży do Europy, jednak metoda Cuesty opóźnia dojrzewanie owoców. Alchemik zrobił pierwszy eksperyment z jabłkiem, a potem z mango Manila, w które wstrzyknął pewną substancję, a później trzymał całymi tygodniami w skrzynce. Po otwarciu znalazł je w nienaruszonym stanie.

Carlos i Ricardo Capistránowie wysłali z Veracruz do Norwegii przeszło sto skrzynek mango Manila. Dostali od kontrahentów depeszę z gratulacjami:

„Mango dotarło w doskonałym stanie. Zamawiamy kolejny transport".

Cuesta stosuje ten sam specyfik do konserwacji owoców morza i zdobywa sobie sławę magika. W Córdobie, w Fortín, w Huatusco, mówią na niego *Chemik*, zresztą już w stolicy Contemporáneos ochrzcili go mianem *Alchemik*.

Cordobańczycy uważają najstarszego syna Cuestów za geniusza i szczycą się nim na równi z Traktatem z Córdoby, który w 1821 roku zapewnił Meksykanom niepodległość.

Na targu straganiarki wołają na Lupe *żona chemika*. Sprawność, z jaką waży w długich palcach każdą główkę sałaty rzymskiej, każdy kalafior, dociekliwość, z jaką maca papryczki chili i dynie, przynosi im zaszczyt. „Ta *marchanta* umie kupować, może i jest ze stolicy, ale potrafi wybrać".

Firmy zajmujące się mrożeniem żywności dowiadują się o dokonaniu Cuesty, grożą mu, bo nie ma patentu ani pozwolenia żadnego laboratorium na popularyzację swojego odkrycia. Jaka to formuła? Zdobycie pozwoleń jest kosztowne: „Pożyczymy ci", namawia go Ricardo Capistrán.

– Na wejście do któregoś z dużych laboratoriów potrzebuję więcej niż te dwa tysiące pesos, które dajesz mi za każdą wysyłkę owoców – odpowiada Cuesta.

Choć Lupe powtarza, że jest zakochana, że straciła głowę jak nigdy wcześniej, rolnicze zaangażowanie ukochanego zbija ją z tropu. Rozmowy nigdy nie kręcą się wokół niej, za to wciąż dyskutuje się o chińskiej pomarańczy i najlepszym sposobie jej ochrony. Jorge nigdy nie wspomina stolicy ani nie podnosi wzroku na Lupe, a przecież w Meksyku żył tylko dla niej. Upokarza ją to. Pewnej nocy nawałnica otwiera okno, Jorge zamyka je, jest przemoczony. Lupe proponuje: „Chodź, wytrę cię", ale on sam bierze ręcznik. Lupe jęczy: „Następny martwy dzień, od rana przeczuwałam, że to będzie następny martwy dzień. Nic nie wyszło mi dobrze, zastanawiałam się nawet, czy nie wyjechać stąd bez słowa". A ponieważ Jorge nadal się nie odzywa, obraża się, rysy jej twarzy tężeją i brzydną: „Jorge, przypominasz wiadro lodu, zmrażasz ryby, owoce i swojego fiutka".

Ten nowy Jorge nie tylko rozczarowuje, on ją nudzi. Lupe tęskni za życiem w mieście, za swoim ukochanym Villaurrutią. Brak jej także plotek i sarkazmu Novo.

Jorge wciąż milczy, chyba od drzew mu się udzieliło. Czasem otwiera usta tylko po to, by wyjaśnić Ruth, że najpiękniejszy kwiat Córdoby to gardenia.

– Przypomina mi sukienki, które mama nosiła w domu przy Mixcalco – stwierdza Pico, w której wszystko budzi nostalgię. Pociąg przejeżdża często, a jego gwizd skłania ją do ciągłych pytań o ojca.

Jorge spędza całe dnie w laboratorium. Nocą najmniejszy szmer sprawia, że podskakuje na łóżku jak na sprężynie i krzyczy: „Opos w kurniku!".

– Nie wychodź, po to masz stróża – przekonuje Lupe.

– Nawet jeśli to tylko kot, muszę sprawdzić, co się dzieje.

Myśl, że opos zje kurę, w niepojęty sposób wyprowadza go z równowagi. Czy on zwariował?

Fakty są takie, że Lupe, kobieta, na której punkcie jeszcze niedawno szalał, teraz go męczy. W codziennych rozmowach nie odnajduje już owej swobody i wdzięku, które oklaskiwali Contemporáneos, a jej nieoczekiwana potulność w roli towarzyszki życia rozczarowuje go, nawet jeśli czasem zdarzają jej się jeszcze ataki wściekłości.

– Wcześniej nie zdawałam sobie sprawy, że uważasz się za niezrozumianego geniusza, ale teraz, kiedy lepiej cię poznałam, powiem ci jasno, że choćbyś nie wiem ile nocy zarwał, Dostojewskim to ty nie będziesz...

Z upływem dni Lupe udoskonala wyrzuty. W myślach powtarza w różnych tonacjach swoją przemowę.

„Okropnie mnie rozczarowałeś. Kiedyś myślałam, że jesteś genialny. Pamiętasz, jak ci powiedziałam, że od okresu dojrzewania, w ramach buntu wobec otaczającego mnie środowiska, pragnęłam przeżyć dziką namiętność? Wyobraź sobie, że byłam gotowa przeżyć ją z tobą, ale ty podeptałeś to, co bezinteresownie i szlachetnie ci ofiarowałam". Gdy rzuca mu to w twarz, Jorge zatyka uszy dłońmi: „Lupe, co za romansidła ostatnio czytałaś?".

Równie mocno jak nacjonalizmu Jorge nie znosi czułostkowości.

Lupe odzyskuje swoją wściekłość: „Żałosny typ z ciebie i drań. Myślałeś, że będziesz się ze mną gził jak zwierzę, że to mi wystarczy. Przyjechałam tu chyba tylko po to, by odkryć, że jesteś buchalterem i niedorobionym gburem".

Ledwo Jorge się poruszy, a już Lupe go judzi:

– No dalej, przyłóż mi, przyłóż, tylko tego ci brakuje, nie pojmuję, jak mogłam obejmować tak nikczemnego i okrutnego typa. Nie miałam pojęcia, do jakiego stopnia zdołasz mnie poniżyć.

Poniżenie staje się faktem. Lupe jest słabsza, niż się wydaje. Każdy pretekst jest dobry, by upierać się przy sformułowaniach, które sprawiają wrażenie, jakby usłyszała je w radiu. „Nie odzywasz się do mnie, bo czego można wymagać od histeryczki, od wariatki, tak? Albo od chorej, upośledzonej? Zniosłam z twojej strony niewyobrażalne upokorzenia, gdybyś mógł, najchętniej plułbyś mi w twarz, co?"

Nie ulega wątpliwości, nuda Potrero zabija Lupe, a ponieważ nie spełnia się w macierzyństwie, zajmowanie się córkami wydawałoby się jej fałszywe. W ogóle nie zwraca uwagi, co mówią, nigdy nie zatrzymuje się nad ich marzeniami czy żartami, dziecięce pytania pozostają bez odpowiedzi. Jest niedostępna, dba jedynie, by chodziły czyste. Ogranicza się do wydawania poleceń. „Ruth, nie wystawiaj się na słońce, już i tak jesteś ciemna". „Lupe, słuchaj Jorge, kiedy do ciebie mówi". I powraca do jedynego interesującego ją tematu: Lupe Marín Preciado, córki Francisca Marína i Isabel Preciado. Uważa, że w Potrero żyje wbrew sobie. „Jorge, małżeństwo zupełnie mi nie leży".

Jorge tylko wzrusza ramionami.

Jedyną osobą, która ich odwiedza, jest Gabriel, syn właściciela cukrowni, Ericha Koeniga. Wysoki, postawny, wypełnia pierwsze przykazanie etycznego kodeksu Lupe: nosi się elegancko. Dopiero co wrócił z Nowego Jorku i chętnie wypowiada się na temat książek o malarstwie, rozśmiesza ją. W deszczowe wieczory, których tu nie brak, wychwala jej „zielone oczyska", opowiada o Lord and Taylor i Saksie przy piątej Alei i zaleca uprawianie ćwiczeń na wzór Amerykanek, by nie dopuścić do upadku ciała i umysłu. „Jesteś szykowna". „A co to takiego?" „Nie wiesz, co to *glamour*? Poza tym masz *chic*. Na ulicach pomiędzy drapaczami chmur, gdzie króluje Empire State Building i Waldorf Astoria, wzbudziłabyś sensację".

Wyjaśnia jej, że w odróżnieniu od prowincjuszy, on nie ma nic przeciwko rozwódkom. Dla niego Lupe jest światową kobietą obdarzoną ogromnym naturalnym *chic*. Wtyka słowo *chic* w każde zdanie. „Cokolwiek byś na siebie włożyła, wyglądasz zjawiskowo, bo jesteś szczupła i wysoka. Mogłabyś zostać modelką, wielkie stolice świata natychmiast przyjęłyby cię z otwartymi ramionami", upiera się.

„Jakie wielkie stolice świata?", pyta Lupe. „Paryż, Rzym, Londyn, Berlin, Nowy Jork… Nowocześni i awangardowi Amerykanie umieliby cię docenić, ale tu, na tym ranczo, ja jeden cię rozumiem". Po raz pierwszy w życiu do Lupe dociera, co to znaczy być *rozwódką*. To pewnie dlatego nikt ich nie odwiedza. „Jak tak dalej pójdzie, zapleśniejemy tu z dziewczynkami". Gabriel zachwyca się każdym jej docinkiem, oddaje jej nieustające hołdy. Kiedy córki przerywają im rozmowę, Lupe nakazuje: „Idźcie sprawdzić, czy nie ma was na podwórku".

Ilekroć widzi, że Lupe wychodzi z domu, Gabriel podsuwa jej swoje ramię i nuci do ucha *Tea for Two*.

– To kretyn – stwierdza Jorge.

– Ja uważam, że to światowy człowiek i dużo bardziej mi się podoba niż ty.

Mała Lupe zapada na tyfus. Matka Jorge Natalia oświadcza autorytarnie: „Na takie rzeczy daje się wywar z karaluchów".

– Niech twoja matka nie waży się tknąć Pico – złości się Lupe.

W cukrowni jedynymi przyjaciółmi Pico i Chapo są dzieci robotników. Lupe zostawia na stole srebrną monetę o wartości dwudziestu centavos i Pico korzysta z okazji, żeby kupić słodycze i rozdzielić je pomiędzy swoich przyjaciół: kolegę z tłoczni, chłopca z myjni, dziewczynkę od buraków, posłańca, córkę mechanika, która jest taka wesoła. Gdy dowiaduje się o tym Lupe Marín, nie zważając na obecność innych dzieci, wymierza jej serię policzków.

– Od kiedy to bijesz swoje córki? – pyta oburzony Jorge.

– Od zawsze.

– To barbarzyństwo.

– To ja jestem matką, to ja je wychowuję. Mnie tak właśnie wyprowadzili na ludzi.

Mimo że Jorge ich broni, starsza z córek, Pico, nienawidzi go i przykazuje Chapo: „Pilnuj się, bo jeszcze go pokochasz. Z winy tego faceta nie mamy ojca, ten zezol nie jest nasz".

Nie zważając na nienawiść, którą wzbudza, Jorge uczy Pico kochać książki. Czytają na głos *Róże dzieciństwa*[36] Maríi Enriquety. Kiedy dziewczynka idzie do szkoły, czyta tak płynnie, że nauczycielka nie posiada się ze zdumienia. „Mieszkamy w cukrowni Potrero", wyjaśnia dziewczynka. „Słusznie, przecież tam jest Cuesta. Alchemik z pewnością zaszczepił temu dziecku zamiłowanie do literatury", ocenia pani Esther.

Jorge patrzy na Pico z niechęcią; pomimo wszystkich jego starań dziewczynka go odrzuca: „Ty nie jesteś moim ojcem".

– I co niby mam zrobić? – broni się Lupe. – Ruth też się na ciebie boczy, ale nic nie mówi, bo jest mała i bojaźliwa.

Nocą robotnicy zbierają się wokół ogniska; Lauro, najstarszy, mówi do sąsiada:

– Żona chemika jest całkiem jak Mulatka z Córdoby. Widzieliście te grube wargi, te czarne włosy jak u Chinki?

Według niego Mulatka z Córdoby, czarownica, którą ponoć spalono na stosie wieki temu, przechadza się teraz na długich nogach Lupe po plantacji Potrero, ma w zwyczaju siadywać sobie w cieniu bananowca obok kurnika i przyglądać mu się niechętnym okiem. „Nie widzieliście, jaką ma ciemną skórę, jakie niespokojne spojrzenie, ile jadu w słowach? Mulatkę wtrącili do więzienia, ale teraz ta czarnula rzuciła czar na inżyniera Cuestę. Wyciągnął ją z samego piekła i zamknął w Potrero wraz z dwoma smarkulami, które nawet nie są jego".

Legenda głosi, że pewien strażnik odkrył wykonany węglem na ścianie celi rysunek pięknego statku i zapytał Mulatkę:

– To ty narysowałaś?

---

[36] *Rosas de la infancia*, María Enriqueta Camarillo.

116

– Tak. A wiesz, czego brakuje w tym statku?

– Żagli.

Mulatka dorysowała je.

– Czego jeszcze mu brakuje, strażniku?

– Masztu.

Dorysowała zatem i maszt ku zdumieniu strażnika.

– Coś jeszcze?

– Myślę, że niczego już mu nie brakuje, nieszczęsna kobieto.

– Teraz brakuje, żeby popłynął – odparła zadziornie Mulatka.

– A zapewniam cię, że popłynie daleko.

– Jak to?

Mulatka wskoczyła wówczas na pokład statku, a ten odbił od brzegu i zniknął, przeniknąwszy przez ścianę celi.

– Słuchaj – Lupe pyta Jorge – skąd się tu wzięło tylu czarnych?

Jorge nie rozwodzi się nad swoją własną śniadą karnacją i opowiada, że wielu z nich przybyło do Veracruz. Nawet w rodzinie Cuestów jest jedna Mulatka: Cornelia, matka don Néstora, którą Jorge kocha najbardziej na świecie, mocniej nawet niż swoją siostrę Natalię.

Pod koniec XVI wieku czarni niewolnicy przyjechali z Afryki do Veracruz. Było ich więcej niż Indian i znacznie więcej niż Hiszpanów, ale zaczęli się żenić z miejscowymi kobietami i rozmyli się w tłumie.

– O mój Boże, doprawdy? Czy ty przypadkiem nie jesteś z tych rozmytych? – kpi sobie Lupe i wydaje się, że za chwilę zatopi w nim gotowe do ukąszenia kły.

***

W 1948 roku Xavier Villaurrutia i Agustín Lazo wystawią w Pałacu Bellas Artes operę *Mulatka z Córdoby*.

ROZDZIAŁ 17

CUESTOWIE

– Jutro idziemy do moich rodziców – oświadcza Jorge.

W niedzielę rodzina wyrusza do miasta Córdoba; sukienka Lupe podkreśla jej długie nogi i biust, który (co dziwne) urósł.

Don Néstor i Jorge rozmawiają w salonie domu pod numerem 83 przy Ulicy 3, a Lupe, nieoczekiwanie dyskretna, usprawiedliwia się: „Pójdę obejrzeć kwiaty w korytarzu". Doña Natalia wraca z targu i ledwie się z nią wita, ale dziewczynki idą za gospodynią do kuchni. Nie zaszczycając ich spojrzeniem, doña Natalia kładzie na stole torbę krewetek.

– To takie małe rybki – upiera się Pico.

– Ale mają wąsy – powątpiewa Ruth.

Pico wchodzi na krzesło i rozdziera torebkę, krewetki wypadają na podłogę, a przestraszona Chapo wybucha płaczem. Doña Natalia krzyczy gniewnie: „Lupe, z winy twoich córek nie mamy obiadu!". Marín mocno potrząsa Pico. „Zostaw ją, już trudno, zjemy na mieście", wtrąca się Jorge.

W cukrowni Jorge sypia mało i źle. Spędza cały dzień w swoim laboratorium albo robi wciąż nowe obliczenia. Lupe nie poznaje go. Korespondencja z klientami zabiera mu dużo czasu, pisze do nich ręcznie. Don Néstor, surowy niczym nadzorca niewolników, zawsze wiele wymagał od swoich dzieci, aż wreszcie Víctor wybrał alkohol.

Jorge dystansuje się coraz bardziej, unika jej, uznaje tylko Chapo. „Zachowuje się tak, jakby mu przeszkadzało, że jestem jego żoną", myśli Lupe. Któregoś ranka po obudzeniu odkrywa, że Jorge siedzi w nogach jej łóżka i wpatruje się w nią przenikliwie.

– Zdradzasz mnie z Gabrielem? – krzyczy, potrząsając nią gwałtownie. – Nie wypieraj się, widziałem, jak na ciebie patrzy. Umawiacie się w węglarni, na targu albo w kurniku, gdzie się akurat nadajesz. Wczoraj znalazłem pierze na twoim szlafroku.

– Zwariowałeś!

Przez kilka dni Lupe czeka na przeprosiny, które nigdy nie nadchodzą. Jorge chodzi zagniewany, nie pojawia się na obiedzie, wreszcie czerwony ze złości, wybucha:

– Dosyć tego, wynoś się w tej chwili; nie jutro ani pojutrze, natychmiast, nie mogę na ciebie patrzeć.

– Dobrze, odejdę, ale najpierw poproszę Gabriela o pieniądze.

– Sam pójdę po tego kmiota.

Jorge wyciąga rewolwer, którego Lupe nigdy wcześniej nie widziała, lecz zamiast Gabriela na patio koło krajalnicy natyka się na właściciela cukrowni Ericha Koeniga.

– Wynocha stąd! Nie będę tu tolerował skandali! Jutro wypłacę panu odprawę, a pan się wyniesie ze swoją szurniętą rodzinką!

Zawiadomieni przez właściciela cukrowni rodzice radzą: „Najlepiej przyjedźcie do nas do Córdoby".

Po raz pierwszy don Néstor zniża się do rozmowy z Lupe.

– Mój syn jest zdenerwowany; ostrożność, przede wszystkim konieczna jest tu ostrożność.

– Pański syn nie jest zdenerwowany, tylko walnięty.

Natalia Porte-Petit także błaga Lupe, by wybaczyła synowi egzaltację.

Ledwo widzi, że Jorge obniżył czujność, Lupe zaczyna się na nim okrutnie wyżywać. „Nawet twoi rodzice przyznają, że źle mnie traktujesz". Kiedy Jorge podchodzi do niej w pokojowych intencjach, pręży się niczym pantera, a jej oczy przypominają dwa sztylety. „Co ja tu robię z tym jaszczurem, skoro wyszłam za giganta na miarę Diega?"

Ruth pyta, co to jaszczur, a Jorge wyjaśnia jej, że to taka ryba, która umie chodzić, „płaz na chwilę przed transformacją, ktoś taki jak ja".

W pięknym cordobańskim domu z XVIII wieku Lupe zasiada w korytarzu w bujanym fotelu i czeka na zmierzch. Mży drobniutki deszczyk, który wszystko odświeża. W nocy Jorge pada przed nią na kolana i błaga o wybaczenie. „Jedna taka noc wszystko tłumaczy – pisze Lupe. – Przez tę jedną noc pojednania znów zaczynam wierzyć w miłość". Jednak po pięciu dniach wraca do swojej starej śpiewki na temat sensu małżeństwa i pyta: „Jaka może być korzyść ze wspólnego życia dwóch osób patrzących na świat w sposób tak odmienny jak my?". Upiera się przy słowie „poświęcenie".

Natalia nie odstępuje brata na krok, całuje go i przytula bez powodu, co doprowadza Lupe do szału. Dziewczyna jest śliczna, niemal tak wysoka jak Jorge, a jasne włosy tworzą wokół jej głowy aureolę świętej. Kiedy dostrzega Jorge w korytarzu, natychmiast biegnie do niego, gdy brat czyta, przerywa mu, a on z uśmiechem odkłada książkę, czego nigdy nie zrobiłby dla Lupe. Wszyscy nazywają ją Nena, jakby miała piętnaście lat. Lupe patrzy z zawiścią na tę blondynkę o różanej cerze, która zatruwa jej życie. Któregoś wieczora przyłapuje rodzeństwo w chwili, gdy wychodzą wspólnie z pokoju. Tracąc panowanie nad sobą, wrzeszczy: „Jaka piękna parka gołąbeczków jednej krwi!". Jorge – jeszcze konsekwentny – prosi ją, by się uspokoiła, ale Lupe uparcie zarzuca Natalii niszczenie ich małżeństwa.

Uciszenie Lupe to zadanie trudniejsze niż znalezienie przepisu na wieczną młodość.

Jorge porównuje Lupe ze swoją siostrą Natalią, która jest dzieckiem tej ziemi i rozkwita w każdym geście. Jego żona źle wypada na tym tle: „Lupe, nie krzycz. Lupe, nie wiesz, do czego służy grzebień? Nie chodź tak, robisz za wielkie susy! Uważasz się za wybitną? Jesteś po prostu zupełnie źle wychowana. Przebierz się, wszystko masz na wierzchu!".

Najmniejszy drobiazg starcza, by się rozgniewał. Pod wpływem rodziców zdaje się wstydzić żony i woli spać w hamaku lub czytać, zamiast z nią wychodzić. Odmawia, ilekroć Lupe proponuje: „Przejdźmy się".

Teraz już nawet Chapo nie potrafi wyrwać go z milczenia, w którym się pogrążył. Lupe Marín czuje, że wyższość Jorge odbiera jej siły, a postawa rodziny Cuestów dodatkowo się do tego przyczynia. Natalia za to wstaje z rana świeża jak źródlana woda.

Matka, przekonana, że rozwódka rzuciła na jej syna czar, na odczynienie uroków daje mu do picia wywary z macerowanych w alkoholu skorpionów. Lupe uważa Porte-Petit za prostaczkę. „Na tyfus najlepiej położyć pod łóżkiem iguanę zatłuczoną kijem. Albo wypić napar z karaluchów. Na wątrobę pomaga noszony na szyi liść opuncji". Lupe, która nie wierzy nawet w złe uroki, okropnie to wkurza.

– Twoja matka, biedaczka, ma przesądy jak w czasach jaskiniowców!

Syn twierdzi jedynie, że dla zachowania zdrowia trzeba pić przegotowaną wodę, gotowane mleko i myć ręce.

W przeświadczeniu, że rodzina wkrótce dorobi się fortuny dzięki geniuszowi najstarszego syna, don Néstor uczepia się go niczym koła ratunkowego. To on pozwoli im odzyskać dawną pozycję w Córdobie; już i tak uważają ich za dobroczyńców i uprzywilejowane umysły. Natalia znów będzie dobrą partią, wszyscy obszarnicy będą o nią zabiegać! Nena odrzuca Lupe, bo jest zbyt smagła i krzykliwa. Ona natomiast jest niebiańskim blond zjawiskiem. Nie przypadkiem występowała jako księżniczka podczas karnawału w porcie Veracruz, zaraz po Sofíi Celorio, veracruzańskiej królowej piękności, która w wieku osiemnastu lat wyjechała do stolicy. Co roku ratusz zaprasza panienkę Cuesta, by jechała na czele parady w alegorycznym powozie, kiedy to wokół niej uwija się rój fotografów i reporterów.

Zarozumiałe wywody Neny, która cienkim głosikiem, nie skąpiąc okrzyków, rozwodzi się nad swoim strojem i powierzchownością towarzyszących jej szambelanów, zatruwają Lupe duszę. W jadalni grube złote warkocze dziewczyny zwisają, aż trafiają w talerz z zupą. Natalia czyha na każde poruszenie swojej śniadej szwagierki: „Ja bym to zrobiła inaczej. Co mówiłaś? Nie zrozumiałam". Na dziewczynki patrzy z niechęcią. „Równie ciemne jak ich matka!" Za to Cuesta nigdy nie zapomina o środku na wzmocnienie dla Chapo, „żebyś urosła tak duża jak ja".

– Nie zadawaj się z nim, to nie jest nasz tata – upiera się Pico.

Pico odrzuca także Víctora, wujka pijaka, gdy ten próbuje ją przytulić.

– A temu jaką miksturę dałeś? – ironizuje Lupe.

Spojrzenie Jorge upokarza Lupe. Nie smakują jej potrawy doñi Natalii, męczy ją upał, a kiedy marznie, upiera się, że ma gorączkę. Zawsze chodziła energicznym krokiem, a teraz utrzymuje, że nogi odmawiają jej posłuszeństwa. Wcześniej gawędziła ze straganiarkami, teraz w ustach napęczniał jej gruby język, który odbiera chęć do rozmowy.

– Jak bardzo się pomyliłam!

Pewnego wieczora, gdy dzwony kościelne wzywają na różaniec o szóstej, doña Natalia puka do jej drzwi:

– Wyjedź stąd. Córdoba ci nie służy. Tak będzie lepiej dla ciebie, dla Jorge, dla nas i dla twoich córek, które nie są tutejsze. Mój syn przyjedzie do ciebie za osiem dni.

Za pieniądze doñi Natalii Lupe wraca do Meksyku, z córkami uczepionymi jej wspaniałych dłoni.

ROZDZIAŁ 18

CÓRKA FOTOGRAFA

Zdaniem Novo i Villaurrutii Lupe wygląda dużo gorzej, niż kiedy wyjeżdżała. „Prowincja ci nie służy", ironizuje Agustín Lazo. Concha Michel również jest zdumiona: „Lupe, co się stało, że tak zmarniałaś?". Marín garściami wychodzą włosy. Przytyła kilka kilo, ale przede wszystkim Novo nie potrafi rozpoznać w tej kobiecie o zmarszczonej brwi ich bogini z Mixcalco.

Przeszło miesiąc bez wieści od Jorge! Lupe pisze do niego wyprowadzona z równowagi: „Przyjedź jak bądź; jeśli musisz ukraść, ukradnij, jeśli trzeba będzie zabić, zabij, ale przyjedź szybko, żebyśmy spędzili razem twoje urodziny. Nie mogę dłużej czekać, jestem całkiem załamana. Nie bądź podły".

Odpowiedź przychodzi od doñi Natalii:

„Droga Synowo! W Twoim wieku nie przystoją już takie wahania nastroju. Uspokój się i czekaj cierpliwie, mój syn jest zajęty ze swoim ojcem i nie może przyjechać tylko dla zaspokojenia Twojego kaprysu. Przyjedzie, jak będzie miał czas, lepiej się z tym pogódź. Twoja Teściowa".

W końcu Jorge wraca do miasta Meksyk do Lupe. Po dwóch dniach pisze do matki:

13 kwietnia 1929

Kochana Mamo!
Przyjechałem tu na szybko, bo dostałem od Lupe „naglące" we-

zwanie i zastałem ją z grypą, a obie małe leżą w łóżkach z koszmarną wiatrówką, czego nie napisała mi w liście, żebym się za bardzo nie denerwował. Chciała zaalarmować mnie tylko na tyle, żebym przyjechał jak najszybciej.

Czuję się dobrze, ale z tego pośpiechu zapomniałem zastrzyków. Bardzo cię proszę, żebyś mi je przysłała wraz ze skarpetkami dla mnie i Chapo, bo ja przyjechałem tylko w tych, które miałem na sobie, i zostawiłem też oba koszyczki z wanilii.

Néstor pewnie przekazał Ci moją prośbę. Chcę się przekonać, czy to się sprawdzi, może dzięki temu wreszcie skończą się te wszystkie utrapienia, a ja zyskam nieco swobody, by pomóc tacie, w czym będę mógł, zwłaszcza teraz, gdy zbliża się okres finansowych trudności. Dlatego błagam cię, żebyś przekazała sprawę „ciotce", i niech ci potem powie, jakie były skutki.

Napiszę do Ciebie później, będę Cię informował na bieżąco, jak mi się wiedzie. Twój kochający syn. Jorge.

Krajowa Unia Producentów Alkoholu i Cukru proponuje mu posadę. W czasie gdy trwa remont w mieszkaniu, które Diego Rivera przygotowuje dla swoich córek przy Tampico 8, Jorge wynajmuje dom w starej dzielnicy Chimalistac obok klasztoru Karmelitek Bosych w całkiem wyludnionym Callejón del Huerto.

– Słuchaj, stąd wszędzie jest daleko i nie możemy nikogo odwiedzać – skarży się Lupe.

– To tymczasowe, poza tym ulice mają nazwy w stylu Droga Nad Rzeką, Tajemna, Vizcainoco, Jesionowa, nie wydaje ci się to romantyczne?

Lupe wzrusza ramionami, dziewczynki także boją się chodzić pustymi ulicami, nikt nie pozwala im się zbliżać do rzeki, mimo że jest na niej wiele mostów, a nurt jest dość płytki.

Wreszcie los zsyła Jorge nieco wytchnienia i przeprowadzają się na ulicę Tampico 8. Cuesta oszczędza, żeby obstalować u dobrego stolarza meble w stylu Chippendale; na początek wysoki mahoniowy regał, który przekształca w biblioteczkę. Spędza tam potem nocą długie godziny przy sekretarzyku z roletą, którego zazdroszczą mu dziewczynki.

– Jak mu coś zepsujecie, spuszczę wam lanie. Niech wam przez myśl nie przejdzie tykać książek Jorge! – sztorcuje córki Lupe.

– Nie strasz ich książkami. W ten sposób nigdy ich nie pokochają – wtrąca Cuesta.

Przy wejściu do domu, ku wielkiej radości Pico i Chapo, Jorge dokarmia w kamiennej fontannie kolorowe rybki.

– Piszę właśnie o poezji Paula Éluarda; musisz go przeczytać, Lupe.

Concha Michel odwiedza swoją starą przyjaciółkę.

– Wyglądasz fatalnie

– Chyba znów jestem w ciąży.

Concha mało mówi o dwójce swoich dzieci, macierzyństwo nie jest jej żywiołem.

W połowie 1928 roku Diego wrócił rozczarowany ze Związku Radzieckiego. Nie znalazł tego, czego szukał, oskarżono go o udział w antysowieckich kampaniach, ponieważ wypowiadał się pozytywnie o Trockim; nie zobaczył się też ze swoim ukochanym Łunaczarskim, który nie cieszy się już przychylnością Rady Najwyższej, nie jest wielkim krytykiem kultury ani nie zamyka kościołów i klasztorów, a jego działania nie obchodzą specjalnie Kominternu. Mimo wszystko Riverze udaje się zasiać ziarno ciekawości w Siergieju Eisensteinie, który przyjeżdża potem do Meksyku, żeby nakręcić film.

Relacja z powrotu Diega z ZSRR zapełniła całe strony dzienników. Jorge Cuesty nikt nie zna. Za to Diegiem wszyscy się interesują. Dzięki niemu sława znów zaczyna otaczać Lupe. Och, jak bardzo chciałaby ją z nim dzielić! Niestety, Cuesta jest całkiem nieznany. Jedyny, o którym czasem piszą w gazetach, to Chavo, jak Lupe nazywa Novo.

– Sam szukałeś guza, wcale nie musiałeś być taki usłużny i jechać do ZSRR, żeby wystawiać się tam na upokorzenia – Lupe atakuje Diega zaraz przy pierwszym spotkaniu.

– Mam wrażenie, że tobie też nie poszło za dobrze.

Diego ma czterdzieści dwa lata i nadal jest w Meksyku niesamowicie ważną postacią, nie wspominając już o roli, jaką odgrywa w życiu Lupe, która co rusz przybiega prosić go o radę lub strofować: „Co to za małpa wyszła właśnie od ciebie?". Prześladuje go: „Musisz utrzymywać swoje córki, bezwstydniku, znów opóźniły się pieniądze na ten miesiąc".

Diego daje jej sto pięćdziesiąt pesos miesięcznie: „To za mało, Brzuchaczu". Niekiedy Lupe jest słodka, innym razem wściekła, wówczas wyzywa go od idiotów, czego Diego słucha ze stoickim spokojem.

– Chodź, zobacz, co namalowałem, Gniada Mulico.

Co ciekawe, Diega nadal fascynują opinie jego byłej żony.

Lupe krytykuje Diega, ale dzięki swojej nadzwyczajnej informatorce Conchy Michel jest na bieżąco ze wszystkim, co się u niego dzieje. Natomiast Jorge ją drażni, nie rozumie go, ani tym bardziej wygłaszanych przez niego sądów, wszystkich tych dyskusji o *grupie bez grupy* i kultu inteligencji. Co za nuda! Nie pojmuje, czym on się właściwie zajmuje ani na czym schodzą mu długie godziny, kiedy siedzi smutny i naburmuszony. Nie czyta też jego wierszy, niech Bóg broni.

Za to od Diega przyjmie wszystko. Według towarzyszki Conchy malarz spędza teraz niedziele w Coyoacán z rodziną niemieckiego fotografa Guillerma Kahlo. „Jego córunia Frida wpadła w oko twojemu Brzuchaczowi".

Lupe przypomina sobie wówczas brzydką krzykliwą dziewczynkę, która przychodziła do Ministerstwa Edukacji przyglądać się, jak Diego maluje.

– Mówią na nich *Słoń* i *Gołębica* – żartuje Concha.

– Żadna tam z niej gołębica – obrusza się Lupe. – To skorpion. I ma wąsy.

– Tata uwielbia odwiedzać państwa Kahlo w Coyoacán – przytakuje Mała Lupe.

Lupe drwi sobie z Fridy i niektórych kobiet z Oaxaki – jest pośród nich Alfa Henestrosa – które noszą długie spódnice, ludowe szale *rebozos* i tuniki *huipiles*: „Robią z siebie pośmiewisko, ubierając się jak stare baby z dzbanem na głowie! Może jeszcze mam sobie zapleść warkocze? Frida w tych swoich ozdóbkach wygląda jak Pan Jezus w bandoletach". „Ty sama zachowywałaś się jak żołnierka, kiedy latałaś za towarzyszem Diegiem", pokpiwa Michel. „Nigdy nie nosiłam halek", obraża się Lupe, zwolenniczka paryskich fasonów, chińskich stójek i włoskich jedwabi.

– W takim razie radzę ci odwiedzić Fridę. Aurora Reyes i ja często ją widujemy i super się bawimy przy fajkach i tequili.

Wściekłość, jaka ogarnia Lupe na wieść o nowej miłości Diega, nie zna granic. Bez zbędnych wstępów pisze do Fridy, by przypomnieć jej o istnieniu córek Diega, które ma z nią i z Marievną Vorobievą we Francji:

> Niechętnie chwytam za pióro, by do Ciebie napisać, ale chcę, żebyś wiedziała, że ani Ty, ani Twój ojciec czy matka nie macie prawa do żadnej rzeczy Diega. Za to powinien utrzymywać nasze córki (a także Marikę, której nigdy nie posłał ani grosza!).

21 sierpnia 1929 roku Diego bierze ślub z Fridą w urzędzie stanu cywilnego w Coyoacán. Później, podczas wesela Lupe, całkiem nie panując nad sobą, podchodzi do Fridy, podnosi jej kwiecistą halkę i krzyczy tak, by wszyscy usłyszeli: „Patrzcie, patrzcie, na jaką parę kulasów zamienił mnie Diego Rivera". Oszołomieni goście uznają ją za jędzę, a Jorge Cuesta wyprowadza żonę z przyjęcia niczym pogromca jadowitą bestię.

Córki Rivery i Marín mają zaledwie dwa i pięć lat.

W tydzień po weselu Diego przyjmuje dwa duże zlecenia: mural w Ministerstwie Zdrowia przy ulicy Lieja 7, w kolonii Juárez, i drugie w Pałacu Cortésa w Cuernavace. Ambasador Stanów Zjednoczonych Dwight W. Morrow pragnie zrobić Meksykowi ładny prezent i postanawia ofiarować mu mural.

W gabinecie ministra zdrowia Diego maluje ogromne kobiece akty całkiem nieproporcjonalne do małej przestrzeni. Pozuje do nich Doris Weber Uger, przyjaciółka Fridy z dzieciństwa.

– Czemu namalował pan te przerażające wielkoludki, które optycznie zmniejszają salon? – denerwuje się architekt Carlos Obregón Santacilla, autor budynku.

Diego i Frida osiedlają się w Cuernavace, niedaleko Pałacu Cortésa.

Dwight W. Morrow zobowiązuje się zapłacić muraliście dwanaście tysięcy dolarów. Komuniści nazywają Diega „zdrajcą, który zaprzedał się kapitalistom".

– Możecie państwo zamieszkać u mnie – nalega Dwight W. Morrow.

– Będą cię jeszcze bardziej atakować – wtrąca Frida.

– Już i tak wyrzucili mnie z partii, nic więcej nie mogą mi zrobić. Pałac Cortésa powstał w 1526 roku. Zachwyca Alfonsa Reyesa. Z galerii o ośmiu łukach na drugim piętrze można zobaczyć wielką dolinę aż po Tepoztlán.

Pomocnik Rivery, Ramón Alva Guadarrama, cieszy się dobrym klimatem i bugenwillami. Ambasador Morrow ośmiela się zasugerować, że Diego powinien ukazać w nieco przychylniejszym świetle zakonników, których maluje jako straszliwych chciwców i bezwstydników. Skarżyło się na to już kilku Hiszpanów: „Przedstawia nas, jakbyśmy byli zbieraniną bandytów, złodziei, libertynów, syfilityków i głodomorów…".

– Namaluje też dobrych zakonników, takich jak Motolinía i De las Casas – broni go Alva Guadarrama.

Na swoim muralu Diego wyciąga na światło dzienne całą pazerność Hernána Cortésa. Po bokach centralnego łuku zasadza na tronie Zapatę i José Maríę Morelosa.

– Panie Rivera – mówi Dwight W. Morrow w wieczór inauguracji w 1930 roku – mam nadzieję, że zrozumie pan, iż nie mogę podzielać poglądów, jakie wyraził pan poprzez swoje freski; ale to bez znaczenia, ponieważ zgadzam się z nimi z artystycznego punktu widzenia. Chciałem zostawić po sobie ślad w Cuernavace i pan mi w tym pomógł, malując dzieło sztuki.

ROZDZIAŁ 19

ODEZWA DO LUDZI NA TARGU

13 marca 1930 roku na świat przychodzi Lucio Antonio Cuesta Marín. Jorge pisze:

Kochana Mamo!
Wszystko poszło bardzo szybko i od wczorajszego wieczora jesteś już babcią. Choć stałaś się nią wbrew swojej woli, jestem pewien, że z radością zobaczysz wnuka. Sam nie wiem, wydaje mi się podobny do pierwszego Juanita. Ma jasne włoski i oczy.
Przyjedziesz go poznać?
Urodził się 13 marca, w piątek, na dwadzieścia minut przed północą.
Przesyła Ci ucałowania Twój kochający syn, Jorge.
P.S. Zawiadom wujków i ciocię. Mam nadzieję, że Lupe szybko dojdzie do siebie. Wygląda na to, że poród przebiegł szczęśliwie.

Jednak jest wprost przeciwnie: nic nie przebiega szczęśliwie. Lupe gorączkuje tak mocno, że jej matka Isabel Preciado przyjeżdża do Meksyku z Guadalajary, żeby zająć się dziewczynkami. Przybywa także doña Natalia z Córdoby, bo chce zobaczyć noworodka, na którego Jorge mówi Tito.
Ilekroć Jorge chce pokazać dziecko Lupe, ta wyje: „Zabierz to stąd".
– Jaki blondynek, wykapany tatuś – cieszy się doña Natalia.

131

– Ciekawe, w którym miejscu Jorge jest blondynem, skoro ma negroidalną urodę? – wkurza się Lupe, która na dobitkę nie ma mleka.

Dziewczynki także nie zbliżają się do kołyski braciszka. Każą im być cicho, żeby nie przeszkadzały mamie, wspartej na łóżku o poduszki, z oczami wychodzącymi z orbit.

– To dzieciątko zaraz umrze z głodu – stwierdza Isabel Preciado i radzi poszukać mamki.

Przestraszony Jorge wybiega z domu i wraca z kobietą z jeszcze wystającym po ciąży brzuchem. Mamka mamrocze: „Jest śliczny". Noworodek łapczywie przysysa się do jej piersi.

Lupe nigdy więcej nie pyta o swojego syna.

„Kochana Mamo – pisze Jorge do doñi Natalii. – Nie odzywałem się do Ciebie, bo czekałem, aż będę Ci mógł napisać coś wesołego. Tito czuje się wspaniale. Jego jedynym utrapieniem jest matka. Kreślę te linijki w pośpiechu, bo czekają na mnie. Jutro napiszę do Ciebie więcej, na spokojnie. Uściski dla Víctora. Napiszę też do Taty. Twój kochający syn Jorge".

Babcia Isabel Preciado zabiera Pico i Chapo pociągiem do Guadalajary. Na każdej stacji do okien podchodzą sprzedawcy i podsuwają cały wachlarz słodyczy. Babcia przytula wymęczone wnuczki.

Jaki piękny dom z tymi wszystkimi plecionymi meblami! Jak spokojnie żyje się z dala od matki! Mała Lupe nie odstępuje babci na krok i przychodzi za nią do kuchni.

– Chcesz się nauczyć? Musisz mieć swój sprzęt!

Na targu Corona kupuje jej torbę na sprawunki, specjalną patelnię do tortilli, mątewkę oraz trzy drewniane łyżki i przewiązuje ją szmatką w pasie. Podsadza małą na krzesło. Dziewczynka naśladuje babcię i nie posiada się z dumy, kiedy dziadek Francisco chwali: „To dziecko ma bardzo dobry smak".

Ruth nie interesuje gotowanie, ale mieszkanie z dala od Lupe Marín i nowego braciszka dla niej również stanowi ulgę.

– Nie ma rady, muszą pójść do szkoły, zanim ich matka nie dojdzie do siebie – uznaje Isabel Preciado.

– Oby nigdy się jej nie poprawiło! – woła Mała Lupe. – Nie chcę do niej wracać.

– A do braciszka?

– Tym bardziej. Babciu, z mamą trudno wytrzymać.

Isabel Preciado zapisuje je do szkoły prowadzonej przez zakonnice przy kościele Expiatorio, dwie ulice od domu. Uczą się dziękować Bogu przed i po każdym z trzech posiłków, nie gadać przy stole, szyć i haftować. Raz jeszcze Mała Lupe olśniewa zakonnice swoją doskonałą dykcją i płynnym czytaniem.

– Kto cię nauczył?

„Jak się czują dziewczynki?", dopytuje co tydzień w listach Cuesta. Diego nigdy nie pisze. Lupe i Ruth nie cieszy zainteresowanie Jorge, ani też nie biorą Diegowi za złe jego obojętności. Pamięta o nich czy nie, i tak jest ich ojcem, ich świętym tatusiem, panem i władcą. Może z nimi zrobić, na co mu przyjdzie ochota.

Cuesta nie potrafi pojąć, jak to możliwe, że jego żona śpi przez cały dzień i nie słyszy płaczu synka. „Uprzedzałam cię, ona ma serce z kamienia, to jędza", powtarza doña Natalia, która wraca do Córdoby. Na jej miejsce przyjeżdża Nena, by zająć się Titem. Kilka dni przed wyjazdem doña Natalia wchodzi do sypialni Lupe Marín z księdzem gotowym ją wyspowiadać. Oszołomiona gorączką Lupe przypomina sobie, że jako dziewczynka w Guadalajarze całowała księdza w rękę. Duchowny nie zgadza się na takie wyrazy szacunku i chora wybucha niepocieszonym szlochem. Nie brała ślubu w Kościele Świętym, dlatego ksiądz nie udziela jej rozgrzeszenia.

Natalia Cuesta, Nena, opiekuje się noworodkiem jak własnym dzieckiem. „Najlepiej byłoby zabrać go do Córdoby", doradza po dwóch miesiącach. Nikt nie sprzeciwia się wyjazdowi chłopca z młodą ciotką.

Jorge zwraca się do syna imieniem Tito lub Lucío Antonio. Lupe co najwyżej mówi *to dziecko*. Nie ma siły podnieść się z łóżka, krzykami domaga się opieki: „Niczego nie mogę strawić, jeszcze mam w ustach smak jabłka sprzed tygodnia. Zimno mi! Zaraz się ugotuję! Duszno mi, nie mogę oddychać. Patrzcie na mój język, nie mieści mi się w ustach. Nawet woda mi szkodzi".

Każdy nowy lekarz zżyma się na poprzedniego:

– Kto pani zapisał wapno? Przecież cierpi pani akurat na nadmiar wapna.

– Ma anemię, proszę jej dawać wątróbki i soczewicę.

– Zaburzenia poporodowe, przejdzie jej.

– To katatonia.

– Zwariowała, dajcie sobie z nią spokój, pozbądźcie się jej, a jeśli nie zrozumie, trzeba będzie ją zamknąć w zakładzie.

Cuesta jest tego samego zdania co ostatni lekarz i pisze do matki:

Kochana Mamo!
Wolę nie wiedzieć, co sobie o mnie pomyślałaś. Zasłużyłem stokrotnie na miano głupca. Okoliczności zrobiły ze mnie idiotę. Pracuję dopiero od piętnastu dni; mamy pełno długów, chorzy w domu itd. Teraz, dzięki Bogu, spodziewam się poprawy na moim nowym stanowisku, może już niedługo [...]. Twój kochający syn Jorge.

– Słuchaj no, który z tych twoich specyfików zaaplikowałeś swojej dzikiej żonie? – żartuje sobie Novo, który ma w zwyczaju dopytywać się, czy Alchemik wynalazł już eliksir młodości i czy podaruje mu go lub sprzeda po zniżkowej stawce dla przyjaciół.

Nawet Xavier Villaurrutia nie współczuje Lupe, „faktycznie, to katatoniczka". Dopiero później Contemporáneos zrozumieją, że Marín przeszła ciężką depresję dodatkowo skomplikowaną przez zaburzenia w wydzielaniu tarczycy, i przeczytają, że wiele kobiet po porodzie popełniło samobójstwo.

– Nie chcę umierać, zlituj się nade mną. – Lupe zjawia się potargana w bibliotece Jorge.

– Mogę ci dać pieniądze, co tylko zechcesz, ale o mnie zapomnij – odpowiada Jorge.

– Chcę żyć, kocham życie, to niesprawiedliwe, żebym teraz umierała! Wszystko mi jedno, że potem pożrą mnie sępy, ale teraz nie pozwól mi umrzeć!

– Brzydzi mnie ta twoja farsa – irytuje się Jorge i wychodzi, trzaskając drzwiami.

Lupe jakby nie zdawała sobie sprawy, że Nena z małym Antoniem wyjechali do Córdoby, nigdy nie pyta o swoje córki. Jorge

Cuesta spędza dużo czasu w pracy, którą załatwił mu Samuel Ramos, szef działu administracyjnego w Bellas Artes. Kiedy mija sypialnię Lupe, widzi z daleka jej szeroko otwarte oczy i szybko przechodzi dalej.

Za to Lupe ledwo usłyszy, że wszedł po schodach lub otworzył drzwi, woła go głośno do swojego pokoju:

– Słuchaj no, powiem ci coś w tajemnicy, tylko nikomu nie powtarzaj. Nie chcę, żeby ktokolwiek poza tobą o tym wiedział. Piszę ważny tekst, jak tylko mi się poprawi, przeczytam go na targu Merced.

Wyciąga kartkę papieru spod poduszki, rozprostowuje ją:

– To coś jak przemowa Raskolnikowa na placu Siennym, tylko że moja skierowana jest do lekarzy, którzy bogacą się na ludzkim cierpieniu. Wszyscy oni to banda półgłówków.

– Na pewno jest dużo lepsza niż Raskolnikowa – ironizuje Jorge.

– Odezwa do ludzi na targu – czyta Lupe.

Pośród flaków wołowych… i byczych języków. Tuż obok robaków z agawy… i raczków *acociles*. Pomiędzy sprzedawczyniami opuncji i meksykańskiego kawioru z *ahuautle*[37]. Pośród woni *papaloquelite*[38], kolendry, oregano… i cebuli. Wzywam sprzedawczynie czereśni, świerszczy i rzepy, i tu oto, pośród tych wszystkich ludzi pragnę wygłosić moje przemówienie, pośród tego tłumu wykrzyknę: to was właśnie chcę wyzwolić od wyzysku i farsy. Słuchajcie zatem:

Lekarze całego świata, lekarze z miast. Na początek ty, tyczkowaty erudyto, specjalisto od chorób serca i płuc, dla którego tachykardia była bez znaczenia i zapisałeś na nią weronal we wszystkich możliwych ilościach i postaciach. Potem i ty, specjalisto od odruchów, dyrektorze szpitala świeżo przybyły z Europy, zachowaj dla siebie swoje zapałki, żeby ci nie ubyło z twoich dwudziestu pięciu pesos honorarium. Także i ty, pani-

---

[37] *Ahuautle* – jadalny pluskwiak wodny, od czasów prekolumbijskich spożywa się również jego jaja, a danie to nazywane jest meksykańskim kawiorem.

[38] *Papaloquelite* – zioło stosowane jako przyprawa, ma smak przypominający kolendrę, rukolę lub rutę.

czyku psychiatro, co zdiagnozowałeś chorobliwe lenistwo wywołane niedoborem wapna, zatrzymaj sobie swoje zastrzyki na
okoliczność, kiedy po trzęsieniu ziemi porobią ci się szczeliny
w ścianie. I ty, kolejny dyrektorze szpitala, który umiesz tylko
przepisywać na wszystko środki na przeczyszczenie; a także
ty, słynny ginekologu, który w dzień po porodzie rzekłeś mi:
„Wstań i chodź", choć w żaden sposób nie mogłam tego zrobić. I wy, wszyscy inni, nie tak słynni, ale równie guzik wiedzący
ignoranci, chcę wam wszystkim w obecności zebranych tu osób
powiedzieć, kim jesteście; chcę, żebyście wiedzieli, że pospolita
kradzież byłaby szlachetniejsza, odważniejsza, mniej szkodliwa.
Przed zawodowymi złodziejami, przed zwykłymi rabusiami ludzie się strzegą, dbają, by nie zabrali im dobytku lub pieniędzy,
lecz przed wami nie ma zabezpieczenia, od was oczekuje się,
że za pieniądze, które bierzecie, wystawicie diagnozę, a wy nic
nie mówicie, tylko inkasujecie honorarium; szkodzicie pacjen-
tom, czasem ich mordujecie, a kiedy jakiś chory przejrzy waszą
farsę, mówicie, że oszalał. Towarzysze, ludzie tu zebrani, przy-
bliżcie się, by wysłuchać prawdy: powiedzieli, że zwariowałam.
Wierzycie w to? Prawda, że mam wszystkie klepki na miejscu?
Prawda czy nie?

– Biedaczka! – wyrywa się Jorge w bibliotece.

Z Lupe jest coraz gorzej i jej siostry, szczególnie Isabel, zawia-
damiają ojca, Francisca Marína, że powinien przyjechać. Mocno
podstarzały, w słomkowym kapeluszu, ze łzami w oczach, przyjeżdża pociągiem z Guadalajary do domu przy Tampico 8 w towarzystwie młodszej córki Isabel.

Na jego widok Lupe podnosi się z łóżka:

– Tato, czekałam na ciebie, ty mnie pochowasz. Jestem od ciebie młodsza, a umrę wcześniej niż ty.

Ściska jego ręce, całuje je wciąż na nowo. Francisco Marín próbuje zabrać dłonie, ale Lupe uniemożliwia mu to, pokrywając je ko-
lejnymi pocałunkami.

– Byłam twoją ulubienicą, byłam jedyna, wszędzie mnie ze
sobą zabierałeś.

Powtarza: „Tato, tato", i patrzy na niego, jakby chciała go wchłonąć. „Tato, jaki z ciebie piękny starzec. Jakie mam szczęście, że jesteś moim ojcem. Tak bardzo chciałabym cię uściskać, ale opadłam z sił. Czekałam na ciebie. Ty się mnie nie brzydzisz, prawda? Prawda, że nie zwariowałam? Jakie piękne masz dłonie! Jakże się cieszę, że jesteś moim ojcem".

– Spójrz tylko, jak schudłaś, jak się zapuściłaś. Kiedy ostatnio się czesałaś? – pyta don Francisco.

– Nie wiem, tato, straciłam poczucie czasu, zresztą to nieważne, tylko ty się dla mnie liczysz.

– Musisz być silna i walczyć – wysuwa swoje dłonie z jej rąk. – Na początek powinnaś wziąć kąpiel i się uczesać.

– Ty mnie uczesz, tato.

– Jak wyzdrowiejesz, rozstaniesz się z tym człowiekiem, bo on jest twoją najgorszą przypadłością.

– Boję się kąpieli, tato, ale zaprowadźcie mnie z Isabel do wanny, może dzięki temu przejdzie mi to otępienie.

Francisco Marín nakazuje Isabel odkręcić kran z ciepłą wodą i przygotować kąpiel.

Tej nocy Lupe śpi, jak już dawno nie spała. Budzi się i od razu zaczyna wyglądać don Francisca. Ilekroć słyszy dzwonek u drzwi, pyta: „To on? Już przyszedł". Drażni wszystkich swoją straszliwą niecierpliwością.

– Już pojechał do domu – wyjaśnia jej z drżeniem Isabel, gdy w końcu się zjawia.

– Jest taki jak wszyscy – wybucha szlochem Lupe.

Isabel rozmawia półgłosem ze służącą, Jorge coraz bardziej się martwi.

Nikt nie ma odwagi powiedzieć Lupe, że jej ojciec zmarł.

ROZDZIAŁ 20

ŻAŁOBA PO OJCU

Szpital Francuski jest najlepszy w Meksyku. Skąd Jorge weźmie na opłacanie takich luksusów? Wokół zadbany ogród dla pięknych ludzi, jedna wielka błogość. Ani jednego krzyku, żadnego niestosownego odgłosu. Posiłki są wyborne, brakuje tylko, żeby można je było popić lampką burgunda lub bordeaux.

Zakonnice nie poświęcają Lupe uwagi, ale jedna z nowicjuszek opowiada jej o świętej Ricie: „Stała się kobietą wielkiej wiary po tym, jak wyszła za podłego człowieka".

– Ja też wyszłam za gada.

– Pewnie dlatego została wybrana przez Najświętszą Panienkę z Lourdes.

Lupe obserwuje sprzątaczki, biedne dziewczęta z podkrążonymi oczyma, które zmywają na klęczkach podłogę w korytarzu, w czasie gdy zakonnica poprawia jedynie welon swojego kornetu, by modulując głos niczym lektor rozgłośni XEW, egzaltować się cudami Najświętszej Panienki. I odczuwa do nowicjuszki na przemian sympatię i odrazę. Tamta opowiada jej, że ściany groty w Lourdes są wyłożone kulami, fotelami inwalidzkimi, laskami i aparatami ortopedycznymi.

– Muszę stąd wyjść.

Błaga fankę Świętej Rity, żeby wysłała wiadomość do Conchy Michel, o której dawno już nie miała żadnej wieści.

„Concha, przyjedź po mnie, jestem chora z nienawiści i żalu. Pomóż mi odzyskać nadzieję, a wtedy przejdzie mi ta choroba".

Przepełniające ją przerażenie już nie mieści się w piersi: „Jeżeli stąd nie wyjdę, zdechnę jak pies. Muszę żyć dzięki sobie i dla siebie. A także po to, by zemścić się na Jorge".

Kiedy Concha wchodzi do pokoju numer 12 w Szpitalu Francuskim przy ulicy Niños Héroes, z trudem rozpoznaje w tej wychudłej jak szkielet kobiecie Gniadą Mulicę Diega Rivery. Obiecuje wyciągnąć ją stamtąd, nim matka przełożona podniesie alarm.

Zjawia się o świcie – w porze mszy – z dwoma towarzyszami z partii, którzy zawijają Lupe w koc i wychodzą ze szpitala, niosąc ją na rękach.

Przy Tampico 8 drzwi otwiera służąca, której Lupe nie zna, i nie chce wpuścić ich do środka:

– Nie bądź głupia, to pani Lupe Marín, pani tego domu! – sztorcuje ją Concha Michel.

Z piętra wychyla się Isabel Marín i pyta przestraszona:

– Lupe!! Już cię wypisali?

– Nie, uciekłam.

– Lupe, ty się nie zmienisz nawet na łożu śmierci...

Ma ochotę zapytać w odpowiedzi: „A ty co tu robisz?". Dostrzega na stole w jadalni paterę pełną mango, bananów i owoców mamei, podbiega i łapczywie pożera mango.

Stojąc na szczycie schodów, Isabel wydaje się jasną wersją Lupe. Szczupła, wysoka, wykwintna, o długiej szyi, pełnych wargach. Jej oczy, które nie robią jak u Lupe wrażenia ślepych, spoglądają z troską.

Concha Michel żegna się, a Isabel proponuje, że zaplecie Lupe warkocze, „żeby Jorge po przyjściu zobaczył cię uczesaną".

– A ty czemu mieszkasz tutaj, a nie w Guadalajarze? – pyta Lupe zaintrygowana.

– Jorge mnie wezwał. Przyjechałam, żeby się tobą zająć. Jeżeli nie chcesz, to wyjadę.

– Niby z jakiej racji Jorge cię wzywa? – denerwuje się Lupe.

– Powiedział, że mnie potrzebuje, ale jak wolisz, to jutro wyjadę.

Każdy, nawet najmniejszy hałas przeraża Lupe. Odgłos wózka rozwoziciela batatów przyprawia ją o gęsią skórkę, bo przypomina jej Lloronę[39]. „Och, moje dzieci, oj, oj, moje dziatki!" Nad komodą

---

[39] *Llorona* – płaczka, zjawa stanowiąca część folkloru meksykańskiego.

dostrzega portret rodziców w sepii, co wyprowadza ją z równowagi. „Jesteś podły jak wszyscy – krzyczy don Franciscowi z portretu w twarz. – Wyjechałeś bez pożegnania, porzuciłeś mnie". „Nie mów tak, Lupe, nie bądź niesprawiedliwa. Jeśli tata kogoś kocha, to właśnie ciebie". Lupe kładzie się do łóżka, gdzie dalej się zadręcza. Wciąż słyszy głosy Jorge i Isabel. O czym tamci dwoje gadają? Słyszy nawet ich śmiech. Ze zdumieniem odkrywa, że Jorge uważa jej siostrę za bystrą. „Isabel poważnie interesuje się sztuką i okazuje się, że ma na ten temat wiele do powiedzenia". Lupe odpowiada zgryźliwie: „Jasne, wszyscy niedomagający na umyśle fascynują się pracami ręcznymi. Na całym świecie ubogie ludy lepią dzbany, plotą kosze, formują gliniane zwierzątka i malują jaja, których tobie brakuje".

Na próżno próbuje zasnąć. O świcie Isabel budzi szloch siostry, znajduje ją z portretem rodziców na kolanach.

– Nie rozumiem, czemu mnie zdradził.

– Lupe, musisz spać, połóż się.

– Spać? Czy ty wiesz, od jak dawna już nie sypiam, Isabel? Od dnia, kiedy tata wyjechał…

– Postaraj się, policz barany. Sama zobaczysz, jak szybko sen cię zmorzy.

– Sądzisz, że zaproszę do mojego łóżka stado baranów, kiedy tak naprawdę chciałabym, żeby zaszedł tam Jorge?

Rano Jorge Cuesta siedzi w garniturze na skraju łóżka, wygląda jak groźny cień.

– Gratuluję, jesteś najlepszą aktorką, jaką znam.

– Kretynie, sądzisz, że będę udawała chorobę tylko po to, żeby zrobić ci na złość? Jak mało mnie znasz.

– A ty mnie. Nie będę ani dnia dłużej tolerował twoich kaprysów. Załatwiłem ci szpital, a ty uciekłaś jak przestępca.

– Ty jesteś większym przestępcą, ukradłeś moją odezwę. Gdzie ona jest? Potrzebuję jej, bo wygłoszę ją na Merced, jak tylko mi się poprawi.

– Jest tam, gdzie jej miejsce, czyli na śmietniku.

Przychodzi ją osłuchać zbyt gruby jak na swój niski wzrost lekarz: „Nazywam się doktor Melo, proszę mi opowiedzieć wszystko od początku: kiedy i jak pani zachorowała?".

Szlochając, Lupe skarży się na złe traktowanie ze strony poprzednich lekarzy, niezrozumienie Jorge, egoizm rodziny, zazdrość, jaką wzbudza w niej jej własna siostra Isabel, aż wreszcie grubasek wstaje:

– Nie powie mi pan, co mi dolega? – pyta niecierpliwie.

– Powiem, ale najpierw zbadam pani brzuch, wątrobę, serce i płuca, zmierzę ciśnienie i przeanalizuję wyniki badań.

Rozpala się w niej wątła iskierka nadziei, bo doktor Melo wydaje się bardziej przyjazny niż jego poprzednicy.

– Co u Diega? – pyta Conchę Michel, a ona opowiada jej, że towarzysz Rivera wyjechał z Fridą do San Francisco.

– Odwiedził cię ten drań? Nie, prawda? Wyrzucili go z partii za to, że zachowywał się jak kanalia i kurwielec.

– Czemu tak o nim mówisz?

– Na kobiety, które kładą się z wieloma facetami, mówią kurwy, dlatego ja mężczyzn, którzy sypiają z wieloma kobietami, nazywam kurwielcami. Zapewniam cię, że Diego jest kurwielcem.

Lupe nie znosi wulgaryzmów. Gdyby któraś z jej córek użyła brzydkiego słowa, umyłaby jej usta mydłem, ale w tym akurat momencie dosadne słowa Conchy Michel potwierdzają jej punkt widzenia. Teraz czeka tylko na doktora Melo, który przywrócił jej nadzieję.

Lekarz analizuje dokładnie wszystkie wyniki podsuwane mu przez Isabel Marín i na koniec wydaje werdykt:

– Dokładnie to, czego się spodziewałem: zaburzenia w funkcjonowaniu tarczycy.

– Więc nie jestem wariatką ani nie umrę?

Poznawszy diagnozę, Cuesta kupuje książki endokrynologiczne: „Poczytaj to siostrze", przykazuje Isabel, ale Lupe nie chce jej słuchać, bo ledwie siostra zaczyna czytać, odpływa myślami daleko, wyobraża sobie smażoną ośmiorniczkę, która wyskakuje z patelni i skwiercząc, ucieka przed nią po całej kuchni.

Jorge rozmawia więcej z Isabel niż z Lupe. Jest dużo łagodniejsza od swojej siostry, słucha go, nie przerywając, i podziwia jego niezłomne zasady. Cuesta nie idzie na żadne ustępstwa, krytykuje nawet wiersze Xaviera Villaurrutii, z którym łączy go głęboka zażyłość, krytykuje Ramóna Lópeza Velardego, o którym pisze Villaurrutia w swoim wspaniałym studium towarzyszącym zbiorkowi zacatekańczyka wydanemu przez wydawnictwo Cvltvra. Poświęca się całym sercem literaturze.

Isabel także olśniewa inteligencja Jorge. Zawsze miała słabość do mężczyzn ideowych i słuchanie go to dla niej prawdziwe przeżycie. To ona wychodzi na róg, żeby kupić „El Universal" i sprawdzić, czy zamieszczono w nim artykuł Cuesty. W „Magazine para Todos" z 22 maja 1932 roku czyta jednym tchem:

Nacjonalizm to działanie kogoś, kto interesuje się wyłącznie tym, co łączy się bezpośrednio z jego osobą; to szczyt próżności i niedorzeczność. Jego główna reguła to: nie liczy się obiektywna wartość rzeczy, tylko to, co ja sam cenię. Zgodnie z nią uzasadnione staje się przedkładanie powieści don Federica Gamboi nad powieści Stendhala i ogłaszanie, że don Federico jest dobry dla Meksykanów, a Stendhal dla Francuzów. Lecz doprowadźmy tę regułę do absurdu: nadajmy francuskie obywatelstwo tylko najzacniejszym Meksykanom, tym, którzy chcą dla Meksyku nie tego, co meksykańskie, tylko tego, co najlepsze. Jeśli o mnie chodzi, żaden tam Abreu Gómez nie zmusi mnie do wypełnienia owego patriotycznego obowiązku i ogłupiania się reprezentacyjnymi dziełami literatury meksykańskiej. Niech usypiają tych, którzy nic na tym nie tracą; ja tracę *Pustelnię parmeńską* i wiele więcej. Ośmielam się do tego przyznać, gdyż na szczęście żyje w naszym kraju jeszcze wielu innych Meksykanów, którzy nie podzielając odczuć pana Abreu Gómeza, nie zechcą powiedzieć: „Nie są wielcy [nasi artyści] ponieważ są sprawni w swoim rzemiośle, lecz ponieważ potrafili oprzeć się na formach, czynnikach, duchu nowego Meksyku, naszej własnej wrażliwości". Wyraziłem tu (w żałosny sposób, jak na to zasługuje) prawo, jakie roszczą sobie przeciętniacy do podporządkowania artysty konieczności zaspokajania ich małostkowości, która w celu wyniesienia samej siebie na piedestał i usprawiedliwienia ukazuje się jako jakaś zbiorowa potrzeba, jako „nasza potrzeba". Jednak wielu małych ludzi nigdy nie złoży się na jednego wielkiego. Artysta jest cenny właśnie ze względu na swój talent i sprawność, a nie z powodu usług, jakie świadczyć może mniej sprawnym niż on. Więcej wart będzie, służąc komuś jeszcze od niego sprawniejszemu. Rzeczy najwyżej cenione przez ludzi najmniej uzdolnionych to z pewnością te, które obiektywnie mają najbardziej znikomą wartość, rzeczy nietrwałe, które nie staną się tradycją [...]. Nie interesuje ich człowiek, lecz Meksykanin; nie natura, lecz Meksyk; nie historia, lecz lokalna anegdota. Wyobraźcie sobie La Bruyere'a czy Pascala poświęcających się zrozumieniu „Francuza"; oni we Francuzie widzieli człowieka, a nie jego szczególny okaz. Jednak Meksykanie tacy jak pan Ermilo Abreu Gómez speszą się dopiero wtedy, gdy odkryją, że w zrozumieniu Meksykanina więcej pomóc może bogaty tekst Dostojewskiego lub Conrada niż jakiegokolwiek narodowego powieściopisarza charakterystycznego; zdumieją się, odkrywając człowieka w Meksykaninie, miast żałosnego okazu tegoż.

Podziw Isabel miło łechta próżność Jorge, zachęca go to do częstszego przebywania w domu. A nawet pomaga mu spojrzeć na Lupe z nieco większą życzliwością. „Mamy piękny dzień, przejdźmy się, żebyś złapała trochę słońca. Zalecenie lekarza", zachęca starszą siostrę Isabel. W drzwiach staje Jorge: „Pójdę z wami". „Nie, wstyd mi, wyglądam strasznie, jak suchotnica", płacze Lupe. Denerwuje ją, że ludzie zobaczą ją słabą i chudą pod suknią, którą wybrała dla niej Isabel. Jednak na zewnątrz oszałamia ją błękit nieba i śpiew ptaków. Wcześniej ją to męczyło, a teraz wydaje jej się niezasłużoną chwałą, przepełnia ją nagłe uczucie szczęścia. Uśmiecha się do Jorge, podając mu dłoń: „Jak dobrze, że nie umarłam!". Przytula młodszą siostrę: „Jak dobrze, że żyję, Isabel!". Od razu widać, że są siostrami, ale Isabel jest ładniejsza. Grupki dzieci wychodzą ze szkoły. Margarita Cejudo, córka sąsiadów, podchodzi i pyta: „A ty czemu nie jesteś w żałobie? Czy ten, który umarł, nie był również twoim ojcem?".

Lupe nie wie, co się z nią dzieje, budzi się dopiero w swoim łóżku.

– Tata miał zawał zaraz następnego dnia po tym, jak do ciebie przyjechał i wysuszył ci włosy – wyjaśnia Isabel.

– Dlaczego nikt mi o tym nie powiedział?
– Dla twojego dobra, pogorszyłoby ci się.

Mimo żałoby w sercu, Lupe zaczyna dochodzić do siebie. Nigdy nie mówi o synu. Jorge zastanawia się wręcz, czy w ogóle pamięta, że urodziła.

By uciec z domowego piekła, Cuesta wychodzi co wieczór: „Idę do Bellas Artes. Nie przyjdę na obiad, czekają na mnie w Prendes". Bierze udział w koncertach i wystawach, lecz przede wszystkim szuka schronienia w ciemnościach kinowych sal i ogląda filmy z Mae West. Nie wraca, póki nie jest pewien, że Lupe już zasnęła. Blondynka z ekranu wywiera na nim ogromne wrażenie. Jest dużo inteligentniejsza niż Xavier Villaurrutia, a jej kwestie dużo celniejsze niż to, co mówił Salvador Novo. W redakcji i archiwum „El Universal" szuka zdjęć i wywiadów z nią, wyrywa strony jak złodziej. Im dalej od Lupe, tym lepiej. Za to Novo, Villaurrutia i Owen znów zaczynają odwiedzać Marín, z którą grają w brydża.

ROZDZIAŁ 21

OBRAZA MORALNOŚCI

Pico i Chapo wracają do domu przy Tampico 8 prowadzone za rękę przez babcię Isabel. Pico płacze. „Co ci jest, Pikulinko", pyta troskliwie Jorge na widok dziewczynki, która pochlipuje rozpaczliwie. „Nie chcę, żebyś był moim tatą". Żadna z dziewczynek nie pyta o braciszka. Życie wraca do dawnego rytmu: Lupe przy maszynie do szycia, Jorge w pracy, dziewczynki w szkole, a Lucío Antonio w Córdobie. Lupe przegląda „Vogue" i „L'Officiela" z tą samą co kiedyś rozkoszą. „Ta sukienka leżałaby na mnie jak na królowej", uśmiecha się sama do siebie, robiąc wykrój sukni wieczorowej dla Carmen del Pozo, która optycznie ją podwyższy. Wszystko idzie dobrze, póki pewnego ranka Lupe nie przypomina sobie, że urodziła syna, który powinien mieć coś koło czternastu miesięcy lub więcej.

– Jest bardzo ładny, jaśniutki, podobny do mojej siostry Natalii, naprawdę bystry i już biega po całym domu, jest bardzo silny, w ogóle do ciebie niepodobny – informuje Cuesta.

– Myślę, że musi być do mnie podobny, choćby odrobinę – obrusza się Lupe.

Jej pozorny spokój usypia czujność Jorge, aż raptem Lupe wybucha:

– Przywieź mi tu natychmiast mojego syna, nie mogę czekać ani minuty dłużej.

– Chyba żartujesz, Lupe. Nie udawaj, że go tak bardzo kochasz. Do tej pory do niczego nie był ci potrzebny.

– Jak myślę, że mam syna, który nie budzi we mnie instynktu

147

macierzyńskiego, chce mi się wyć. Dlatego właśnie muszę go zobaczyć, żeby się przekonać, czy go kocham.

– Nie kochasz tego dziecka – denerwuje się Jorge.

– Chcę go zobaczyć nie dlatego, że go kocham, lecz właśnie dlatego, że nie.

– To dziecko należy do mojej matki, która wzięła na siebie trud wychowywania go, cokolwiek byś mówiła, w żaden sposób on ci się nie należy.

– Nie potrafiłabym go tu mieć tylko dla własnej przyjemności, ale muszę go zobaczyć, żeby się upewnić, że go nie kocham.

Jorge Cuesta wychodzi z siebie z wściekłości. „Jesteś szkodnikiem, Lupe, przez całe życie nic, tylko wyrządzasz innym krzywdę".

Dziewczynki żyją teraz w całkiem innej rzeczywistości niż u babci w Guadalajarze. Pod pretekstem wychowywania, Lupe nęka je: „Nie pójdziecie do szkoły, póki nie wyszorujecie schodów, nie umyjecie podłogi i nie wykonacie domowych obowiązków". Dla niej wychowanie równa się karaniu. Bije Małą Lupe i rzuca się także na Ruth, pomimo że córka patrzy na nią z uwielbieniem i na wszystko odpowiada: „Tak, mamusiu".

Pewnego dnia po powrocie ze szkoły dziewczynki rozmawiają z koleżankami przed wejściem. Lupe woła je dwukrotnie: „Do domu!", potem nie panując nad sobą, dzwoni do swojej matki Isabel Preciado przebywającej obecnie w Meksyku:

– Zabierz sobie te kurewki, nie mogę ich już znieść.

– Jak możesz tak mówić o własnych córkach?

– Dwie kurewki, pasuje do nich jak ulał.

Krzyczy przez okno: „Wynoście się stąd, małe kurewki!".

Dziewczynki stoją pod drzwiami jak skamieniałe, boją się ruszyć, a Lupe znów im wygraża:

– Ogłuchłyście? Wynoście się do babci!

Ruth i Pico chronią się w domu Mercedes Cabrery, którą Mała Lupe nazywa matką chrzestną.

– Możesz tu zostać, jak długo zechcesz, słonko.

Mniej zbuntowana Ruth wraca do domu o zmroku. Nigdy nie podnosi głosu. „Czemu się nie odzywasz?", sztorcuje ją starsza siostra. „Bo nie mogę", odpowiada Ruth.

– To dziecko ma depresję – martwi się Meche Cabrera.

Z dwóch sióstr Rivera Lupe jest tą silniejszą, choć wciąż sobie powtarza: „Jestem gorsza", bo usłyszała, że tak mówi jej matka. Ma czarujący szczery uśmiech, jednak na Lupe jej urok nie robi wrażenia. Wciąż jeszcze bardzo mała Ruth stale dotrzymuje matce towarzystwa. Dużo smaglejsza od starszej siostry otwiera szeroko przestraszone oczy, ilekroć słyszy swoje imię. Lupe zmusza córki, by wcześnie jadły i zaraz kładły się spać, ucisza je, kiedy chcą coś powiedzieć, przy czym najwyraźniej nie dostrzega, że tym sposobem je krzywdzi.

Wciąż męczy Jorge: „Napisz do matki i siostry, żeby przywiozły małego. Chcę się przekonać, jakiego rodzaju więź biologiczna nas łączy. Czy to możliwe, że mam syna, który mnie zupełnie nie obchodzi? Może kiedy go zobaczę, poczuję, że to mój syn".

– Nikt nie będzie ci go tu przywoził – denerwuje się Jorge.

Bez słowa uprzedzenia Lupe wsiada w pociąg do Córdoby.

Pierwsze, co widzi w domu teściów, to służąca, która trzyma na ręku chłopca o żółtawej cerze.

– Mało ci, że zabrałaś nam syna i zniszczyłaś mu życie, chcesz teraz wpędzić do grobu mnie i moją żonę, zabierając to dziecko, które nie przeżyłoby, gdybyśmy się nim nie zajęli – unosi się don Néstor.

W ramionach Lupe chłopczyk płacze rozpaczliwie, ale ona rzuca się biegiem do wynajętego auta, które czeka na nią przed domem. „Na stację, najszybciej jak się da". Słyszy jeszcze za sobą głos don Néstora: „Nikczemna kanalia, wywłoka!". W wagonie chłopiec drze się wniebogłosy i jeszcze bardziej żółknie.

Kiedy Cuesta widzi ją z dzieckiem na schodach przed domem, bez słowa naciska na głowę kapelusz i rusza do drzwi: „Idę złożyć pozew rozwodowy, ale najpierw zarejestrujemy go, bo z twojej winy to dziecko oficjalnie nie istnieje".

Lupe i Jorge Cuesta (z przekrwionymi oczami) proszą Villaurrutię, by został świadkiem przy rejestracji ich syna. „To czysta formalność, jak świadek na ślubie, nie musisz źle o mnie myśleć, przecież nigdy nie świadczyłbym przeciw tobie", tłumaczy się zakłopotany Xavier. Carlos Pellicer upiera się, że dziecko jest zbyt ciepło ubrane.

Lupe i Jorge stawiają się w Urzędzie Stanu Cywilnego w Coyoacán:

W mieście Meksyk, o godzinie 16 (szesnastej) 30 (trzydzieści) w dniu 20 (dwudziestym) września 1932 (tysiąc dziewięćset trzydziestego drugiego) roku. W mojej obecności, José Aguilara, Sędziego 4 (czwartego) Urzędu Stanu Cywilnego, stawili się pan Jorge Cuesta i pani Guadalupe Marín, małżeństwo, w wieku odpowiednio 29 (dwadzieścia dziewięć) i 35 (trzydzieści pięć) lat, zamieszkali przy ulicy Tampico 8, on z Córdoby w stanie Veracruz, urzędnik, ona z Guadalajary w stanie Jalisco, i okazali mi dziecko o nazwisku Lucio Antonio Cuesta Marín, które urodziło się pod wspomnianym wyżej adresem o godzinie 23 (dwudziestej trzeciej) w dniu 13 marca tego roku, jako prawowity syn obojga. Dziecko jest wnukiem w linii męskiej Néstora Cuesty i Natalii Porte-Petit, w związku małżeńskim, w wieku odpowiednio 56 (pięćdziesiąt sześć) i 54 (pięćdziesiąt cztery) lata, zamieszkałych w Córdobie w stanie Veracruz, on pochodzi z Tlalixcoyan w stanie Veracruz, rolnik, ona z miasta Veracruz. Ze strony matki dziadkami są zmarły Francisco Marín i wdowa po nim Isabel Preciado z Zapotitlán w stanie Jalisco, w wieku 66 (sześćdziesięciu sześciu) lat, zamieszkała w Guadalajarze. Świadkami niniejszego aktu byli Carlos Pellicer Cámara z Villahermosa w stanie Tabasco, kawaler, w wieku 33 (trzydziestu trzech) lat, urzędnik, zamieszkały przy Sierra Nevada 724 (siedemset dwadzieścia cztery), i Xavier Villaurrutia y Gónzalez z miasta Meksyk, kawaler, w wieku 28 (dwudziestu ośmiu) lat, urzędnik, zamieszkały przy Sinaloa 72 (siedemdziesiąt dwa). Po tym, jak niniejszy dokument został im odczytany, poświadczyli go i podpisali. Co niniejszym zaświadczam. José Aguilar.

Cuesta posyła po swoje ubrania i książki i przeprowadza się do mieszkania przy ulicy Ponciano Arriaga 5, naprzeciw Frontón México. Po roku przeniesie się jeszcze raz na róg Álvaro Obregón y Morelia w kolonii Roma, do tego samego budynku, w którym mieszka jego przyjaciel, poeta i krytyk sztuki, Luis Cardoza y Aragón.

– No, wreszcie Alchemik odparował jędzę – uśmiecha się Cardoza y Aragón.

– Nie wiesz, co dzieje się z Jorge? Byłam już trzy razy, ale nigdy nie mogę go zastać – jakaś dziewczyna puka do drzwi Cardozy.

– Nie widziałem go, ale może wstąpisz do mnie?

„Możemy się wymieniać przyjaciółkami", proponuje. „A ty masz w ogóle jakieś?", powątpiewa Jorge.

Cardoza y Aragón upiera się, że powinni pójść na podwieczorek do Agustína Lazo. Docierają przez patio do mieszkania przy Sadiego Carnota, nieopodal Puente de Alvarado: „Panie Guciu, ma pan gości!", krzyczy dozorczyni. Lazo wychyla się opatulony w granatowy tużurek: „Chodźcie, chłopcy".

Kiedy nie jedzą kolacji z Lazo i Villaurrutią, umawiają się we Flor de México, na rogu Bolivara i Vanustiana Carranzy. Czasem przyłącza się do nich José Gorostiza. Dla Cuesty Carlos Chávez, dyrektor Konserwatorium i Orkiestry Symfonicznej, to „oportunista, doktryner, dyktator, a jego muzyka jest autentycznie odrażająca. Dużo lepszy jest Ernest Ansermet…".

– Ja cenię Silvestre Revueltasa – utrzymuje Pepe Gorostiza.

Torres Bodet zaprasza go na sylwestra ze swoimi przyjaciółmi, Bernardem Ortizem de Montellano, Enrique Gonzálezem Rojo i Villaurrutią. W domu w Las Lomas mają z żoną Josefiną pieska, który dręczy Cuestę, bezustannie na niego szczekając. Ortiz de Montellano pyta Jorge, czy wszystkie psy tak go nienawidzą: „Nie – odpowiada – pies Jaime mnie lubi; rzecz w tym, że on już dojrzał wokół mnie blask, którego wy jeszcze nie widzicie". Choć Contemporáneos śmieją się z jego odpowiedzi, wiele lat później, po śmierci Jorge, Torres Bodet zastanawia się, czy „u osoby o tak wybitnej inteligencji" aluzja do blasku nie była swego rodzaju zapowiedzią „owego godnego ubolewania braku równowagi".

***

Gdy zostaje sam na sam z synem, Lupe nie ma pojęcia, jak go traktować. Kiedy chłopiec płacze, niecierpliwi się, ale prawdziwe oburzenie ogarnia ją, gdy widzi, że Antonio dotyka swojego penisa:

„Co to ma być? Co za degenerat! To te perwersyjne jędze z Córdoby musiały zaszczepić mu takie zwyczaje, bo w przeciwnym razie skąd by się to wzięło?".

Dzwoni do Conchy Michel:

– Przyjdź i sama zobacz, onanizuje się jak szalony. Spójrz w te oczy, czy jego spojrzenie nie wydaje ci się diaboliczne?

– Rzeczywiście ma szkliste spojrzenie, aż się robi nieswojo.

– Jestem pewna, że nauczyła go tego Natalia i jej opóźniona córeczka.

– Nie przesadzaj Lupe, niektóre matki tak robią, żeby rozluźnić dziecko. To taki masaż.

– A daj ty mi spokój z takim masażem! Zaraz mu wybiję z głowy ten okropny nałóg.

Wiąże mu ręce do snu, a w ciągu dnia pyta ciągle ni stąd ni zowąd, czego zresztą chłopiec zupełnie nie rozumie: „Pokaż no, gdzie masz ręce?". Strofuje go: „Zabieraj stąd łapy, rozpustniku". Traci nad sobą panowanie i bije syna. Mały ma posiniaczone policzki od jej razów. „Zapłacą mi za to te deprawatorki". Przeklina swoją teściową i szwagierkę, ale najbardziej tego zboczonego chłopca.

Antonio wybucha płaczem, ilekroć matka zbliża się do niego. „Dłużej go nie ścierpię. Siostry też go nie lubią".

– Odeślij go do teściowej – doradza jej Concha Michel.

– A co jeśli nauczyły go tej perwersji, żeby zrobić mi na złość?

Przez całą podróż Antonio płacze. W Córdobie Lupe dzwoni do drzwi Cuestów z synem na ręku. „Proszę nie gasić silnika, niech pan tu na mnie poczeka", nakazuje wcześniej taksówkarzowi. Ledwo dostrzega babcię, Antonio uwiesza się jej na szyi.

– Droga pani, niemal udało mi się wyplenić w tym dziecku paskudny nałóg, którego nauczyła go pani z córką. Przekazuję go pani, ale uprzedzam, że jeśli jeszcze raz zobaczę, że robi takie rzeczy, będziecie miały ze mną do czynienia.

– Hiena ma więcej instynktu macierzyńskiego niż ty – krzyczy doña Natalia.

Bez dalszych wyjaśnień Lupe wraca na stację.

Dla Cuesty ważniejsze jest czasopismo „Examen" niż jego syn, którego nadal nazywa Tito. Wie, że w Córdobie traktują go jak króla. Wygląda na to, że rozwodem także specjalnie się nie przejął. Z dala od Lupe odzyskuje dobry nastrój.

W redagowaniu czasopisma biorą udział Villaurrutia, Novo, José Gorostiza, Samuel Ramos, Julio Torri, Luis Cardoza y Aragón i Rubén Salazar Mallén, którego tekst Cuesta postanawia opublikować w pierwszym numerze. Chodzi o próbkę jego wulgarnej powieści *Kariatyda*, której jedyną zasługą jest wzbudzanie skandalu. Salazar Mallén to szczególna postać, osobnik, który przechwala się swoimi podbojami, wykrzykuje wszem wobec tajemnice alkowy, ryzykując, że zostanie posądzony o bujną wyobraźnię, bo jego rachityczne i powykręcane ciało nijak się ma do tych opowieści. Wulgaryzmy wykrzywiają mu także twarz. Na spotkaniach przy kawie obawiają się go, bo wybucha niczym parowar. Zdaniem Salvadora Novo mógłby być wielkim meksykańskim krytykiem literackim, gdyby pozwolił kierować sobą raczej neuronom niż hormonom. Niektórzy nazywają go *Swastyka*, bo jest zwolennikiem nazizmu.

Skandale literackie wybuchają z mniejszą siłą niż polityczne, społeczeństwo meksykańskie jest antyintelektualne i nikt nie czyta książek prócz Contemporáneos i paru Jukatańczyków. Pisarze meksykańscy nie istnieją. „Ja czytam po francusku", chwalą się panny z dobrych domów.

Jakiś anonimowy czytelnik rozpętuje skandal wokół czasopisma „Examen". Nadmiar brzydkich słów w tekście Salazara Malléna obraża moralność i dobre obyczaje. Dziennik „Excélsior" rozpoczyna kampanię przeciwko grupie Contemporáneos. Cuesta nie przywiązuje do tego wagi, póki nie dostaje wezwania do tego samego sądu, w którym się rozwiódł:

„Obraza moralności. Nieprzyzwoitość. Machismo. Pornografia". Przeciwnicy nazywają Cuestę *Vizconde de Mirachueco*[40], Salazara Malléna *Quasimodo*, a Salvadora Novo *Nalgador Sobo*[41].

Cuesta bierze udział we wszystkich posiedzeniach sądu i broni się sam:

---

[40] Vizconde de Mirachueco – wiceksiążę Mirachueco, przydomek można też przetłumaczyć jako Zezol Co Krzywo Patrzy.
[41] Nalgador Sobo – Masujący Pośladki.

Jeszcze przed publikacjami w „Examen"inne czasopisma literackie, takie jak „México Moderno", „Contemporáneos"czy „Barandul" [to ostatnie pod redakcją Rafaela Lópeza Malo, syna poety Rafaela Lópeza], publikowały prace, których autorzy stosowali słowa lub wyrażenia „nieprzyzwoite". Któż nie pamięta manifestów Estrydentystów, prawdziwych gazet ściennych, które Maples Arce kazał wieszać na rogach ulic? Z drugiej strony Salazar Mallén nie jest również pierwszym znanym autorem, który otwarcie używa tego rodzaju słownictwa. Warto tu wspomnieć nazwiska, takie jak choćby Julio Torri, wzmiankowany już Maples Arce, Renato Leduc, a nawet Ermilo Abreu Gómez [...]. Obok czasopisma „Examen" w samym sercu miasta krąży obficie najbardziej odstręczająca pornografia. Dwunastoletnie dzieci, niewinni prowincjusze i przewrotni mieszkańcy stolicy zabawiają się do woli przy obrazkach i pikantnych dykteryjkach, w których obnaża się najbardziej bezwstydną perwersję seksualną. Te broszury oferuje się nam w piekarniach i zakładach fryzjerskich, podtykają je nam pod nos w księgarniach, na kolejowych i autobusowych przystankach, i to nawet w obecności dam. Czemu nimi nigdy nie zajął się wymiar sprawiedliwości? Czy tylko dlatego, że nie znalazł się nikt, kto złożyłby doniesienie?

Udaje się wydać trzy numery czasopisma.

„Jestem jak drzewo jesienią", pisze Jorge pozbawiony swojego ukochanego projektu, syna i Lupe.

Tęskni za dziewczynkami, postanawia odwiedzić je i zabrać do kina. Ruth przytula go na powitanie, ale Mała Lupe nie chce z nimi iść. Dziewczynka powie później: „Kiedy mama wyszła za Jorge Cuestę, zajmowała się wyłącznie swoimi zaprzyjaźnionymi intelektualistami, a na nas nie zwracała najmniejszej uwagi. Potem zamknęła się, by napisać w odwecie książkę, i też miała nas za nic. Na koniec zaczęła pasjonować się brydżem i kanastą; ogółem, nigdy nie poświęcała nam czasu. Jorge nie mieszkał już z nami, chciał nas gdzieś zabrać, ale ja nadal go nienawidziłam, bo przez niego straciłyśmy tatę".

ROZDZIAŁ 22

MEKSYKANKA W PARYŻU

Gdy tylko dowiaduje się, że Diego, wezwany przez Edsela Forda, ma wyjechać do Detroit, Lupe puka do drzwi Niebieskiego Domu.

– Nie ma nic gorszego niż stracić zdrowie, Brzuchaczu, nie chcę znów zachorować.

– Kiedy zamieszkaliśmy razem, Gniada Mulico, obiecałem ci podróż i nigdy nie dotrzymałem słowa. Jedź do Europy.

– A niby jak mam jechać? Nie mam złamanego grosza.

– Przecież właśnie ci powiedziałem, że...

– A dziewczynki?

– Mają babcię, a także ojca i Fridę.

– Mają ojca? Nie rozśmieszaj mnie!

– Owszem, mają mnie, tak jak i ty, bo zawsze przyjdę ci z pomocą.

W pierwszym rzędzie Lupe myśli o tym, by się spakować, ale przeszkadza jej w tym wiadomość od Narcisa Bassolsa, ministra edukacji: „Pani Guadalupe Marín, bardzo proszę, by stawiła się pani u mnie w biurze jutro rano".

– Na pewno chce mi zaproponować pracę – cieszy się Lupe.

Zbiera włosy w ścisły kok i przyobleczona w swoją najlepszą sukienkę stawia się w Ministerstwie Edukacji.

Bassols siedzi za biurkiem w swoim imponującym gabinecie. Odchrząkuje, po czym odzywa się tonem reprymendy:

– Szanowna pani Marín, będę zobowiązany, jeśli komentarze na mój temat będzie pani robić jedynie w mojej obecności. Ponadto

155

proszę nie zapominać, że jestem ojcem sześciorga dzieci… A teraz może pani już odejść.

Lupe stoi jak oniemiała, jakże ma rozumieć zarzuty Bassolsa? „Nie zdarzyłoby mi się to, gdybym żyła ze sławnym człowiekiem na miarę Diega Rivery". Łamie sobie nad tym głowę, aż wreszcie dochodzi do wniosku: „To pewnie dlatego, że powiedziałam, że jedyną osobą z jajami w Ministerstwie Edukacji jest Amelia Caballero de Castillo Ledón? Czyżby poczuł się urażony, że o nim nie wspomniałam?".

Przypomina sobie także, że Elias Nandino opowiedział jej, że on i Xavier Villaurrutia zaszli do Ministerstwa Edukacji po Salvadora Novo, bo mieli razem iść na obiad, ale najpierw poszli do ubikacji. „Na jednej ze ścian ktoś napisał: »Salvador Novo to pedał«. Przeczytawszy to, Novo nie mógł się oprzeć, by nie dodać czegoś od siebie: »Narciso Bassols to pedał. Skarbnik MEN się kurwi. Torres Bodet to ciota«. Zapełnił pół ściany nazwiskami urzędników. Kiedy Nandino zapytał go: »Czemu to zrobiłeś?«, odpowiedział: »No wiesz, dzięki temu szybciej to zetrą!«".

– Napisz do niego, żeby wyjaśnić nieporozumienie – doradza Concha Michel. – Coś musiałaś powiedzieć, przecież w kółko powtarzasz, że pedał ten, a ciota tamten…

– No weź, to tylko takie gadanie!

– Lupe, masz strasznie niewyparzoną gębę, mówisz, co ci ślina na język przyniesie, i nie patrzysz, do kogo. Napisz do Bassolsa, nie ma wyboru.

– On mnie obraża, a ja mam do niego pisać?

„Panie Ministrze Edukacji – pisze w furii. – Nie mam w życiu żadnego wsparcia materialnego ani moralnego, ale sądzę, że go nie potrzebuję. Zadziwia mnie, że pan, osoba ponoć tak inteligentna, nie widzi, jak wielu pochlebców kręci się wokół pana. Proszę wybaczyć niekonsekwencję; mam fatalne zdanie o życiu, znam setki facetów, którzy są ojcami, a o żadnym z nich nie mogłabym się wyrazić: »Co za mężczyzna!«. I to nie dlatego, że ze mną nikt tych dzieci nie miał, bo dwóch wyświadczyło mi tę »przysługę«, ale dlatego, że zawsze czułam, iż mam większe jaja niż oni. Z poważaniem. Guadalupe Marín".

– Doskonały list, wyślij go natychmiast. – Concha kiwa z aprobatą głową.

– Myślisz Concha, że Bassols jest taki inteligentny, jak o nim mówią?

– To wychowawca, zna się na ekonomii politycznej i botanice…

– E tam! Dwie rzeczy pośród tysiąca; chodzi raczej o to, że olśnił cię wtedy, jak zaczął opowiadać o homoseksualizmie roślin, ale to były same głodne kawałki.

***

Z Veracruz Lupe płynie do Hawany, a stamtąd do Nowego Jorku. W porcie wita ją jej siostra Carmen i szwagier, konsul Meksyku, Octavio Barreda, który prócz tego, że prowadzi konsulat, tłumaczy *Ziemię jałową* T.S. Eliota.

– Ceny przy Piątej Alei są kosmiczne, a w niedziele Wall Street przypomina cmentarz – komentuje Carmen.

Na widok drapaczy chmur Lupe woła: „To miasto dla wysokich ludzi, jak ja". Bawią ją dzieci, które na ulicach polewają się wodą, a także Dzielnica Chińska. „Uwielbiam Chińczyków, to najstarsza cywilizacja na świecie".

Po dwóch miło wspólnie spędzonych tygodniach Lupe odpływa do Francji na niemieckim statku, na którym nikt nie mówi po hiszpańsku. Przez luk obserwuje morze i nawet się nie ubiera. Zamawia jedzenie do kajuty. W Hawrze łapie pociąg do Paryża, a kiedy wysiada na dworcu Gare du Nord, wręcza swój adres szoferowi: „6 Rue de Prince, Boulogne sur Seine".

Pyta o *Madame* Rubin, ale służąca zamyka jej drzwi przed nosem.

Chciała spotkać się z przyjaciółką, której nie widziała od sześciu lat, i nagle uświadamia sobie, że zapukała do drzwi pod numerem 9. „Ale ze mnie tumanka, jestem tak zdenerwowana, że zobaczyłam szóstkę do góry nogami!"

Przyjaciółka spod 6 przyjmuje ją chłodno: „Meksykańscy znajomi są zaalarmowani twoim przybyciem. Nie podobają im się twoje nowoczesne obyczaje; kobieta, która dwukrotnie się rozwiodła, to tylko źródło kłopotów…".

– Nie martw się, nie będę kłopotem dla ciebie ani twoich meksykańskich przyjaciół.

Nawet nie wie, jak i kiedy bierze swoją walizkę i błaga kierowcę, żeby polecił jej jakieś miejsce na nocleg. Taksówkarz zatrzymuje się koło stancji dla studentów. *„Ici c'est pour les étrangers"*. Okna pokoju wychodzą na ulicę, tapeta w słoneczniki brzydzi ją, podobnie jak narzuta z przetartego zielonego aksamitu na łóżku.

W notesie Lupe ma zapisany telefon uroczego Luisa Cardozy y Aragóna, gwatemalskiego poety i przyjaciela Cuesty, który teraz mieszka w Paryżu.

– Okropny pokój – ocenia Cardoza y Aragón zaraz na wstępie. – Każdy Meksykanin, który przyjeżdża do Francji, trafia na stancję dla studentów.

Lupe zna z pocztówek Operę, Łuk Tryumfalny, plac Trocadero, Sekwanę, wieżę Eiffla, Lasek Buloński. Luis prowadzi ją pod ramię, a przechodnie oglądają się, żeby na nią popatrzeć. To samo dzieje się w muzeum Rodina i w l'Orangerie. Lupe poznała Cardozę w Meksyku, u boku Cuesty był nieśmiały i milczący, teraz odkrywa w nim adoratora i niezrównanego przewodnika, który rozśmiesza ją swoimi konceptami: „Zwędzimy sobie parę czereśni". Ona zagaduje sprzedawczynię, a Luis wrzuca jej tymczasem do torby garść owoców: „Kradzione lepiej smakują". Zjadają je na ławce nad brzegiem Sekwany. Cardoza y Aragón zaleca się do niej. Lupe odkrywa, że to wrażliwy i bardzo atrakcyjny mężczyzna. „Jesteś niesamowicie inteligentny!", woła zauroczona. Wspomina o Marcu Chadourne'em piszącym książkę pod tytułem *Anahuac, Indianin bez pióropusza*, wie wszystko o Rimbaudzie, Verlainie i Valérym. Prowadzi ją do Luwru i rozpościera szeroko ramiona przed posągiem uskrzydlonej Nike z Samotraki, by wypowiedzieć zdanie, które później stanie się sławne: „Krytyka sztuki to Wenus z Milo, która niesie w dłoniach głowę Nike z Samotraki". „Nie ulega wątpliwości, przejdziesz do historii!", stwierdza Lupe, zatrzymując się przed Rubensem: „Jestem pewna, że wielu Meksykanów wgryzłoby się chętnie w pośladki tym grubym babom". Zachęca swojego pretendenta: „Chodźmy do Dôme, do La Rotonde, żeby powspominać Diega". „Lupe, nie starczy mi na bilety". „Mam pieniądze, zapraszam cię". Lupe nie posiada się ze szczęścia. „Najświętsza Panienko z Zapopan, jacy eleganccy są ci Francuzi! Oni faktycznie wiedzą, co w życiu dobre".

Na bulwarze Saint Michel, w Montparnasse, w Les Deux Magots, trzymając Lupe pod ramię, Luis chełpi się nią niczym osobistym trofeum. Niech wszyscy myślą, że ta kobieta należy do niego! Ludzie obracają głowy, by na nią spojrzeć, a Cardoza ściska jej ramię, by nie było najmniejszej wątpliwości: „Jest moja". Zachwycony podsuwa jej swoje teorie o naturze kobiecej, w której to materii uważa się za eksperta.

– Trzeba dobrze zrozumieć psychikę Meksykanek. Ty, na przykład, jesteś jedną z mniej zmeksykanizowanych, a jednak i tak nie mogłaś się od tego uwolnić. Spójrz tylko, zarówno Meksykanka, jak i Gwatemalka lubią czuć się ofiarami. Skarżycie się na machismo, ale to przecież wy wychowujecie synów. Przypomnij sobie choćby swoją teściową Natalię…

– Nie wszystkie takie jesteśmy, spójrz na mnie, wszystko posłałam w diabły.

– O tobie lepiej nie mówmy, jesteś wyjątkowa. Przedstawię cię moim znajomym, żeby mogli cię odkryć.

Czasem Luis pyta ją o zdanie.

– Zobaczmy, czy podoba ci się ten wers: „Żaglówki szkwału kumoszki na szyi noszą białe gawroszki".

– Tak, ładny.

– To ja napisałem – cieszy się jak dziecko.

Lupe nie zna zmęczenia, chce zwiedzić nawet tunele, w których chował się upiór z Opery. „Ej, ty, zaprowadź mnie do głównego ołtarza w Notre Dame, żebym mogła zobaczyć, jak się zabiła Rivas Mercado". „No weź, nie bądź prostaczką! Znasz Chagalla? Znasz Matisse'a? Znasz Marca Chadourne'a?", pyta Cardoza y Aragón, który opowiada jej, że Baudelaire zakochał się w Murzynce, a namiętność między Paulem Verlainem i Arthurem Rimbaudem była najpierw skandalem, a potem tragedią. Wreszcie udaje mu się znudzić Lupe: „Zamknij się już, wydajesz mi się bardziej pijany niż wszystkie statki razem wzięte!". Cardoza upiera się:

„Każdy oddech mnie boli… Czuję chwyt twych żelaznych szponów, szkarłatnych od pocałunków, od błyskawic, chmur i skorpionów".

Idą ulicą, a Cardoza y Aragón zadręcza ją, recytując wiersze swoje i Rimbauda. Próbuje ją pocałować, ale Lupe go odpycha:
– Nie bądź taka wybredna, przecież Cuesta ma gębę paskudniejszą niż kijanka.

ROZDZIAŁ 23

SUBREALIŚCI

Cardoza y Aragón zaprasza ją do domu znajomej pary malarzy nazwiskiem Clausade: „On przyjaźnił się z Diegiem, kiedy ten mieszkał we Francji". Otwiera im drzwi mężczyzna w fartuchu założonym na spodnie:

– Miałem wielką ochotę cię poznać, opowiadali mi o tobie mnóstwo zabawnych historii – mówi do Lupe, całując ją na powitanie.

– Czyżby tu mężczyźni gotowali? – Marín pyta po cichu Cardozę. – Nie wyobrażam sobie, żeby Diego albo Jorge otworzyli drzwi w fartuchu.

Gospodarz znika, usprawiedliwiając się, że ma w piekarniku *soufflé*. Jego żona, Niní Clausade, jest równie wysoka jak Lupe. Jedzenie okazuje się wyśmienite. Lupe nigdy dotąd nie próbowała szparagów ani kompotu z rabarbaru.

O trzeciej rano Cardoza y Aragón odprowadza ją na pensję. Próbuje wejść do pokoju; Lupe broni się. Na pożegnanie Gwatemalczyk ostrzega ją, że gospodyni to kobieta tyleż piękna co niebezpieczna.

– Uważaj! Francuzi biorą wszystko jak leci: mężczyzn, kobiety, kozy, za to w stosownej porze i bez umiaru.

Następnego dnia Lupe puka do domu malarzy. Owinięta w niebieski szlafrok Niní prowadzi ją do pracowni i wyjaśnia, jak zamierza ją namalować:

– Nie będę dawała czerwieni na pani usta, bo pani *rouge* jest

161

bardzo delikatny; do oczu dam więcej szarego niż zieleni; pani włosy są na wskroś czarne, z tym nie będzie problemu, wystarczy mi czerń; odcień skóry oddam czystą ochrą. Ale proszę wybaczyć, nie wiem, po co to mówię, skoro była pani żoną Diega Rivery, na pewno wie pani więcej na te tematy niż ja.

Choć Cardoza y Aragón upiera się, że na portrecie wygląda zbyt męsko, Lupe jest zachwycona zarówno obrazem, jak i Niní, która rozwodzi się nad jej urodą przy każdym pociągnięciu pędzla. „Nie sądziłam, że może istnieć taka kobieta jak pani. Pani siła jest równie niezwykła co uroda. Jest pani żywiołem, jak ogień, słońce, woda, mrok". Nie ma wątpliwości, Lupe to bogini, której Meksykanie nie umieli docenić. W Paryżu za to ją cenią, bo Francuzi nie są kudłatymi dzikusami jak Meksykanie. Teraz, ilekroć ktoś idzie za nią na ulicy, Lupe zatrzymuje się na chwilę, by mógł nacieszyć oko.

– *Regardez cette femme extraordinaire!*

– Robisz wrażenie jak Josephine Baker – komentuje złośliwie Cardoza y Aragón.

Zachwycona sama sobą Lupe, czuje się coraz swobodniejsza, coraz bardziej świadoma własnej siły, odpowiada na spojrzenia, które wieszają się na jej ciele, oczach, nogach. „Faktycznie, jestem królową". Wspiera się na Cardozie y Aragónie, jakby był jej paziem. Ten przy najmniejszej sposobności całuje ją, przygarnia ramieniem. Lupe śmieje się pochlebiona. „Teraz jeszcze i ty! Co z tobą?" „Jestem twoim rycerzem, twoim przewodnikiem po Europie, Cyceronem, niewolnikiem, pragnę zostać twoim kochankiem w tym obskurnym pokoju na pensji ze ścianami wytapetowanymi w słoneczniki".

– Uspokój się, Gwatemalczyku.

Luis nie podziwia Rivery. Opowiada jej o Cueście, swoim przyjacielu i sąsiedzie, którego ma za szczerego człowieka. Lupe przyznaje, że sprowadzanie kultury meksykańskiej do jeźdźców w wielkich kapeluszach i strojów ludowych z Puebli jest śmieszne. Luis oświadcza: „Interesują mnie herezje, a ty jesteś herezją". Czasem mówią o Dostojewskim, to ulubiony temat Lupe, aż Luis pyta: „Wiesz, kto jest Dostojewskim? José Clemente Orozco", i wyjaśnia jej, że to najlepszy malarz z „Wielkiej Trójcy".

– No, na to akurat nie mogę się zgodzić.

Lupe traci głowę dla strojów na wystawach: „Taką sukienkę mogę sobie uszyć w try miga...".

Cardoza wolałby zabrać ją jeszcze raz do Muzeum Rodina, jednak cierpliwie chodzi z nią po wielkich domach mody i przygląda się, jak gładzi dłonią tkaniny. Cardoza ma dobre oko, a Lupe umie wybierać. Luis wtrąca się, by jej pomóc, chwali towar i uwodzi, sprzedawczynie śmieją się, widząc, jak wciąż wchodzą i wychodzą: „No zdecydujże się już, kobieto", błaga Cardoza. „Nie, Luis, ty nic nie rozumiesz, to jest jak kuchnia, to sprawa cierpliwości, trzeba się dobrze zastanowić, muszę się z tym przespać. Na pewno w nocy przyśni mi się sukienka, którą mogłabym sobie uszyć z tego materiału, jutro wrócimy".

– O nie, jutro zabiorę cię do kawiarni na place Blanche, żebyś poznała surrealistów!

Pośród wszystkich obecnych wyróżnia się siedzący na honorowym miejscu ośmioosobowego stołu lew o nastroszonej grzywie. André Breton wstaje, by się z nią przywitać. Od razu widać, że jest tu szefem, któremu lepiej się nie sprzeciwiać, potwierdzają to jego stanowcze gesty, niecierpliwość, gdy ktoś mu przerwie, autorytet pozwalający mu przywołać każdego do porządku, kpić lub nagradzać. „Będę odpowiadać po hiszpańsku, ale rozumiem francuski", uprzedza Lupe ogarnięta nagłą nieśmiałością. „A więc ty jesteś żoną Diega. Dobrze wybrał", Breton przygląda jej się z uwagą i mówi coś, czego Lupe nie rozumie.

– Od czasu, kiedy byłam z Diegiem Riverą, chciałam przyjechać do Paryża, żeby poznać *subrealistów*...

– Słyszeliście, co powiedziała? *Subrealiści* – uśmiecha się Breton. „Skąd mi się tam zaplątało to przeklęte *b*? Ale jestem głupia!"

– Odwiedzisz Picassa? Zdaje się, że Kisling jest właśnie w Paryżu. Élie Faure obrazi się, jak się dowie, że byłaś we Francji i o nim zapomniałaś.

Gdy odwiedza Éliego Faurego, ten, zaskoczony jej urodą, bierze ją w ramiona i całuje w oba policzki. „Francuskie powitanie", wyjaśnia. Patrząc na nią, przypomina sobie o Angelinie Beloff, słodkiej i nieśmiałej, niebędącej w stanie niczego żądać w odróżnieniu od Lupe, która ogląda mieszkanie, krytykuje jego małe rozmiary, zu-

żyte smutne fotele i zakurzone zasłony. „Ale z tych Francuzów nie-
chluje!", myśli sobie Marín, ale nie mówi tego na głos. „Nie chciałaby pani poznać Picassa?", pyta Élie Faure z właściwą Francuzom
politesse, a Lupe odpowiada, że owszem, jasne, miejmy nadzieję, że
w pracowni Picassa nie będzie tak śmierdziało jak w tym mieszkaniu. Cardoza oferuje się ją zaprowadzić. Podobnie Alejo Carpentier. Élie Faure pyta o Diega, a zwłaszcza o Angelinę: „Widziała ją
pani w Mexico City?". Lupe wyjaśnia, że pierwsza żona Diega to
„zużyty ręcznik", a Cardoza wychodzi z siebie, by jakoś przetłumaczyć to określenie Éliemu Fauremu.

– Musi pani pójść do galerii Leonce'a Rosenberga, żeby pokazał pani kubistyczny etap Diega.

– Tak, tak. Zamierzam w Meksyku otworzyć galerię sztuki –
woła Lupe.

W galerii Rosenberg Lupe ogląda jedno po drugim płótna
Diega z czasów, nim się poznali. Nie ma sposobu, by uciszyć Luisa Cardozę y Aragóna, który czuje się w obowiązku wyjaśnić jej
każde pociągnięcie pędzlem. „Uważasz się za krytyka sztuki, czy
co? Zostaw mnie samą". Poeta mówi o zachodzie słońca, o witra-
żu w katedrze Notre Dame, daniu, którego spróbują nad brzegiem
Sekwany, wyjaśnia jej, co to takiego *flaneur* w stylu Baudelaire'a, aż
wreszcie Lupe nie wytrzymuje.

– Ej, nie gadaj tyle, nie mogę zebrać myśli.

– O! Nie wiedziałem, że ty masz jakieś myśli – odgryza się
urażony Cardoza.

Tego wieczora Lupe nie pozwala mu wejść do swojego pokoju,
bo chce napisać do Diega, że po raz pierwszy zobaczyła jego mło-
dzieńcze prace. „Ty naprawdę jesteś wielki. Z każdym dniem coraz
bardziej Cię podziwiam. Aż się dziwię, że ktoś taki jak ja zdołał
wywrzeć wpływ na mężczyznę takiego jak ty, co zna się z El Gre-
kiem, Velázquezem, Goyą, Murillem, Zurbaránem i stoi w jednym
szeregu z Picassem i Apollinaire'em. Pamiętam, że kiedyś uprzedzi-
łam Cię, że jestem straszną ignorantką, a Ty odpowiedziałeś, że nie
ma to dla Ciebie znaczenia. Jesteś bardzo wspaniałomyślny. Teraz
też na pewno mi powiesz: »Nie martw się, obrazy, które namalowałem w młodości w Europie, były chyba najbardziej banalne, jakie

tylko można sobie wyobrazić«". Zapewnia, że żal jej, że nie mówi po francusku, „mogłabym trochę Cię tu obsmarować przed nimi, Brzuchaczu". W tym samym liście zaprasza Fridę, by spędziła z nią miesiąc w Paryżu. „Odwiedzałybyśmy Picassa. To miły człowiek, potraktował mnie z wielką kurtuazją".

Lupe wyznaje Cardozie, że chciałaby poznać Marikę, córkę Diega, żeby zobaczyć, czy naprawdę jest tak podobna do niego, jak mówią.

– Zaprowadzę cię do nich.

– Chociaż Diego mówił, że to był owoc zawieszenia broni, chcę się przekonać, czy to prawda.

W niemal pustym domu wita ich z wdziękiem osiemnastoletnia Marika o smutnym wejrzeniu. Jest wysoka, ciemnowłosa i bąka pod nosem:

– Podobno jestem podobna do ojca.

– To prawda – potwierdza Lupe donośnym głosem. – Jesteś podobna do Diega bardziej niż ktokolwiek inny ze znanych mi osób.

Po spotkaniu z nieśmiałą Mariką Riverą Vorobiev w ubogim i źle urządzonym mieszkaniu Lupe dochodzi do wniosku: „Oczywiście, że to córka tego bezwstydnika Brzuchacza, są podobni jak dwie krople wody, jest niemożliwie wysoka, ma z nim więcej wspólnego niż moje córki, i powiem mu to".

Żegnając się, Lupe obiecuje porozmawiać z Diegiem, a przede wszystkim zapewnia Marikę, że wróci w przyszłym roku. „Po co powiedziałaś, że to jej ojciec? Nie widziałaś, jaki ma smutek w oczach?", irytuje się Luis. „Powiedziałam tak, bo to prawda". „Lupe, jesteś podła, dałaś jej nadzieję. Teraz będzie chciała pojechać do Meksyku. A może opłacisz jej bilet?"

Zakupy nie mieszczą się w walizce Lupe. Luis powstrzymuje ją, gdy prosi go, by jeszcze raz poszli do Galerii Lafayette:

– Wyhamuj trochę swoją kupiecką gorączkę. To nie ostatnia z twoich podróży. Zanim wyjedziesz, Ilja Erenburg chce cię poznać. Mamy z nim spotkanie w czwartek w La Coupole.

„Od lat czekałem na ten moment. Diego wiele mi o pani mówił", Erenburg wstaje i pochyla do jej ręki głowę z nieumytymi włosami. „Tak bardzo chciałem panią poznać, że miałem już pytać o panią w Hotel de Suez przy Boulevard Saint Michel, gdzie zwykle zatrzymywał się Diego". Lupe czuje się rozpoznana, doceniona. A więc Diego rozmawiał o niej z tym rozczochrańcem, który z pewnością nie widział mydła od miesięcy?

Po chwili zaczyna się nudzić i pod kawiarnianym stolikiem znacząco szturcha Cardozę y Aragóna nogą. „No chodźmy już, starczy tego Ruskiego".

Za to z przyjemnością przyjmuje wizyty Kubańczyka Aleja Carpentiera, z którego wypowiedzi rozumie wszystko pomimo jego francuskiego „r" i opadłych policzków. Jest wyższy od Cardozy y Aragóna, Lupe z przyjemnością spaceruje pod ramię z Kubańczykiem, który zna Paryż jak własną kieszeń i nie próbuje co chwila jej całować jak Gwatemalczyk.

W miarę upływu czasu wśród artystów rośnie zainteresowanie *la femme du Mexicain*. Fetują ją, to fenomen. Co za ciało! Jaka postawa! Jakie wspaniałe nogi i dłonie! Co za osobowość! A jak chodzi! Jakie zmysłowe są te ciemne wargi!

Paryż to dla Lupe promień światła. Francuzi odkryli, że jest królową, mówią jej to co chwila. Nieznajomi zatrzymują się przy rue des Saints-Pères, by na nią popatrzeć, żandarmi nie odrywają od niej wzroku, kiedy przechodzi przez jezdnię. Obojętność Meksykanów to już przeszłość: nie ulega kwestii, ci biedni szmaciarze z drugiej strony oceanu to żałośni idioci. „Słusznie nazywają Paryż Miastem Światła, nie przypadkiem Francuzi stoją na czele światowej kultury. Mają to, czego brak Meksykowi".

W czasie gdy Lupe cieszy się ostatnimi momentami w Paryżu, 20 kwietnia 1932 roku Diego z Fridą przyjeżdżają do Detroit. Edsel Ford, syn Henry'ego Forda, płaci dwadzieścia tysięcy dolarów za kilka murali we wnętrzach Instytutu Sztuki. Po bokach głównego fresku Rivera maluje dwie gigantyczne kobiety: blondynkę i brunetkę, które niosą w ramionach owoce i warzywa z targu w Michigan. Na środku umieszcza płód w bulwie rośliny, której korzenie czerpią soki z ziemi: „To komórka embrionalna, która obrazuje życie i jego zależność od ziemi", wyjaśnia Diego Edselowi Fordowi. W tym samym czasie zapewnia Fridę, że to hołd dla dziecka, które właśnie straciła.

ROZDZIAŁ 24

POEZJA I CHEMIA

Jorge Cuesta urządza się na trzecim piętrze domu z *tezontle* przy szerokiej i jasnej ulicy, która wychodzi wprost na katedrę, i zaczyna życie bez Lupe, ponieważ Aarón Sáenz, minister przemysłu, handlu i pracy mianował go szefem Departamentu Technicznego w laboratorium Stowarzyszenia Producentów Alkoholu, świeżo założonego przez Ministerstwo Finansów. Teraz ma do dyspozycji wspaniałe laboratorium, jego pracownicy zwracają się do niego per „panie doktorze" lub „szefie" i traktują go z szacunkiem. Ile awansów! Po raz pierwszy w życiu czuje się doceniony.

Mianuje zastępcą chemika Alfonsa Bullego Goyriego, który jest w niego wpatrzony niczym apostołowie w Pana Jezusa. Alfonsa Bullego olśniewa inteligencja Cuesty: „Wszystko, czym zajmuje się w laboratorium, ma w głowie, nigdy nic nie notuje, pracuje nad kilkoma rzeczami naraz, nie zapisując choćby jednego maleńkiego wzoru", opowiada innym. Jednak najbardziej zaskakuje go eksperyment Cuesty, którego celem jest pozbawienie strychniny jej negatywnego oddziaływania. W obecności Bullego sam wstrzykuje sobie truciznę i nie ponosi najmniejszego uszczerbku na zdrowiu.

Oprócz tego, że pracuje w Stowarzyszeniu Producentów Alkoholu, Jorge pisze dla dziennika „El Universal". Trzyma go w napięciu artykuł o José Clemente Orozco. O szóstej po południu przychodzi do redakcji przy ulicy Bucareli:

– Opublikujemy to panu, ale proszę pamiętać, że najlepiej sprzedają się kroniki policyjne.

Carlos Chávez co miesiąc dyryguje orkiestrą w Pałacu Bellas Artes. Podczas jednego z koncertów Jorge poznaje w przerwie Alicję Echeverríę Muñoz. Jej białe i wyniosłe piersi chętnie wychylają się ze szczodrego dekoltu. Jorge pociąga ta samica, która samotnie przyszła na koncert i w przerwie zamawia w barze kieliszek wina. „Pani pozwoli", zaprasza ją i podsuwa ramię.

Zabieganie o względy kobiety innej niż Lupe to stymulująca nowość.

Salvador Novo, Xavier Villaurrutia i Julio Torri przyjmują Aldousa Huxleya na stacji Buenavista.

– Jedyne, co mnie interesuje w mieście Meksyk, to spotkanie z Cuestą. Lawrence opowiadał mi o jego inteligencji – oświadcza Huxley.

Gdy w 1923 roku D.H. Lawrence przebywał w Meksyku, jego uwagę przykuła wiedza młodego meksykańskiego chemika. Nigdy nie zapomniał, z jaką pewnością Cuesta mówił mu, że „jest o krok od wynalezienia eliksiru młodości".

Zarekomendował go Huxleyowi, choć nie z powodu wybitnej inteligencji, lecz raczej przez wzgląd na wiedzę o marihuanie, peyotlu, grzybkach halucynogennych, stosowanych przez Cuestę, od kiedy skończył dwadzieścia lat. „He's an expert, there's no one like him".

W tym czasie Jorge wypróbowuje syntetyczną marihuanę, z której można uzyskać energetyk. Od dawna już znachorki wcierają konopie indyjskie w skórę przy zwichnięciach i bólach mięśniowych, wielu ludziom poprawiło się po ich miksturach i masażach.

Jorge coraz bardziej oddala się od Contemporáneos, już nawet nie bywa w Café París; siedzi godzinami w laboratorium pośród groźnych cieni, a późnym wieczorem zamyka się u siebie w domu, żeby czytać i pisać. Czasem odwiedza go jakaś dziewczyna, nigdy ta sama; Alicia Echeverría szybko je zastępuje. Jorge szkicuje poemat, z którego ma trzy pierwsze wersy. Wciąż do nich powraca, aż twardnieją niczym skała. „Już słyszę ciszę tych słów". Choć zamknięcie pisma „Examen" go dotknęło, poezja przychodzi mu z odsieczą.

Pewnego dnia bez uprzedzenia zjawia się jego matka Natalia z Antoniem w ramionach: „A teraz co znowu?". Zdaniem babci chłopiec przejawia „alarmująco zły apetyt".

– Czekaj, pozwól, że go obejrzę.

– Jesteś chemikiem, nie lekarzem.

– Ależ mamo, czemu nie poszłaś z nim do jakiegoś pediatry w Córdobie?

– Bo chciał cię zobaczyć. Twój brat Víctor pije coraz więcej i alkohol z każdym dniem bardziej go wyniszcza. Nie wiemy już z ojcem, co robić.

Doña Natalia przedłuża swój pobyt przy ulicy Moneda. Pełna macierzyńskiej troski upiera się, że Jorge wygląda chudo, blado i ma podkrążone oczy: „Na pewno jadasz posiłki o stałych porach? Dobrze sypiasz?".

– To dziecko źle je, nie ja – irytuje się Jorge. – Musisz dawać mu rano sok pomarańczowy, a w południe pomidorowy.

– Wam nigdy nie dawałam żadnych soków, a patrz, jak wyrośliście.

– Nie wiesz, że pod wpływem kwasów mleko ścina się w żołądku, co ułatwia trawienie?

– Wychowałam pięcioro dzieci, które wyrosły zdrowe i silne, ale tobie nic się nie podoba. Na pewno wciąż jeszcze masz na sobie urok, który rzuciła ta kobieta.

Nieobecność Alicji Echeveríi wprawia Jorge w zły humor.

Po wyjeździe matki Cuesta skupia się na Alicji i swoim nowym eseju, który znów przypomina mu o Lupe: *Kobieta w literaturze.*

Marną oddało przysługę kobietom w literaturze społeczne żądanie, które stale ciążyło na ich charakterze: nieodmiennie domagano się od nich podporządkowania i odmawiano im prawa do buntu. Zbuntowane kobiety uznawano za zmaskulinizowane, babochłopy, niewierne swojej kobiecej naturze. A ponieważ duch z natury swej jest buntem, społeczeństwo nie tolerowało kobiet uduchowionych. W krytyce i historii powszechnie uznaje się wybitne kobiety za posiadaczki męskiego temperamentu.

Gorostiza czyta mu wiersz zaczynający się od słów: „Syty siebie, osaczony we własnym ciele / przez mglistego boga o dławiącej sile, / urojonego być może…". Jorge uznaje go za „wyborny". Pepe wyjaśnia, że chodzi o obszerny tekst, coś jak *Pierwszy sen* Sor Juany, a Jorge nadaje mu tytuł: *Śmierć bez końca.*

– Tak, masz rację, to świetny tytuł. A ty, Jorge, kiedy skończysz swój?

– Zapytaj raczej, kiedy zacznę.

Dla Cuesty poezja to alchemia.

„Poeta powinien przezwyciężyć wewnętrzne opory, odrazę i znużenie, musi postępować jak naukowiec, otwierać sobie drogę poprzez doświadczenia najbardziej mu wstrętne lub pozornie całkiem pozbawione znaczenia".

Przyjaźń z Pepe pociesza Cuestę, kiedy brak jego ulubionego Gilberta Owena. Żadnych pytań o Alicję Echeverríę lub inne kobiety wychodzące z jego mieszkania. Gorostiza jest dyskretny aż do przesady, Cuesta także nie poświęca uwagi jego życiu uczuciowemu. Novo natomiast wpełza ludziom aż do kubła z brudną bielizną i parę miesięcy później pyta tryumfalnie: „Wiecie, że Owena wywalili z konsulatu Ekwadoru za to, że wstąpił do Partii Socjalistycznej? Teraz udziela się jako nauczyciel w Kolumbii".

ROZDZIAŁ 25

NA POWRÓT W MEKSYKU

Carmen Marín i Octavio Barreda witają Lupe w porcie: „Diego ma wystawę w MoMA". Lupe natychmiast tam dzwoni i Frida zaprasza ją, żeby ich odwiedziła. Jednak Lupe nie może się już doczekać, kiedy wróci do Meksyku. Wypływa dwa dni później statkiem „De Grasse" do Veracruz, gdzie wsiada w pociąg do stolicy. Na peronie stacji Buenavista czeka na nią Concha Michel i jej młodsza siostra Isabel, która trzyma za rękę Pico i Chapo.

– Myśleliśmy, że zostaniesz dłużej – mówi Isabel.

– Już się stęskniłam za Meksykiem. Przywiozłam dziewczynkom fantastyczne sukienki! A dla ciebie bluzkę i dla Conchy też, zobaczymy, czy ci się spodoba! Teraz dopiero moje córki zrobią wrażenie, całkiem jak ja w Paryżu! Cała szkoła będzie im zazdrościć!

Concha przegląda surowo zawartość walizki, a Lupe pyta ją o Cuestę:

– Wychudł na szkielet.

– A wiesz coś o Antoniu?

– Jest w Córdobie. Isabel więcej ci powie na ten temat. Twoi teściowie nie pozwalają małemu przyjeżdżać do stolicy.

– Nie kocham go, ale czasem czuję, że mam względem niego pewne zobowiązania.

– Patrz, jak to jest w życiu, ciebie twój syn nie obchodzi, a Frida płacze dniami i nocami za każdym razem, gdy poroni!

– Jaka głupia! Niby jak chce mieć dzieci, skoro jest kaleką? Diegowi dzieci zupełnie nie są potrzebne do szczęścia; starczy mu już tych, które miał ze mną.

– Ja też sporo podróżowałam – chwali się Concha. – I to nie tylko po to, żeby nakupić sobie szmatek. Byłam w Rosji, poznałam Aleksandrę Kołłontaj, Klarę Zetkin, wspaniałe działaczki, feministki ważniejsze nawet od tych angielskich… Potem napisałam wiersz *Bóg, nasza pani*. Przeczytać ci?

Kobieto, Matko Człowieka
własnego upokorzenia tyś jedynym świadkiem,
dla polityka byłaś narzędziem rozkoszy,
dla mnicha grzechem i upadkiem,
dla artysty tematem dzieła,
dla mędrca zaś dziwnym „przypadkiem".

Concha to najwierniejsza z przyjaciółek i gdyby to od Lupe zależało, spotykałyby się codziennie, bo towarzyszce Michel może się zwierzać, nie skrywając złych nastrojów czy rozczarowań. Concha natomiast mało mówi o sobie: życie osobiste jest *osobiste*. Nie oszukuje się, a jej odpowiedzi pełne są zdrowego rozsądku. Nigdy nie opowiada o swoich relacjach z Hernánem Labordem, a tym bardziej o synku, który urodził się chory i którego z całych sił broni przed wszelkimi przeciwnościami losu. O ile to w ogóle możliwe, posiadanie tego dziecka jeszcze bardziej zwiększyło jej solidarność. Co wieczór Concha bierze gitarę, śpiewa *corridos* i ballady, a wtedy uchodzą z niej emocje nagromadzone w ciągu dnia. „Kiedyś syn zaśpiewa ze mną".

Jestem panem siebie
I wolną mam duszę.
Co zechcę to robię,
A nie chcę, co muszę.

Lupe oklaskuje przywiezioną z Tehuantepec *Lloronę*:

Leżę sama w pościeli strapiona
Księżyc cicho wędruje po niebie

Ooo, Llorona!
Serce krwawi, szloch piersi dusi
Na co, na co mi łóżko bez ciebie?
Ooo, Llorona!
Czy po wieczność już tak być musi?

„Lupe, strasznie przytyłaś, musisz się wziąć za gimnastykę",
strofuje ją Concha. To najgorsze, co mogła jej powiedzieć. Dla Lupe
otyłość to synonim piekła. Tam właśnie powinny się prażyć gru-
baski, żeby płomienie wytopiły z nich cały smalczyk i spiekły je na
skwarek. Concha sugeruje jej poza tym, że po tak długiej nieobecności powinna pójść do szkoły i porozmawiać z nauczycielami córek.

W szkole nauczyciel sprawdza w klasie listę, wskazując kolej-
no na każde dziecko. Kiedy przychodzi kolej Pico, ta odpowiada:
„Guadalupe". „Jak nazywa się twój ojciec?" „Diego Rivera". Wszystkie dzieci obracają się ku niej i Pico nie wie, śmiać się czy płakać.

– Mamo, czy to dobrze być córką Diega Rivery?

Młodsza reaguje ufnie na imię Ruth. Dokłada starań, żeby nikogo nie urazić, odnosi brudne ubrania do prania, zanim ktoś każe
jej to zrobić. Starszą cięgi od matki zatwardziły, woli się trzymać
na uboczu.

„Mama cię bije?", pyta Ruth koleżankę z ławki. „Nie. A cie-
bie?" Ruth odpowiada, że codziennie, a Mała Lupe sztorcuje ją:
„Nie rozpowiadaj tego. Nie wiesz, że to wstyd? Czy tata nas bije?
Nigdy, prawda?".

– Bo nigdy go nie widujemy.

Jeśli jakaś koleżanka się do niej nie odzywa, Lupe bez wahania
ucina znajomość; gdy tamta wraca do niej, ma ją za nic.

W szkole Alberto Correa przy placu Miravalle cięgi, jakie Lupe
Marín spuszcza córkom, stają się tajemnicą poliszynela.

Ze swojej europejskiej walizki Lupe wyciągnęła ubrania jeszcze
nieznane w Meksyku i choć pierwszego dnia siostry Rivera miały
wielkie wejście, teraz starsza wzbrania się przed wkładaniem paryskiej spódnicy i swetra.

– Chcę się ubierać jak wszyscy.

– Nie bądź głupia! W tym stroju się wyróżniasz, jesteś lepsza, niepowtarzalna, jak ja.

– Nie chcę być taka niepowtarzalna jak ty.

– Mamo, nie ubieraj nas w rzeczy z Paryża, bo wszyscy się na nas gapią – wtóruje siostrze Ruth.

Lupe upiera się, żeby córki nosiły francuskie *blazers* i *jumpers*, czerwone skarpetki do kolan, szkockie spódniczki. „Mamo, ja nie chcę tego nosić", protestuje Mała Lupe ze łzami w oczach. W szkole Lupe i Ruth czują się odrzucone. „Jakie snobki! Zawsze muszą na siebie zwracać uwagę!" „Może w Paryżu jest taka moda, ale my nie zamierzamy jej naśladować", mówi dyrektorka. „To najlepiej pokazuje, jacy ciemniacy z biednych Meksykanów", unosi się Lupe.

Dziewczynki kończą podstawówkę wraz z córkami Vicente Lombardo Toledano, córkami ministra skarbu Eduarda Suáreza oraz ideologa laickiej edukacji Manlia Fabia Altamirano, zamordowanego w Café Tacuba.

Ze stron dziennika „El Universal" Jorge Cuesta atakuje socjalistyczną edukację:

Trzeba w pierwszym rzędzie przyznać, że brak poszanowania dla szkolnictwa wynika z faktu, iż odpowiedzialność za nie nie leży już w rękach nauczycieli. A bardzo nieostrożnie postępuje ktoś, kto zawierza nauczaniu, które nie ma oparcia w świadomości i zawodowej odpowiedzialności wychowawców.

Lupe szyje, wykrawa, fastryguje i przyszywa guziki. Wymaga od córek, by w tym czasie zajmowały się domem. Mimo młodego wieku dziewczynki wywiązują się z tych obowiązków jak dobre służące. Jedna zmywa naczynia, a druga je wyciera; Ruth szoruje kafelkową podłogę, a Lupe, którą ciągnie do kuchni, oświadcza: „Zrobię taki ryż jak babcia Isabel".

Dla Małej Lupe najlepszym okresem jej dzieciństwa był czas, kiedy mieszkała w domu Isabel Preciado, babki ze strony matki.

W szkole Alberto Correa panuje zwyczaj, że uczniowie dostają pod uprawę małe działki; Lupe odpowiada za pomidory, a Ruth za marchewki i ich zielone pióropusze, za kolendrę i pietruszkę. Jeden nauczyciel uczy ich stolarstwa, a inny budowy obwodów elektrycznych. Pico wypatruje w sękach drewna ludzkich postaci, cieszy się jego zapachem. „Nie obijaj się, podaj mi tamten gwóźdź". Zaskakuje Ruth, robiąc ramkę, żeby powiesić w niej rysunek taty.

– Nie jesteście gorsze od mężczyzn, możecie wykonywać te same prace – powtarza Diego Rivera.

Choć szkoła jest socjalistyczna, dzieci przystępują do pierwszej komunii i żaden ojciec – jakkolwiek wielkim socjalistą by był – nie protestuje. Córki Bassolsa, Lombardo Toledano, Diega Rivery klękają przed ołtarzem i wystawiają różowe języki, by przyjąć hostię. Jeszcze tego samego dnia siostry Rivera Marín oświadczają przy stole w jadalni:

– Przystąpiłyśmy do pierwszej komunii.

– Głupie dziewuchy! – kwituje Diego.

Diego przestał już wołać na starszą córkę Pico. Dziewczynka chce malować, pożycza jej więc pędzle, płótna i farby. „Spełniasz wszystkie jej zachcianki", wyrzuca mu Frida, która próbuje zajść w ciążę, mimo że brat Lupe, ginekolog José de Jesús Marín, ostrzega ją, że to niebezpieczne. Diego obserwuje zmagania córki z płótnem, ale szybko podcina jej skrzydła: „Jesteś jak twoja mama, masz tyle powołania do malarstwa co ja do baletu, chodź, teraz ja cię namaluję". Szkicuje ją, Ruth też domaga się swojego portretu: „A ja?". Później Diego będzie często portretował córki, wypełni je kolorami, a jego ulubienica Ruth okaże się najlepszą modelką.

Pierwsze dni w Meksyku upływają Lupe na wspominaniu podróży do Francji, jednak z upływem czasu jej nastrój się pogarsza.

Nie robi nic, by zrozumieć swoje córki. Bezwarunkowo oddana jej Ruth nie budzi w niej najmniejszych emocji. Gdy Mała Lupe płacze, strofuje ją: „Nie płacz, łzy są dobre dla próżniaków". Dziewczynka ma talent do matematyki i zajmuje się budżetem domowym: „Możemy kupić nową miotłę, bo w tym tygodniu zaoszczędziłyśmy na jajkach". „Jaka bystra dziewczynka, pewnie zostanie ekonomistką", przyznaje Lupe Marín.

Na scenę znów wkracza zniechęcenie, Lupe nie ma ochoty nawet skroić materiałów przywiezionych z Paryża. „Czy ten Paryż przydarzył mi się naprawdę? Nie, moją rzeczywistością jest Meksyk, moje życie to dwa nieudane małżeństwa, choroba i samotność. Jacy prymitywni są Meksykanie, całkiem pozbawieni kultury, nie przypadkiem tak źle się u nas dzieje!"

„Gruba. Jestem gruba". Co rano idzie wielkimi krokami przez Calzada de los Poetas w Chapultepec zdjęta obsesją otyłości, bo Novo i Torri też stwierdzili, że utyła w Paryżu.

– Cuesta zniknął, nikt go ostatnio nie widział – informuje ją Torri.

– Wiemy, że żyje tylko dlatego, że publikuje artykuły w „El Universal".

– Salvador, powiedz mu, że muszę z nim pogadać, chodzi o jego syna – nalega Lupe, stojąc przed lustrem.

„Jestem gruba, jestem brzydka", wzdycha w kółko.

Kiedy przychodzi Cuesta, Lupe uprzedza jego słowa:

– Wiem, co powiesz. Jestem gruba.

– Gdybyś tego nie powiedziała, nic bym nie zauważył.

Dla Lupe utyć to gorzej niż zbrodnia. Jorge za to jest szczupły, z zadowoleniem opowiada o nowym laboratorium i swoim „procesie syntetycznego wytwarzania enzymatycznych substancji chemicznych". Kiedy Lupe porusza temat Antonia, Jorge chmurzy się: „Najlepiej dla niego będzie zostać z moją mamą". Lupe dopomina się: „To ja jestem jego matką", ale robi to z tak małym przekonaniem, że Jorge informuje ją, iż on, w odróżnieniu od niej, odwiedził Lupe i Ruth i zaprosił je do kina. Kiedy wstaje, by zabrać się do wyjścia, Lupe Marín zatrzymuje go: „Zostań na noc". O trzeciej rano kochanek wymyka się z łóżka i po cichu wychodzi z domu.

Wielka pustka dręczy Lupe: „Cztery lata pożycia małżeńskiego z Diegiem i następne cztery z Jorge… Czy były szczęśliwe?".

Podczas swojego porannego spaceru denerwuje się: „Minęło pięć dni, a Jorge nie dzwoni ani nie wraca". Ku swojej radości spotyka go w Parku Chapultepec. To jasne, że na nią czekał.

– Obiecałem sobie nie przychodzić więcej do ciebie, Lupe.

– To czemu złamałeś postanowienie?

– Bo nie wytrzymałem. Jeśli się zgodzisz, jeszcze dzisiaj poszukam domu dla nas dwojga. Nie wiem, jak mogłem pozwolić ci odejść, jestem idiotą!

Słusznie Mała Lupe stwierdzi później: „Jorge zakochał się w mamie straceńczo, straceńczo".

Lupe pochlebia, że Jorge chce do niej wrócić, ale odpowiada przebiegle: „Zastanowię się, potem dam ci znać. Twoja propozycja na pewno zainteresowałaby psychiatrę". „Najwyraźniej to ty uważasz się za psychoanalityczkę", unosi się Jorge.

– Czemu do niego nie wrócisz? Myślałam, że właśnie tego chciałaś? – doradza Concha.

– Chciałam namiętnej nocy... Poza tym my, kobiety, powinnyśmy dać się prosić.

– Kto tak uważa?

Jorge nie daje znaku życia. Lupe przedłuża spacery w Chapultepec. „W końcu się pojawi". Czeka na próżno, spaceruje między cypryśnikami, krąży tam niczym kot z pęcherzem, a po powrocie do domu spędza całe godziny w oknie, wypatrując kochanka.

– Concha, ja chyba zaraz stracę rozum.

– Jaki rozum? I tak go nie miałaś.

Spaceruje po lesie, rozmyślając o Cuescie. Czasem biegnie. Szuka go: „Jorge, wróć, nie możesz tak odejść". Pożądanie nie pozwala jej przerwać spaceru. Czuje go w sobie, w środku, chce poczuć jego ciężar na swoim brzuchu, natychmiast. Idzie pospiesznie. „Jak się zmęczę, przestanę go pragnąć, ale teraz mam na niego ochotę jak nigdy dotąd. Niech go szlag! Nie, to raczej mnie właśnie trafia szlag. Odchodzę od zmysłów dla Jorge. Jest jak magnes. Chcę poczuć jego dotyk na sobie. Jak strasznie na niego czekam! Na pewno przyjdzie dziś wieczorem". Lupe tęskni za udami Jorge, za gestem, którym podnosił ją, trzymając w pasie, i sadzał na sobie. „Jorge, padnę przed tobą na kolana, jak ty padłeś przede mną, połóż się koło mnie, muszę mieć twoją twarz z zamkniętymi oczami tuż obok, na mojej, twoje wargi na moich, a ja ledwo zduszę okrzyk. Jorge, jesteśmy jednym, jedną, tobą, mną".

Zupełnie nieświadom burzy, którą wywołał, Cuesta traci głowę dla Mae West, być może dlatego, że jej brak wstrzemięźliwości i tupet przypominają mu Lupe. A także jej siła. Jorge zachwyca się ciętym językiem aktorki i cytuje wypowiedzi, które nazywa *perełkami*: „Kiedy jestem dobra, jestem dobra, kiedy jestem zła, jestem dużo lepsza". Cóż za błyskotliwa kobieta! „Spomiędzy dwóch złych rzeczy wybiorę zawsze tę, której jeszcze nie wypróbowałam". Przychodzi na premierę *Nie jestem aniołem* w Palacio Chino, gdzie na widowni przesiaduje wielu samotnych mężczyzn. Wcześniej oklaskiwał *Noc po nocy*. Zabiera się za artykuł, w którym nazywa Amerykankę „niezwykłą kobietą". Mae West oświadcza, że to nie kochankowie odcisnęli piętno na jej życiu, lecz wręcz odwrotnie: ona na ich. Choć Jorge nie znosi wulgarności, zachwyca go pytanie blondynki: „Przyniosłeś w spodniach pistolet czy tylko miło ci, że mnie widzisz?".

Kto zostanie prezydentem po Abelardzie Rodríguezie? Cuestę bardziej interesują plotki o wojnie w Europie niż szum wokół meksykańskiego następcy prezydenta. Lázaro Cárdenas to „najpewniejszy kandydat", zapewnia go Villaurrutia. „Moim zdaniem nacjonalizm prowadzi do fanatyzmu, a stąd do faszyzmu jest już tylko mały krok", odpowiada Cuesta.

ROZDZIAŁ 26

REWOLUCJONISTA W COYOACÁN

Lupe Marín także odcina kupony od sławy Diega, korzysta zwłaszcza z gromadzonej przez niego *spuścizny*. Choć nie lubi Fridy, którą uważa za upaloną ziołem snobkę, często przychodzi do Niebieskiego Domu, przygotowuje *tacos*[42] i *antojitos*[43], za które Diego jest jej wdzięczny. „Brzuchaczu, daj mi te uśmiechnięte buźki z Colimy, wszyscy chcą je kupować, to świetny interes". „No to weź sobie". Diego nigdy niczego jej nie odmawia.

Lupe żyje życiem Diega. Szuka o nim wiadomości w gazetach i niemal codziennie odwiedza go w Niebieskim Domu. W okresie, gdy jeszcze oba małżeństwa mieszkały w sąsiadujących mieszkaniach przy Tampico 8, Lupe wchodziła do nich na górę, by się upewnić, czy Diego je to, co dla niego ugotowała. Za zgodą Fridy pakowała swoją łyżkę do wszystkich garnków.

23 grudnia 1933 roku Diego i Frida wrócili do Meksyku w wyniku skandalu w Rockefeller Center. Diego namalował tam robotnika pochylającego się nad rannym żołnierzem i dał mu twarz Lenina. Syn Rockefellera poprosił go, by to zmienił. „Nie możemy zgodzić się na Lenina w kolebce kapitalizmu". Diego zaproponował mu, że dla równowagi na drugiej ścianie namaluje Lincolna, ale młody Rockefeller się obraził: „Proszę natychmiast usunąć stąd tę twarz".

---

[42] *Taco* – niewielka tortilla kukurydziana z farszem.
[43] *Antojitos* – przekąski często serwowane na ciepło na ulicznych straganach.

Diego odparł, że nie zamierza okaleczać własnego dzieła. Rockefeller zapłacił dwadzieścia jeden tysięcy dolarów za mural i uznał sprawę za zakończoną: „A teraz go zniszczę".

Para Rivera–Kahlo inauguruje dwa domy w San Ángel połączone wiszącym łącznikiem. W każdym z nich znajduje się duża pracownia z wielkimi oknami, do której przylegają niepozorne pokoje. „Widzieliście, jakie to praktyczne? To najbardziej nowoczesne domy w Meksyku!", winszuje sam sobie architekt Juan O'Gorman, który zamiast płotem ogradza je przywiezionymi z Hidalgo kaktusami nadającymi całości ludowy charakter. „To na wskroś meksykańskie domy!", śmieje się Rivera. „Zwrócą powszechną uwagę". Nieustanne zwracanie na siebie uwagi to jedna z podstawowych zasad Diega.

Kiedy Lupe dowiaduje się o przyjeździe Diega, korzysta z okazji, żeby zaprowadzić do niego córki: „Ty jesteś ich ojcem, teraz twoja kolej się nimi zająć".

W styczniu 1934 roku Rivera siedzi całymi dniami w pałacu Bellas Artes i odtwarza mural, który Rockefeller zniszczył w Nowym Jorku. Ponownie maluje Lenina, dodaje na okrasę jeszcze Marksa i Trockiego, których odrzucono mu przy pierwszych szkicach. Gdy wraca nocą do Niebieskiego Domu, jego córki już śpią. „Tato, potrzebujemy ubrań", prosi Mała Lupe, i Diego prowadzi je do El Tranvía, by kupiły sobie takie jak on ogrodniczki, bo „są nie do zdarcia". „Poza tym skrócę wam włosy".

Kiedy Lupe widzi je krótko ostrzyżone i w ogrodniczkach, sztorcuje go: „Co ci wpadło do głowy? To nie są komunistyczni robotnicy jak ty".

Targi nadal są dla niej niesamowicie atrakcyjnym miejscem. Ulice Merced, Mesones, Órgano mają w sobie magnetyczny urok. Lupe bez wahania zatrzymuje się na środku chodnika i doradza jakiejś kurewce, żeby ścięła sobie włosy. Do innej mówi: „Słuchaj no, nie maluj sobie ust na taki kolor, dobrze by ci było w ciemniejszym". Na rynku wszyscy wiedzą, kim jest Lupe Marín, lubią z nią rozmawiać. Lupe jest w swoim żywiole. Nagle odkrywa wysokiego blondyna torującego sobie drogę między tragarzami: „Nadchodzi mocne uderzenie!". Przybysz robi zdjęcia, a Lupe z miejsca pyta go o nazwisko: Henri Cartier-Bresson. „Właśnie wróciłam z Paryża", emocjonuje się Lupe. Młodzieniec rozumie po hiszpańsku piąte przez dziesiąte. „Od razu widać, że to chłopak z dobrego domu", opowiada Conchy Michel.

Cartier-Bresson idzie do zaułka Órgano i portretuje prostytutki wychylające się z okien niczym klacze z boksów w stajni. Z drewnianych framug rżą do klientów: „Ej, perkaty, naostrzyć ci ołóweczek?". Jakie ładne są ich usłużne twarze i wydepilowane na niteczkę brwi! One same są jak niteczki. Francuz mieszka u Ignacia Aguirrego, rytownika, który opowiada mu o Warsztacie Grafiki Ludowej, Teatrze Ulises, a widząc jego entuzjazm, woła: „A jeszcze nie byłeś w Oaxace!".

– Ej, wiesz ty co? – wzdycha zdjęta troską Lupe. – Zdaje mi się, że ten młodziak nie ma co jeść.

I zaprasza go do siebie na Tampico 8.

Concha Michel, z gitarą w ręku, z warkoczami, w które wplata kolorowe wstążki, również fascynuje Cartiera-Bressona.

Lupe nie ma pojęcia, że Cuesta sprzeciwia się socjalistycznej szkole promowanej przez Narcisa Bassolsa, Lombardo Toledano i świeżo wybranego prezydenta republiki, Lázara Cárdenasa. Jorge nie widzi sensu w zachłystywaniu się ojczyzną, podobnie jak nie znajduje uzasadnienia, żeby nazywać propagandę sztuką. W krytykach sekunduje mu Bernardo Ortiz de Montellano i obaj znoszą salwy zarzutów i obelg ze strony *rewolucjonistów*.

– Pisarz nie musi być świadomością społeczną narodu, jedyne, co powinien robić, to dobrze pisać – argumentuje Cuesta. Nie przyznaje także racji Pedrowi Henríquezowi Ureñi głoszącemu, że rewolucja meksykańska to duchowa przemiana, dzięki której lud odkrył swoje prawa, a pośród nich prawo do nauki. Henríquez Ureña egzaltuje się:

Nad odwiecznym tradycyjnym smutkiem, nad zastarzałą rozpaczą meksykańskiego ludu zaczyna rozbłyskiwać słońce nadziei. Teraz bawi się i śmieje jak nigdy wcześniej. Trzyma wysoko podniesioną głowę. Być może najlepszym symbolem współczesnego Meksyku jest fresk Diega Rivery, na którym uzbrojony rewolucjonista zatrzymuje swojego wierzchowca, by odpocząć; wiejska nauczycielka pojawia się otoczona gromadką dzieci i dorosłych, podobnie jak ona ubogo odzianych, lecz podtrzymywanych na duchu wizją lepszej przyszłości.

– O rany, co za nędza! – woła Novo.

W czasie gdy Jorge ogarnięty obsesją perfekcji cierpi, rodząc kolejne linijki swojego długiego poematu, który zatytułował *Pieśń do mineralnego boga*, Diego Rivera prosi o azyl polityczny dla Lwa Trockiego, odrzuconego przez rządy innych krajów. „Czemu to robisz? Nawet nie wiesz, co to za jeden!", wtrąca Lupe, której niechęć do Rosji nasila się z każdym dniem.

Prezydent Cárdenas zgadza się na azyl, podobnie jak później zgodzi się przyjąć republikanów. Frida Kahlo jedzie do Tampico w towarzystwie Katalończyka nazwiskiem Bartolomeu Costa-Amic i wspólnie witają Rosjan. Poza Lwem i Natalią gości u siebie także wnuka rewolucjonisty Stiefana, ślicznego niebieskookiego chłopca stale uczepionego ręki Natalii. Później przeprowadzą się kilka przecznic dalej, na ulicę Viena 45, gdzie strzec ich będą agenci wysłani przez rząd Stanów Zjednoczonych.

– Chcesz popatrzeć, jak szybko wcinają lucernę króliki Trockiego? – pyta Diego starszą córkę.

Podczas zabaw w Niebieskim Domu Pico i Chapo śpiewają z kapelami *mariachi*, donoszą tosty, *pozole*[44] i *mole manchamanteles*[45], ugotowane według osobistego przepisu Lupe, u której Frida zasięga rady, co tej pierwszej bardzo pochlebia. Zaleca jej: „Podaj im *mole*, goście to uwielbiają, a cały sekret polega na tym, że musi być słodkie". Marín chciałaby wziąć udział w rozmowie z Trockim i Diegiem, ale patrzy podejrzliwie na Rosjanina, którego Diego i Frida traktują z wielką rewerencją.

Po powrocie z Francji Lupe znów szyje i przykłada ogromną wagę do własnego wyglądu. Stosuje kaszmiry i jedwabie, a jej stroje zadziwiają przyjaciół:

– Wygląda jak przywiezione prosto z Paryża.

---

[44] *Pozole* – danie jednogarnkowe, sycąca mięsna zupa na bazie kukurydzy.
[45] *Mole manchamanteles* – słodka odmiana sosu *mole* z dodatkiem ananasa i banana.

– Po prostu mam swój styl.

– Gdybyś była Francuzką, zdobyłabyś sławę jak Chanel.

Na wspomnienie Jorge wzdycha: „Mało brakowało, a ten człowiek wpędziłby mnie do grobu".

– A może powinnam wydać powieść i opisać w niej, jak potraktowali mnie Diego i Jorge? – pyta Michel.

– Powieść? Ty? Powinnaś raczej znaleźć sobie innego i zapomnieć o tych dwóch towarzyszach.

– Concha, to żadni towarzysze, tylko ty tak na nich mówisz, to po prostu faceci. Gdyby Jorge to usłyszał, wykończyłby cię.

– A jego wykończyłoby twoje nocne życie. Nie wiem, jak to robisz, że wychodzisz co noc i masz siły szyć w dzień.

Lupe bywa w Broadwayu, El Pirata, Ledzie, dokąd chodzi z Villaurrutią, Agustínem Lazem, Lolą Álvarez Bravo (już bez Manuela), Juliem Bracho i braćmi Ceslestinem i José Gorostizami. Ze wszystkich najbardziej lubi chuderlawego chłopaczka o końskiej twarzy. To świeża dostawa z Guadalajary: Juan Soriano. Oboje szczycą się niezwykłymi grynszpanowymi oczami i niezrównaną zdolnością do kpienia sobie z innych. Lupe wyciąga Juana na parkiet, a ludzie komentują: „Co za niedobrana para! On mały i niezgrabny, ona wysoka i elektryzująca".

– Ej ty, jesteś facetem czy babką? – zagaduje Lupe jakiś pijak.

– Jestem większym facetem niż ty i większą kobietą niż twoja pieprzona matka – strzela go w pysk.

Starczy zagwizdać pod oknem Loli Álvarez Bravo, by szybko zbiegła i przyłączyła się do rozbawionej grupy. Wielka przyjaciółka Lupe opowiada jej, co słychać w Niebieskim Domu, i donosi, że Frida wypija nawet po dwie butelki koniaku dziennie, żeby zagłuszyć swoje bóle. Czasem przyłącza się do nich Pita Amor, która przychodzi w towarzystwie malarza Antonia Peláeza, całkiem naga pod futrem z norek. Gabriel Fernández Ledesma pilnuje swojej prześlicznej żony Isabel i bije po gębie nieszczęśników, którzy nieopatrznie poproszą ją do tańca. Machilę Armidę adoruje zastęp pretendentów. Uśmiecha się i wyjaśnia: „Jestem siostrzenicą świętej".

Nie sposób spotkać Jorge w Ledzie, ponieważ poeta przedkłada teraz ponad bary kinowe sale, gdzie Mae West udowadnia, że życie w służbie seksu zwiększa także liczbę neuronów. Wydaje mu się mniej konfliktowa niż Lupe, a nawet niż Alicja Echeverría. Mae West oświadcza: „Nie mogę być czyjąś żoną i jednocześnie symbolem seksu". Podobnie jak Lupe porzuciła szkołę po trzeciej klasie szkoły podstawowej, żeby opanować taniec brzucha *shimmy*. W 1920 roku wtrącono ją do więzienia za *Sex*, sztukę, która uratowała Broadway. Sama jedna wydźwignęła z zapaści wytwórnię Paramount pierwszym milionem za swoje filmy. W rozmowach w lokalach i salach ćwiczeń powtarzają jej słowa: „Seks to najlepsza gimnastyka".

Lupe wciąż chodzi po głowie pomysł z powieścią. Novo perswaduje: „Zajmij się lepiej krawiectwem". „O tobie też będzie w mojej książce, zobaczysz", wygraża mu. Villaurrutia proponuje: „Mógłbym to czytać, gdybyś dawała mi w miarę pisania". „Diego obiecał mi zrobić okładkę do *Jedynej*. Nigdy mi niczego nie odmawia".

Prosi Diega o pomoc praktycznie co chwila. Jeśli nie dla siebie, to dla córek; on zgadza się na wszystko. Słucha jej cierpliwie i coraz bardziej podnosi kwotę, jaką daje na utrzymanie dziewczynek. W niektóre samotne wieczory Lupe zastanawia się: „Co też ja miałam w głowie, kiedy przyszła mi ochota posłać go w diabły?".

Zmożona chorobą Frida nie sprzeciwia się z łóżka licznym żądaniom i stałej obecności Lupe Marín w ich życiu, bo rodzina Kahlo też co rusz ich odwiedza, szczególnie najbliższa sercu Fridy siostra Cristina, która towarzyszy Diegowi, gdy jego żona nie ma siły wywlec z pościeli swojego umęczonego kręgosłupa.

ROZDZIAŁ 27

DIEGADA

Bez słowa uprzedzenia Lupe zastępuje nocne imprezowanie pisaniem. Jest zawzięta, starczy, że ktoś powie jej o klęsce, a już rusza do ataku. Jej upór zaskakuje Conchę Michel: „Nie przeszkadzaj mi, nie mogę teraz nigdzie wychodzić". „Jaki dasz tytuł?", kpi sobie Concha. *„Jedyna*, bo jestem jedyną kobietą w życiu malarza Diega i jedyną w życiu pisarza Jorge Cuesty".

Rozdział, który Lupe daje Villaurrutii do przeczytania, wprawia go we wściekłość: „Jorge nie jest taki. To, co tu wypisujesz, to zniesławienie, to jest nie do przyjęcia".

– To przecież powieść – broni się Lupe.

– To nawet nie jest *roman à clef*, to wykoślawiona kronika, w której wszystkich oczerniasz.

W towarzystwie krąży na karteczkach *Diegada*, czyli satyry autorstwa Salvadora Novo, które doprowadzają Lupe do szału. Novo jest bezlitosny, mści się za wszystkie krytyki i atakuje Villaurrutię, Pellicera, Andrésa Henestrosę, Elíasa Nandina, nie wspominając już o nacjonaliście Ermilu Abreu Gómezie. Villaurrutię wprost wgniata w ziemię, bo ten rzucił go dla innego, i składa w jego ręce „o kobiecym zapachu" śmiercionośne wersy: „Ulubieniec to kurdupli, / rozgłos dobrze zasłużony, / wizytują go legiony, / żwawo ciągną do tej dziupli. / Goście cenią go i za to, / że za drobną już opłatą, / mały wzrostem, wielki dupą, / dekoruje pały kupą. / Lecz czy zwać go można szmatą?". Nikomu nie przepuści, wszyscy boją się ostrza jego złośliwości. Według Nova imię Lupe powinno się pisać ekskrementami, a Diego to skończony łajdak. „To potwarz", płacze Lupe. Novo nie ustaje, piętrzy kolejne okropieństwa, mówi o straszliwej katastrofie, jaka następuje w chwili, gdy Diego wchodzi po drabinie i dociera na szczyt rusztowania, by paskudzić dziewicze ściany. Jego zdaniem Diego to „skurwysyn, byk na dachu, *Bufalo vil*[46], wielce genialny malarz, który wyjeżdża do Rosji, porzucając swoje córki, o ile córkami można nazwać potomstwo hipopotama i harpi". Novo sądzi, że wyświadcza Cueście przysługę, pisząc: „Gdy Rosję bierze Diego pod lupę / w Meksyku Lupe nastawia dupę. / Uczynny Jorge w pocie czoła, znoju / z ołówkiem ostrym rusza wnet do boju". Novo musi sobie ulżyć, płynnie przechodzi od sarkazmu do zniewag, jego słowa nie są już nawet obraźliwe, są szkalujące, rozpisuje się o rzeżączce i erekcjach, o moczu i gównie, szankrach i ropniach, wychodkach, szczaniu, dupach. O Diegu pisze, że: „Mnoży freski z płodnością królika, / farbą znaczy każdy skrawek globu. / Kto to ceni? Gringo chyba, co nie wnika / w sens i cel hurtowego przerobu. / Nie wstyd ci, to maluj swoje kopaliny, / małpoludy z kilofem, bulwy i byliny / powabem malarskiego owładnięty żłobu". Najgorszy wiersz wtajemniczeni powtarzają sobie z ust do ust:

> Zranił się w rękę, jest załamany,
> nie będzie komu już brukać ściany.
> Rączka nawykła brać apanaże
> teraz spętana została bandażem.
> Zszedł z rusztowania po wielkim znoju
> i cielsko złożył w szopie na gnoju.
> Natychmiast zasnął i chrapał chyba.
> Tymczasem mucha, która z zapałem
> każdym zajmuje się ścierwem i kałem
> siadła na czole owego grzyba.
> Ten wnet się ocknął i w górę głowy
> pacnął z impetem, tak zabił owada.
> Lecz nie przewidział... Cóż to? O, biada!

---

[46] *Bufalo vil* – podły bawół.

Na to doprawdy nie był gotowy,
bo gdy zabijał winną ducha Bogu,
rękę swą nadział wprost na ostrze rogu.

Osiemdziesiąt lat później nawet jego biograf i wielki zwolennik, Carlos Monsiváis, powie, że Novo „zapomina o wyrafinowaniu i rozsmakowuje się w sztuce ubliżania", i przytoczy na dowód tego najłagodniejszy z owych sonetów: „Gdy już na każdym murze / zostawisz swoje bździny / od metropolii dużej / do zapadłej mieściny / na dole, z boku, w górze, / na schodach, płocie, rurze / usadzisz swe Leniny, / gwiazdy, sierpy i młoty, / nadejdzie czas ów złoty / gdy do prząśnej słoniny / rzepy, lucerny, dyni, / pól pełnych zieleniny / zatęsknisz, miasto rzucisz, / do pługa na wieś ruszysz, / a tam miast roli piewcą / zostaniesz onej siewcą. / Ruszaj w podróż, sokole, / pora zaorać pole!". Octavio Paz, mniej pobłażliwy niż Monsiváis, podsumowuje: „Miał w sobie wielki talent i wielką zjadliwość, nieliczne idee, a żadnej moralnej. Pełen zabójczych przymiotników i pozbawiony skrupułów atakował słabych i pochlebiał potężnym; nie walczył w służbie żadnych przekonań czy wiary, nie pisał krwią, lecz fekaliami".

Choć nie jest już *żoną Diega*, Lupe przychodzi do Casa de los Condes de Santiago de Calimaya, bo wie, że w jednym z tamtejszych biur pracuje Novo.

– Na dole czeka na pana jakaś bardzo rozzłoszczona kobieta – zawiadamia go portier.

– Jak wygląda?

– Wysoka, z parasolem.

Novo jest wystraszony, nie wychodzi na obiad. O dziesiątej wieczorem portier informuje:

– Ta pani dalej tam czeka.

Uodporniony na krytykę, szczególnie zaś na jad Novo, na okładce *Jedynej* Diego Rivera rysuje w 1938 roku dwie siostry Marín, Lupe i Isabel, które trzymają na tacy głowę Jorge Cuesty. Nie ulega wątpliwości, że to im przypada rola katów.

„Po co dałeś tu moją siostrę?" „A nie mówiłaś mi, żebym ją narysował? – woła Diego. – Nie mówiłaś, że chcesz się na niej zemścić?" „Tak, ale teraz nie jestem już tego taka pewna", odpowiada Lupe. Nagle powieść wydaje jej się niczym czerwona plama na czole, której nie sposób zetrzeć. „A jeśli się pomyliłam?"

– Nie mogę tego opublikować – denerwuje się wydawca Porrúa. Jednemu z wujków Preciado z Guadalajary udaje się złożyć rękopis w wydawnictwie z Jalisco. Lupe rozdaje wszystkim egzemplarze i dopytuje się codziennie: „Przeczytałeś już? Co o tym myślisz?".

Salvadora Novo portretuje jako zniewieściałego typa, wydaje wyrok na jego twórczość: „bez najmniejszej wartości literackiej".

– Zapłaci mi za to ta jędza – odgraża się Novo po przeczytaniu książki.

– Jeszcze bardziej? – dopytuje Carlos Pellicer.

Gorostiza przynosi jeden egzemplarz Cuescie.

– Będziesz się bronił?

– Przed czym niby? Nikt, kto mnie zna, nie uwierzy w podobne bzdury.

W redakcji dziennika „El Nacional" Lupe spotyka Luisa Cardozę y Aragóna:

– Z pewnością będziesz źle mówił o mojej książce, bo jesteś kolegą Jorge.

– Jeśli krytykuję twoją książkę, to nie przez wzgląd na moją przyjaźń z Jorge, tylko dlatego, że jest marna.

Zielone oczy Lupe rozpalają się gniewem, nagle jednak otwiera usta, wybucha śmiechem i przyciąga ku sobie Cardozę:

– Uj, jakiś ty malutki! Patrz, dokąd mi sięgasz!

– Gdybym był Jonaszem, od razu dałbym się połknąć – odgryza się Cardoza y Aragón.

– Tępy prostak z ciebie!

Postanawiają się czegoś napić w Broadwayu, ale ponieważ Luis Cardoza nie ma przy sobie grosza, Lupe znów płaci rachunek. „Jak w Paryżu", wspomina Luis.

Lupe trzyma w bieliźniarce kartony pełne egzemplarzy *Jedynej*. Co noc „nabrzmiała wściekłością" planuje kolejną powieść, która zamknie usta szkalującym ją potwarcom.

12 stycznia 1938 roku José Juan Tablada pisze w „Excélsiorze" to, czego jej przyjaciele nie mówią na głos:

Stronice te przywodzą na myśl uwalane szmaty z ukrytymi plamami, wydzielające niemiłe zapachy [...]. Mówiąc krótko, to kosz brudnej bielizny zarówno przez wzgląd na swoją zawartość, jak i prostacką oraz źle powiązaną formę. Będąc żoną najpierw wielkiego malarza, a potem literata, autorka zdobyła pewną kulturalną powłokę, jednak jest to warstwa tak cienka, że *il craque sous l'ongle*. Schodząc na jej poziom, moglibyśmy rzec, że w materii kultury „nawdychała się jej oparów".

Urażona i zła Lupe ubolewa nad zerowym oddźwiękiem swojego dzieła. Z tego wszystkiego ona, która tak dużo słucha radia, przeocza informację o dekrecie wywłaszczającym koncerny naftowe oznaczającym nacjonalizację złóż ropy ogłoszonym przez Lázara Cárdenasa w nocy 18 marca 1938 roku. Decyzja Cárdenasa przywraca Meksykowi ropę skonfiskowaną przez kompanie udające meksykańskie, El Águila czy Huasteca, które w rzeczywistości należą do Standard Oil i Shella. Cárdenas może liczyć na poparcie CTM (Konfederacji Robotniczej Meksyku) z Vicente Lombardo Toledano na czele, do którego Lupe nie czuje choćby cienia sympatii.

Lupe nie rozumie entuzjazmu Fridy, która opowiada, że Cárdenas wzruszył ją do łez, mówiąc przez radio: „Proszę cały naród meksykański o moralne i materialne wsparcie konieczne dla przeprowadzenia do końca tej tak uzasadnionej, ważnej i koniecznej reformy". „Masz pojęcie Lupe? Podobno do Pałacu Bellas Artes schodzą się rolnicy z kurami, koszami jaj i tym podobnymi rzeczami, żeby dać je doñi Amalii na spłacenie długu".

W kwietniu przypływa do Meksyku André Breton z żoną Jacqueline Lambą, a Diego i Frida zapraszają ich do siebie. Breton utożsamiał Meksyk z Indianinem śpiącym pod swoim sombrerem, ale od kiedy poznaje Fridę, ten kraj wydaje mu się taki jak ona: „to bomba przepasana wstążkami".

Zwolennik Trockiego Breton tak bardzo krytykował stalinizm, że w końcu musiał poprosić o azyl i stanowisko nauczyciela za granicą. Oczekuje na nominację, która nigdy nie nadchodzi. Opowiada każdemu, kto zechce go słuchać, że francuskie Ministerstwo Edukacji zaproponowało mu dwa kraje: Czechy lub Meksyk. „Oczywiście wybrałem Meksyk".

Lupe nie wypuszcza Diega. Wywrotowe wypowiedzi muralisty fascynują obie jego córki, które jedzą z dorosłymi. Prezentowane przez niego poglądy w końcu denerwują Trockiego. Lupe przyrządza dania, a podczas rozmowy po obiedzie wspomina spotkanie z Bretonem w Paryżu i swoją gafę, kiedy nazwała ich *subrealistami*. „Jesteś niesamowita!", woła Diego.

Za pośrednictwem Lupe Cuesta prosi, by Francuz złożył swój autograf na *Drugim manifeście surrealistycznym*. „Dla Jorge Cuesty, z przyjacielskimi wyrazami uznania. André Breton".

Ostatecznie Breton wygłasza tylko jeden wykład na Uniwersytecie Narodowym (*Współczesne przemiany w sztuce i surrealizm*), ponieważ liczne zamieszki studenckie przerywają cykl. Dzienniki w Meksyku przedrukowują ataki francuskiego stalinowskiego tygodnika „Marianne": „Trocki popiera wywłaszczenie koncernów naftowych Cárdenasa, ponieważ Meksyk będzie wysyłał ropę Hitlerowi". Ataki przeciwko Trockiemu dosięgają także Bretona. Jego żona Jacqueline spędza kilka dni w łóżku, zmagając się z *zemstą Moctezumy*.

Kiedy Diego, Trocki i Breton jadą do Guadalajary na wykład, „El Nacional" donosi, że spotkali się z Gerardem Murillo, Dr. Atlem, „agentem niemieckiej ambasady". Artykuły Dr. Atla publikowane są w gazecie „La Reacción", która popiera Złote Koszule, fanatyczną organizację antykomunistyczną:

– Traktują mnie jak faszystę! – oburza się Breton.

Diego zwiedza ze swoimi gośćmi Cuernavakę, Pueblę, liczne wsie i miasteczka w Michoacán, wchodzi z Bretonem na Popocatépetl. Nie ma mowy, by odmówili sobie jakiejś wycieczki! Lupe zastępuje Fridę w wejściu na wulkan, w euforii idzie obok swojego Brzuchacza. Autorowi *L'amour fou* ta nieskrępowana Meksykanka wydaje się atrakcyjniejsza nawet od Fridy. „Jeśli kiedyś się rozstaniemy, będziesz mnie codziennie odwiedzała jak Lupe Marín Diega?", pyta żony.

Breton notuje każde uliczne wyrażenie, każdą nazwę baru z *pulque*, każdy okrzyk obwoźnego sprzedawcy i pyta Diega: „Co to znaczy *kawał zgniłka?*". Zachwyca go zasłyszane na ulicy: „Daj mi cynk, blondasku".

Po czterech miesiącach Rivera i Breton redagują w Pátzcuaro swój *Manifest dla niezależnej sztuki rewolucyjnej*. W dokumencie uprzedzają o zagrożeniu stalinizmem i faszyzmem. Analitycy polityczni utrzymują, że jego prawdziwym autorem jest Trocki. „Jakakolwiek wolna działalność twórcza uznawana jest przez stalinistów za faszyzm. Niezależna sztuka rewolucyjna powinna zjednoczyć się w walce przeciw reakcjonistycznym prześladowaniom i proklamować otwarcie swoje prawo do istnienia".

30 lipca 1938 roku Breton z żoną wracają do Francji, nie przypuszczając, że ich także dosięgnie paranoja Hitlera.

ROZDZIAŁ 28

CZAS NIEBIESKIEGO DOMU

Na Pico i Chapo nikt nie zwraca uwagi. Do Niebieskiego Domu dociera straszna wiadomość i Frida nie wychodzi ze swojego pokoju ani nie interesuje się nimi. 21 sierpnia 1940 roku zamach na Lwa Trockiego wstrząsa opinią publiczną w Meksyku. „Lepiej, żeby dziewczynki poszły z Lupe – stwierdza Diego – bo tu przyjdzie policja". „Co się stało?", pyta Ruth starszej siostry. „Chcieli zabić tego staruszka, jest w ciężkim stanie". „Którego staruszka?", „Tego, co ma króliki". Kiedy dziewczynki odwiedziły Natalię Siedową i Trockiego w ich domu przy ulicy Viena, zaprowadził je on do klatek z drewna i drutu, które codziennie rano otwierał, by nakarmić króliki. Biały królik z różowymi uszami i noskiem łapczywie pożerał lucernę, a Trocki powiedział: „Jak szybko je!". Ruth zobaczyła, że się uśmiecha. „Bo wiesz, ten królik jest do mnie podobny", Trocki pokazał na swoją kozią bródkę i puścił oko.

Teraz Trocki nie otwiera już żadnej klatki. Na jego pogrzeb w czteromilionowym mieście przychodzi przeszło trzysta tysięcy osób. Zabicie Trockiego to nikczemność. Diego dotrzymuje towarzystwa skurczonej z bólu Natalii Siedowej i jej wnuczkowi Stiefanowi Wołkowowi. Frida nie bierze udziału w pogrzebie; Lupe Marín tym bardziej.

Pico rozpoczyna naukę w *Prepie*[47] i nieoczekiwanie zostaje

---

[47] *Prepa – preparatoria*, szkoła przygotowująca do podjęcia studiów wyższych; w tym wypadku Państwowa Szkoła Przygotowawcza (Escuela Nacional Preparatoria) przy uniwersytecie UNAM w mieście Meksyk.

członkiem Rady Studenckiej; zapisuje się na listę, robiąc tym samym pierwszy krok w studenckiej polityce. Publiczne wystąpienia nie stanowią dla niej problemu, wszyscy ją oklaskują. Przy wyjściu czeka na nią orszak chłopców. Po wyborach Diego pyta: „Jak poszło?". „Przegraliśmy z tym królikiem Luisem Faríasem".

– Moja siostra nie boi się tłumów – informuje z dumą Ruth.

– Ma to po mnie – winszuje sobie Diego.

Kiedy Ruth jest na pierwszym roku *Prepy*, jej starsza siostra Lupe, która wkrótce ma ją skończyć, zawiadamia ojca, że zamierza się zapisać do Szkoły Handlowo-Bankowej przy Paseo de la Reforma, tak jak zdecydowała Lupe Marín, „bo jedna koleżanka powiedziała jej, że sekretarki świetnie zarabiają". „Moje córki sekretarkami? Zwariowała! Moje córki pójdą na studia", oburza się Diego.

Lupe zapisuje się do Szkoły Prawniczej przy ulicy Justo Sierra.

– Wszyscy adwokaci to bandyci! Czy nie ma już innych kierunków? – wybucha Diego.

Widząc minę swojej córki, zmienia ton: „No dobrze, jeśli chcesz być adwokatem, przedstawię cię mojemu kuzynowi Manuelowi Macíasowi, który ma ładny gabinet".

Manuel Macías zaprasza młodą bratanicę, żeby wzięła udział w eksmisji: „Tutaj nauczysz się wszystkiego w praktyce". Na widok ubóstwa w zajmowanym domostwie, potłuczonych szyb w oknach, skrzynek po warzywach służących za meble, Lupe zachowuje pełne bólu milczenie. Ku zdumieniu prawnika, wyciąga z portmonetki trzydzieści pesos i podaje eksmitowanej kobiecie.

– Panie mecenasie, nie zostanę w pana kancelarii.

– Uważasz się za obrończynię uciśnionych? Taka jest rzeczywistość, moja mała, będziesz musiała się przyzwyczaić…

„Bardzo dobrze zrobiłaś", gratuluje jej Diego.

Lupe Marín jest sceptyczna: „Myślisz, że rozwiązałaś jej problemy za pomocą trzydziestu pesos? Kto jej da na następny czynsz?".

„Moja matka to kobieta *prymitywna*, tak o niej mówią jej znajomi", podsumowuje Mała Lupe. „Twoja matka jest autentyczna, szczera do bólu", sprostowuje Concha Michel.

Ruth unika jakichkolwiek konfrontacji z Lupe Marín, ale kłótnie między Małą Lupe a jej matką stają się coraz gwałtowniejsze. Nikt nie pamięta o młodszym bracie, Luciu Antoniu.

Po zajęciach z prawa rzymskiego w szkole przy Justo Sierra Lupe Rivera zachodzi do Pałacu Narodowego, żeby popatrzeć, jak maluje ojciec. Diego zaprasza ją na obiad do Las Delicias, w Centro: „Nie ma nic lepszego niż jedzenie twojej matki, ale prawda jest taka, że serwują tu przepyszną zupę szpikową". Antonio Carrillo Flores z Ministerstwa Finansów ma w zwyczaju zachodzić do Diega w Pałacu Narodowym.

– Diego, co tu robi twoja córka?

– Obija się.

– O, nie! Zaraz ją zabieram do swojego biura.

W wieku siedemnastu lat dziewczyna, która interesuje się zarówno polityką, jak i ekonomią, zaczyna pracę w Nacional Financiera.

– Będziesz komunistką jak twój tata, moja mała?

– Wykluczone.

Po Lupe Marín odziedziczyła głęboką niechęć do meksykańskiego komunizmu: to wałkonie, pasożyty, głodomory, żebracy. „Ilekroć te typy pukały do drzwi domu przy Mixcalco, to tylko po to, żeby coś wydębić od twojego ojca".

W 1941 roku, w czasie gdy Lupe Rivera skupia się na Szkole Prawniczej, a Ruth jest na trzecim roku *preparatorii*, Lupe Marín próbuje obmyślić drugą powieść *Dzień ojczyzny*[48], którą Agustín Loera y Chávez obiecuje opublikować w mieście Meksyk. Julio Torri, przyjaciel Loery y Cháveza, zachęca go: „Zobaczysz, że ta będzie się dobrze sprzedawać". W drugiej książce Lupe atakuje intelektualistów i dziennikarzy, którzy skrytykowali *Jedyną*. Przyrównuje ich do *kotów*. „Najważniejsze to osłodzić gorzką pigułkę, nawet koty o tym wiedzą. Czy nigdy nie bawiliście się w dzieciństwie ziemią? Nie widzieliście, jak dyskretnie i elegancko koty potrafią ukryć… to, co mają do ukrycia?"

W *Dniu ojczyzny* atakuje Salvadora Novo. Wydawca Loera y Chávez doradza jej usunięcie wielu fragmentów.

---

[48] *Un día patrio*, Guadalupe Marín Preciado.

– Daj już temu spokój, nie widzisz, że się ośmieszasz? – komentuje Rivera.

Reakcja na *Dzień ojczyzny* jest praktycznie żadna, a dwóch czy trzech czytelników, którzy wypowiadają się na temat książki, uważa ją za bezwartościową.

– Musi do ciebie dotrzeć, że nie jesteś pisarką; twoje powołanie to krawiectwo, na tym polu się wyróżniasz, zajmij się więc tym i swoimi córkami – radzi Juan Soriano.

Również hiszpański malarz Antonio Peláez, brat poety Fransisca Tario, powtarza jej, żeby zajęła się szyciem.

Marín wraca do swojego Singera. Przy kolacji Ruth rzuca jej w twarz:

– Nic nie wiesz o Jorge? Słyszałam, że jest chory.

– Nie wiem ani nie chcę wiedzieć, co dzieje się z tym osobnikiem.

Lupe unika swojego syna Antonia. „Nienawidzę go", zwierza się Conchy Michel. „Jak możesz nienawidzić własnego syna?" „Nienawidzę go, bo to syn Jorge".

Codziennie rano przed wyjściem Marín uprzedza córki: „Jeśli nie posprzątacie domu na błysk, zapomnijcie o spotkaniach ze swoimi fagasami". Choć są już studentkami, jedna pierwszego semestru, a druga w *preparatorii*, nie waha się ich bić. Wieczorami, po powrocie z Sor Juana Inés de la Cruz bierze dom pod lupę:

– Umyłyście już schody?

– Tak, Ruth umyła.

Pochyla się nad stopniami.

– Kłamiesz! Są brudne!

Chwyta szczotkę i uderza Małą Lupe, krzycząc: „Dosyć tego!".

Lupe nie ma ochoty znosić dłużej ciosów matki i wyprowadza się do Niebieskiego Domu. Jest ekstrawertyczką, nie boi się mówić, co myśli; jej koledzy z pierwszego roku prawa zazdroszczą jej, chłopcy uganiają się za nią, choć ostrzegają się wzajemnie: „Nie zadawaj się z Riverówną, jej ojciec chodzi uzbrojony".

Uwagę Lupe przyciąga pewien młody chłopak, najlepiej ubrany i najbardziej szarmancki w całej szkole. Oficjalny do szpiku kości Luis Echeverría Álvarez podziwia Diega Riverę. Nigdy nie przypuszczał, że ma ładną, wesołą, bystrą i kochliwą córkę! W odróżnieniu od innych opowiada mu o swoich lekturach; przeskakuje od Dostojewskiego do Romaina Rollanda i od *Jana Krzysztofa* do *Madame Bovary*, bo Flauberta uwielbia, choć nie tak bardzo jak *Czerwone i czarne* Stendhala. Luis szybko wyznaje jej miłość. Lupe jest nim zafascynowana. Czuje się taka bezpieczna, gdy wszyscy widzą ich chodzących za rękę po uczelni!

Choć Luis przychodzi z nią co niedziela na obiad do Niebieskiego Domu, Diego nie bardzo go lubi. Za to Lupe Marín wychwala go pod niebiosa: „Taki przystojny, a do tego umie się ubrać".

Diego z Fridą wydają przyjęcie w Niebieskim Domu i zapraszają José Guadalupe Zuna z jego córką Marią Esther.

– Przedstawię ci mojego chłopaka, sama się przekonasz, jaki jest sympatyczny, chodzimy ze sobą od sześciu miesięcy! – zwierza się Lupe Marii Esther. Po półgodzinie rozmowy Luis Echeverría nie może oderwać wzroku od Marii Esther Zuno.

– Ile czasu planują państwo spędzić w stolicy? – Oferuje się, że oprowadzi ich po mieście.

W błyskawicznym tempie Luis Echeverría ogłasza swoje zaręczyny z Marią Esther Zuno. Rok później biorą ślub.

Mała Lupe upada na duchu. Utraciła narzeczonego, a w dodatku paraliż Fridy pogrąża w chaosie cały Niebieski Dom. „Matka mnie bije, a tutaj, w tym zaśmieconym i brudnym domu, koszmarnie mi się mieszka".

Dom śmierdzi słomą od wielkich ilości marihuany, jakie wypala Frida ze swoimi gośćmi. Po dziesięciu miesiącach Mała Lupe wraca na ulicę Tampico.

– Podobno u Fridy miało być cudownie? – kpi sobie z niej Lupe Marín.

Marín nie wie, co to wyrzuty sumienia, nie zdaje sobie także sprawy z siły własnych słów. Całe życie kieruje się impulsami, które, co dziwne, z czasem zaczynają skupiać się wokół tego, co powiedzą inni i co wypada. A także wokół pieniędzy. Gdyby teraz ktoś zajrzał jej głęboko w oczy, prócz zaskakującej grynszpanowej zieleni odkryłby zieleń dolara wirującą wokół malarstwa Diega.

Jej sława (której jest obecnie bardzo świadoma) pochodzi z małżeństwa z Diegiem. Skorzystał na nim nawet Jorge. Wykrzykuje mu to w twarz. Bez Lupe byłby nikim. Zdobył sobie niejaką popularność tylko dzięki niej, Lupe Marín, żonie Diega. W Meksyku nikt nie czyta, pisarze to fantaści, którzy żywią się złudzeniami. Kto w ogóle o nich słyszał? Sława Jorge opiera się na tym, że odbił żonę Diegowi Riverze. Zanim ją poznali, cali ci Contemporáneos byli tylko bandą ciot i frustratów, literatów z trzeciorzędnych czasopism, które w najlepszym razie nadają się na podpałkę. Społeczeństwo nimi gardzi, nie znają nawet francuskiego, pochodzą ze wsi w rodzaju Chalchicomuli, nie nadają się do niczego, trawią życie na pedaleniu się po kawiarniach, bo są opóźnieni w rozwoju. Lupe drze się teraz na całe gardło: „Jeśli ktoś w ogóle o tobie słyszał, to tylko dzięki mnie i Diegowi! Beze mnie dalej byłbyś nędznym dydelfem z brudnej kałuży, w pięknym garniturku, to i owszem. Nie wiem, jak mogłam zamienić giganta na takiego dydelfa".

W odróżnieniu od Fridy, która ceni u Diega jego troskę o najbiedniejszych, Lupe doprowadza do szału, kiedy próbują ją naciągać. W duszy Diega kryje się łagodność, w sercu Lupe wrze wściekłość. Diego żyje bez luksusów, jego podarte ogrodniczki poplamione są farbą; w południe je tortillę z ryżem i fasolą, o ile nie jest właśnie na swojej truskawkowej diecie, która go osłabia. Jest wielkoduszny, lekką ręką rozdaje szkice, a nawet obrazy. Przyciąga do siebie ludzi niczym magnes, stale otacza go tłum potrzebujących. „Daj mi, daj mi, daj mi". Jego sława rośnie niczym śniegowa kula, marchandzi i milionerzy przyjeżdżają ze Stanów Zjednoczonych zobaczyć, co można kupić. Lupe też chce, żeby jej dawał: „Jestem pierwsza, jedyna". Kiedy tylko dowiaduje się, że jakiś magnat zawitał do Meksyku, spieszy do Niebieskiego Domu, by skapnęło jej coś z łupu. Przedstawiciele starej gwardii, arystokraci, pozwalają sobie na pogardliwe komentarze, bo uważają, że ani Diego, ani Frida nie są „ludźmi na poziomie", a tymczasem ci dwoje rosną i potężnieją, aż osiągają rozmiary wulkanów Popocatépetl i Iztaccíhuatl. Cardoza y Aragón ogłasza ich elementem meksykańskiego pejzażu.

ROZDZIAŁ 29

LIST DO DOKTORA LAFORY

W swoich artykułach dla dziennika „El Universal" Jorge Cuesta nieustannie atakuje Vicente Lombardo Toledano, najważniejszą postać meksykańskiej lewicy, lidera CTM, pierwszego proletariusza kraju, marksistę, jednego z Siedmiu Mędrców, tymczasowego gubernatora Puebli, który zawsze chodzi w tym samym garniturze (choć potem wyda się, że w jego garderobie wisi pięćdziesiąt identycznych). Szczytem jest list do byłego prezydenta republiki, Emilia Portesa Gila, w czasopiśmie „Hoy" z 23 marca 1940 roku: „Wszystkie działania pana Lombardo Toledano są pełne hipokryzji, obłudy, fałszu. Nigdy nie był ani filozofem, ani intelektualistą, ani tym bardziej rewolucjonistą!".

Pewnej nocy, gdy wraca do swojego mieszkania przy alei México 31 w kolonii Condesa, atakuje go trzech mężczyzn. Ciosy ustają dopiero, kiedy nieprzytomny Cuesta osuwa się na ziemię. „Ty głupi kutasie, pieprzony skurwielu, zobaczymy, czy teraz odpierdolisz się w końcu od szefa", krzyczą przy każdym razie.

Po pobiciu przez wysłanników Lombardo Jorge odczuwa coraz większe bóle głowy i cierpi na manię prześladowczą: *oni* przyjdą po niego. Czasem są to lombardziści, innym razem Żydzi lub masoni, a pojawić się mogą o każdej porze. Z lewego ucha wciąż sączy mu się krew. Być może owo brutalne pobicie wyzwala to, co Cuesta przeczuwał od wczesnej młodości i z czego zwierzył się Lupe: „Mam chorobę przysadki mózgowej, w wieku trzydziestu pięciu lat zwariuję, nie ma na to lekarstwa".

Spędza więcej czasu zamknięty w swoim mieszkaniu niż w pracy w Stowarzyszeniu Producentów Alkoholu, w niektóre dni migrena przykuwa go do łóżka. We wrześniu 1940 roku brat Jorge Víctor oddaje go po raz pierwszy do szpitala psychiatrycznego La Castañeda w Mixcoac. Lekarze aplikują mu elektrowstrząsy i insulinę, a stabilność psychiczną uznają za zerową. Podczas pobytu Cuesty w szpitalu umiera na udar mózgu jego matka Natalia Porte-Petit. Gdy Jorge wychodzi do domu, nawet Víctor nie ma odwagi mu o tym powiedzieć.

Po pierwszym zamknięciu następują jeszcze przynajmniej trzy.

Pewnego ranka Jorge znajduje wsuniętą w szparę pod drzwiami kartkę, na której ktoś grozi mu śmiercią. Biegnie z nią do Xochimilco, gdzie jego brat wynajmuje mieszkanie z Alicją Echeverríą – dawna dziewczyna Jorge teraz jest żoną Víctora. „Bracie, przeprowadź się do San Ángel". „A moja praca?" Víctor prosi Luisa Arévalo, przyjaciela z Córdoby w Veracruz, żeby pomógł Jorge urządzić laboratorium w jednym z pomieszczeń w jego nowym domu. „Mój brat to geniusz, ty będziesz pierwszym beneficjentem".

Na widok ubranego na czarno Jorge, wysokiego i ponurego, z niemal całkiem opadłą powieką, oddany don Néstorowi Arévalo wpada w popłoch. Jeszcze bardziej przerazi się w kolejnych dniach. Jorge wyjaśnia mu, że jego eksperyment może zmienić nie tylko ich własny los, lecz także los wszystkich ludzi w okolicy. „Luis, stoi pan u progu nowego życia. Jeśli będzie pan ze mną współpracował, zostanie pan moim wspólnikiem i stanie się pan potężny". Jednak nie pozwala nikomu wchodzić do swojego pokoju, ani Luisowi, ani Víctorowi czy Alicji, którzy często go odwiedzają. „Pracuję nad czymś bardzo ważnym". Jeden z jego eksperymentów polega na przekształceniu odpadów oleju spożywczego w paliwo. Co noc Luis Arévalo chodzi po okolicznych smażalniach *tacos* i restauracjach i pyta, czy nie zostały im resztki zużytego oleju.

– A na co on panu? – pytają kucharze.

– Na paliwo do aut.

– No, skoro ubija pan na tym interes, mogę panu sprzedać!

Jednak eksperyment, dla którego Cuesta zarywa noce, to próba znalezienia eliksiru życia, związku na bazie ergotaminy ekstrahowanej ze sporyszu rosnącego na życie. Sztucznie wytworzony pozwoliłby wyeliminować toksyny zatruwające organizm i niszczące tkanki. Contemporáneos wiedzą, że Jorge jest swoim własnym królikiem doświadczalnym. Dwa miesiące później Cuesta umawia się z braćmi José i Celestinem Gorostizami oraz z Carlosem Pellicerem, żeby dać im do spróbowania swój eliksir.

– Zdaje się, że po wielu bezsennych nocach odkryłem tajemnicę wiecznej młodości. Mam nadzieję, że to wypróbujecie i pomożecie mi spopularyzować.

– Zawsze chciałem poznać twoje źródło młodości – żartuje sobie Carlos Pellicer, który żyje niemal nago w Tepoztlán.

By go zadowolić, przyjaciele piją miksturę przez kilka dni. Jej działanie jest energetyzujące.

– Nie wiem, czy to źródło młodości, ale ma wielką moc. Można po tym pracować bez zmęczenia przez szesnaście godzin – przyznaje Pellicer, klepiąc się po obnażonej piersi.

– Tylko trzeba stwierdzić, że u ciebie mikstura nie wywołała należytego skutku, bo wyglądasz raczej mizernie – podsumowuje Celestino Gorostiza, który ma niewiele wspólnego ze swoim bratem José.

– Jorge – zachęca go dobrodusznie Pepe – czemu nie zostawisz tego na jakiś czas? Źle wyglądasz. Może byś pojechał odpocząć do Córdoby? Zobaczysz się z synem i rodziną... Pomogę ci...

Od młodości Jorge cierpi na hemoroidy. Teraz wyciąga z krwawienia nowy wniosek: „Jestem w stadium interpłciowym, przekształcam się w kobietę".

– Mam menstruację – mówi do Alicji, która kierowana poczuciem winy odwiedza go częściej niż Víctor.

– No to teraz już wiesz, jak miło być kobietą – odpowiada jego dawna kochanka, nie przywiązując do sprawy większej wagi.

Gdy Víctor z Alicją odchodzą, Jorge nie panując już nad sobą, bierze szpikulec do lodu i próbuje rozerwać sobie jądra. Luis Arévalo znajduje go leżącego w wannie w kałuży własnej krwi. Przerażony zawozi go do kliniki doktora Lavisty w Tlalpan.

Po tej próbie kastracji i kilku dniach spędzonych w szpitalu, lekarz Gónzalo Lafora dochodzi do wniosku, że Cuesta cierpi na

„stłumiony homoseksualizm", i odsyła go do domu. Lafora to hiszpański uchodźca, republikanin, który leczy Lupe Marín i przyjaźni się z nią. Współpracował z odkrywcą alzheimera w Monachium, więc nie może się mylić. Oburzony diagnozą Jorge wysyła do niego list:

> Poinformowałem Pana, że w ostatnich miesiącach przyjmowałem różne substancje enzymatyczne, które wytwarzałem w procesie syntezy opracowanym w celu wypróbowania na sobie samym ich działania „detoksykacyjnego". Poinformowałem Pana o tym, by ocenił pan ewentualne efekty anatomiczne lub morfologiczne, jakie mogło na mnie wywrzeć spożycie wspomnianych substancji. Pan stwierdził tylko dwie rzeczy: 1) że przypisywanie przeze mnie tym substancjom efektu anatomicznego to kolejny nonsens (potwierdzający raz jeszcze umysłową obsesję) […]; 2) że skutek, jaki mogłyby wywrzeć, powinien dotyczyć systemu nerwowego. Może jest tak, jak Pan podejrzewa, ale nie sądzę, by dało się to stwierdzić bez przeprowadzenia obserwacji na innych organizmach doświadczalnych poddanych działaniu tych samych substancji, które ja zażywałem, a które na razie nie są znane nikomu, jedynie mnie, ponieważ sam je wytworzyłem.

Miast uznać godną uwagi jasność umysłu pacjenta, Lafora załącza list do dokumentacji i woli słuchać swojej informatorki, Lupe Marín, która mściwie sączy jad, opowiadając, że Cuesta jest zakochany w Villaurrutii, ma odchyły wszelkiego rodzaju, łączyły go stosunki seksualne z młodą szwagierką, jej obłudną siostrzyczką Isabel Marín Preciado, która „niby to przyjechała się nią zająć, ale tak naprawdę cały czas tylko podrywała Jorge". Zapewnia, że dręczy go też miłość do własnej siostry, Natalii Cuesty Porte-Petit, „mdłej blondynki. A na dobitkę to maniak, który zadręcza swojego syna i był skłonny posunąć się nawet do agresji względem matki, tej pseudo-Francuzki, da pan wiarę?".

Za pośrednictwem doktora Lafory Lupe śledzi z dala, ale z wielką dokładnością przemiany w stanie Cuesty. Dla niej udowodnienie jego szaleństwa równa się pokazaniu całemu Meksykowi (*tout Me-*

xique), że to ona miała rację. Lafora przyjmuje ją w swoim gabinecie i słucha, jakby ta pełna pasji kobieta była jego koleżanką po fachu.

Nocą, w łóżku, Lupe myśli sobie, że ten członek, który Jorge próbował sobie uciąć, był kiedyś w niej, że stanowi część jego ciała i że musiał strasznie cierpieć. Nie chce sobie wyobrażać, jak zaatakował sam siebie, ale wizja okaleczającego się Jorge prześladuje ją. Co za poplątane życie! Wciąż ma przed oczami krew Jorge i nie pojmuje, jak Lafora mógł go wypuścić z kliniki po tym wszystkim, co mu opowiedziała. Doskonale zdaje sobie sprawę, że Jorge to chodząca encyklopedia, wie więcej, niż napisano w książkach, jest lepszy od każdego lekarza. Od młodości stale sobie coś wstrzykuje w imię postępu nauki, radzi się go Huxley, wielu cudzoziemców przyjeżdża do niego do Meksyku i bez wątpienia ma większą wiedzę niż Lafora. Lupe wypełnia plątanina sprzecznych uczuć, nie uświadamia sobie skutków własnych oskarżeń. Upiera się, że Jorge nie tylko zna się na chorobach umysłowych, lecz także na intelektualnej kastracji, ponieważ pozbawił się także swojego zmysłu krytycznego.

– Sęk w tym, że ten typ nie lubi sam siebie – podsumowuje zadowolona, że wzniosła się na poziom Lafory.

ROZDZIAŁ 30

SAMOBÓJSTWO POETY

Po wyjściu ze szpitala kryzysy Jorge następują jeden po drugim, poetę dręczą omamy. Banda demonów ściga go po całym domu, przeraża go najmniejszy szelest. „Słyszeliście to? Zaraz będzie trzęsienie ziemi".

Luis Arévalo wraca z puszkami oleju, nagle alarmuje go dym buchający z mieszkania: „Nie wchodź!", krzyczy Jorge. Leży nago w pozycji embrionalnej na podłodze w kuchni.

– Nie wchodź do pokoju! Materac jest pełen żmij.

Luis dzwoni do Víctora, a ten zawiadamia doktora Laforę. Lekarz nakazuje: „Musi natychmiast wrócić do szpitala".

Víctor i Alicja Echeverría przychodzą do mieszkania w San Ángel i mówią Jorge, żeby się ubrał do wyjścia. Bez protestów robi, o co proszą. Kąpie się, goli i ubiera w granatowy garnitur, który Lupe tak lubiła. Co dziwne, Marín codziennie uparcie dzwoni do Lafory.

– Dokąd idziemy? – pyta Jorge z nadzieją.

– Do lekarza.

Rozczarowanie zwiększa się, gdy za drzwiami napotyka pociągłą twarz, głęboko osadzone oczy i wąsy Hiszpana Gónzala Lafory:

– Co tu robi ten konował?

– Przyjechałem panu pomóc, proszę pójść ze mną. – Lafora wyciąga rękę.

– Z panem nie pójdę nawet na róg.

– Trzymajcie go! – poleca Lafora.

Dwóch pielęgniarzy zmusza go, by wsiadł do karetki. Spojrzenia, jakie Jorge posyła Víctorowi, ten nie zapomni nigdy. „Puśćcie go, to mój brat", krzyczy zdjęty wyrzutami sumienia. Jorge łzy ciekną po twarzy. Pozwala się prowadzić, bezwolnie jak szmaciana kukła.

Zakład dla psychicznie chorych w Tlalpan to ogromna posiadłość, z której Kościół został wywłaszczony przez prezydenta Juáreza, a którą pod koniec 1898 roku Rafael Lavista, pochodzący z północy pionier chirurgicznego leczenia epilepsji, przekształcił w szpital. Leczy się tu zarówno alkoholizm, jak i zaburzenia psychiczne pacjentów z klasy średniej i wyższej, bo biedaków wysyła się do La Castañedy.

Szerokie korytarze, zaniedbane ogrody i sale pod numerem 89 ulicy Guadalupe Victoria mogłyby przerazić każdego. „Proszę się nim zająć", poleca doktor Lafora sennemu lekarzowi. Medyk podchodzi do Jorge i bez słowa podaje mu kartkę papieru – poeta wypełnia ją pewną ręką. Lekarz pobiera mu próbkę krwi, a wysłuchawszy relacji Lafory, pyta:

– Proszę mi powiedzieć, czemu podpalił pan materac…

– Niech mnie pan nie traktuje jak kretyna.

Lekarzowi przyzwyczajonemu do pijaków, pacjentów gwałtownych, smutnych, zrezygnowanych i posłusznych starcza jeden rzut oka, by zrozumieć, że Cuesta nie pasuje do żadnej z tych kategorii, wyzwanie w jego spojrzeniu jest większe.

– Dajcie mu elektrowstrząsy – ordynuje Lafora – i zaprowadźcie do jego pokoju. Jak będą wyniki analiz, coś mu przepiszemy.

Wyładowanie elektryczne zmienia Cuestę w bezbronne dziecko. Je i śpi, kiedy mu każą jego oprawcy. Tydzień później, z umysłem jaśniejszym niż kiedykolwiek, prosi o ołówek i papier. Pisze *Raj odnaleziony*[49] na stojąco, od ręki:

O litość nie prosi, gdy w agonii kona
Z czucia już wyzuty, pogrążony w mroku

---

[49] *Paraíso encontrado*, Jorge Cuesta.

Umysł wykrwawiony, blady niczym popiół
Z zamarłego ciała urodzony łona.

Okresy omamów przeplatają się z chwilami absolutnej jasności umysłu, które wykorzystuje, by poprawiać *Pieśń do mineralnego boga*, póki migrena nie zmusza go do wstania w ciemnościach pokoju. O każdej porze słyszy głosy (jeden z efektów kardiazolu), ale odkrywa sposób pozwalający je uciszyć: recytuje na głos wiersze. Czasem gra w szachy z innymi pacjentami, lecz uśmiecha się tylko wtedy, gdy kogoś zaszachuje. Jedyna osoba, która przykuwa jego uwagę, to mały i łysy Jacobo, na którego twarzy w równych proporcjach mieszają się melancholia i zawadiacka przekora.

– Ja też jestem poetą.

Wspólnie podziwiają najlepszą rzecz w domu wariatów: zachód słońca. Wtedy Jorge opowiada o chemikaliach, a Jacobo o skrzypcach:

– Zawsze chciałem grać na jakimś instrumencie – wyznaje Jorge.

– Czemu cię tu przywieźli?

– Bo podpaliłem materac.

– Mnie za włóczęgostwo i byłbym już wolny, gdyby nie wpadło mi do głowy krzyknąć do nich: „Nie bijcie mnie, jestem czerwonym Chrystusem!".

Jorge, który nie ma zezwolenia na przyjmowanie wizyt, pisze do Neny:

Kochana Siostro!
Martwię się nie tyle sobą, co przede wszystkim z Waszego powodu, nie wyłączając Lucia Antonia, dzieci Juana i Twoich. Rzeczywiście prawie już wariuję, a może i całkiem zwariowałem od tych myśli. Jednak trudno uznać za szaleństwo to, że jestem świadom wszystkiego, co dzieje się ze mną od przeszło dwóch lat. Ten obłęd przyszedł do mnie, bo nikt nie chciał zaprzątać sobie mną głowy, a nawet gorzej, dlatego że prawie wszyscy, zdając sobie z tego sprawę lub nie, spisywali mnie nieustannie na straty. Choć właściwie ja sam się spisywałem […]. Kup Lu-

ciowi Antoniowi jego karmelowe lizaki, żeby miał codziennie, ale bez przesady. A jeśli ci starczy, kup mu też co niedzielę coś miłego po kinie, jeśli go tam weźmiesz.

Pielęgniarze nie mogą pojąć, jak człowiek jego pokroju i manier mógł trafić do grona ludzi skazanych na zapomnienie, „ludzkich odpadów". Wyniosły i elegancki, o spojrzeniu głębokim i bystrym. O ile zwraca się do nich, to jedynie po to, by poprosić o papierosy Delicados i wysłanie listów do Natalii Cuesty.

Kochana Siostro!
Doktor Guevarra Oropeza obiecał mi, że przynajmniej dostanę pozwolenie na osłodzenie mojego uwięzienia listami od Was. Dlatego proszę Cie żebyś zebrała listy od Lucia Antonia, Víctora, taty, jeśli tam jest, a jeśli nie, to poproś go o nie, tak samo Néstora, dołącz także list od Ciebie i Twoich dzieci. Tylko bardzo proszę, powiedz wszystkim, że jeśli mają zamiar wypisywać mi jakieś szlachetne kłamstwa na pociechę, niech lepiej piszą o pogodzie.

Jeżeli zostanie Ci pieniędzy, i jeżeli jeszcze tego nie sprzedano, kup mi w księgarni Cosmos (takiej małej koło kina Palacio) francuską książkę *La Chimie Colloidale* czyli *Chemia koloidalna*, kosztuje coś między trzydzieści a czterdzieści pesos.

I przywieź mi książki S. Mallarmégo, które mam w domu: *Rozmyślania* (żółta książka, jeszcze nierozcięta) i *Wiersze*. Poza tym *Crime et Châtiment* Dostojewskiego i książkę do chemii po angielsku pod tytułem *Textbook of Organic Chemistry* Richtera (autor). Ściskam Cię mocno. Jorge.

W dniu, kiedy pozwalają im go odwiedzić w Tlalpan, Nena, która dopiero co przyjechała z Córdoby, poznaje brata jedynie po wzroście. Jest chudy jak szkielet, ma straszliwie zapuchnięte oczy. Pielęgniarz informuje ją: „Płakał przez całą noc, spędził ją na kolanach ze skrzyżowanymi ramionami".
– Jorge.
Widząc Natalię, przytula ją i podaje jej kartkę.
– To dla ciebie.

Natalia czyta: „Panie, nasz los zapisany jest od początku. Jak moglibyśmy mu się sprzeciwiać? Jesteśmy jego niewolnikami, a jedyną naszą ochroną Twe miłosierdzie. O, Boże, Panie nasz, zechciej otoczyć nas wszystkich Twą opieką, nie pomijając żadnego z Twych sług".

Guadalupe Marín nigdy go nie odwiedza, można wręcz odnieść wrażenie, że delektuje się jego upadkiem. Kipi z wściekłości na niego i siebie samą. Hiszpańskiemu lekarzowi szczegółowo opowiada o ich pożyciu, wyjaśnia, o której godzinie się uspokajał (niemal zawsze o zmierzchu), o jego manii czystości, nawykach, ostrzach, jakich używa do golenia, erekcjach, rozmiarze członka, całej sferze intymnej. Chwali także jego cudowny intelekt: „Brydża nauczył się błyskawicznie i zaraz ograł wszystkich".

Nadchodzi kolejny kryzys; Jorge stawia łóżko na sztorc, barykaduje się za nim i nikomu nie pozwala się zbliżyć. „To moje okopy!" Obezwładnia go trzech pielęgniarzy, zakładają mu kaftan bezpieczeństwa. Jacobo przygląda się wszystkiemu przez dziurkę od klucza.

– Rozwiąż mnie – prosi go Jorge, kiedy Jacobo wchodzi do środka.

Uwolniony żegna przyjaciela: „Nic się nie martw, już mi przeszło". Czesze się, goli pięciodniowy zarost, po czym z całym spokojem skręca z prześcieradła sznur i owija sobie wokół szyi. Drugi koniec przywiązuje do poręczy łóżka. Z wściekłością nagromadzoną przez trzydzieści osiem lat życia rzuca się na ziemię i skręca sobie kark.

Być może ostatnią wizją jest *mineralny bóg*: „W geście mej ręki, co pieści lub boli, dostrzegam celowy akt wolnej woli". Gdy go znajdują, jeszcze żyje, ale nic już nie da się zrobić, ma połamane kręgi szyjne.

Agonia trwa ponad osiem godzin.

Życie Jorge Cuesty gaśnie o trzeciej nad ranem 13 sierpnia 1942 roku w szpitalu Lavista. Ledwie dziesięć minut później umiera w Córdobie w Veracruz jego babcia Cornelia Ruíz, matka don Néstora, którą Jorge kochał mocniej niż rodziców.

Pisarz Jorge Cuesta powiesił się na kaftanie bezpieczeństwa, głosi tytuł w „La Prensa"; „Chemik i poeta w swoim szaleństwie poszukiwał eliksiru wiecznej młodości", donosi „Excélsior". „El Universal" pisze na pierwszej stronie: „Zmarł tragicznie znany pisarz. Jorge Cuesta powiesił się na poręczy łóżka. Żył jeszcze, gdy go odwiązano, skonał jednak kilka godzin później. Zgon pana inżyniera Jorge Cuesty Porte-Petit odnotowano wczoraj o 3:25 w Sanatorium Doctora Lavisty, w miejscowości Tlalpan [...]. Pogrzeb pana Cuesty odbył się wczoraj o godzinie szesnastej na Cmentarzu Francuskim". Jedynym dziennikiem, który pomija milczeniem wydarzenie, jest „El Popular" pod redakcją Vicente Lombardo Toledano.

„Może napiszę o śmierci Jorge?", ofiarowuje się José Revueltas odpowiedzialny za kronikę policyjną. Lombardo Toledano, jego naczelny, zaleca mu, by lepiej zajął się samobójstwem statystki Dolores Nelson, która zmarła tego samego dnia.

Cuestowie nie mają złamanego grosza na uroczystości pogrzebowe. Zrozpaczony Víctor zawiadamia Aaróna Sáenza. „Proszę się tym nie trapić, Stowarzyszenie Producentów Alkoholu weźmie na siebie koszty pogrzebu i nagrobka. Damy panu sześćset pesos".

Nena wraca do Córdoby po małego Antonia, a Víctor z Alicją biorą na siebie przygotowania do pogrzebu w stolicy. Dwunastoletni Antonio sądzi, że wszyscy traktują go wyjątkowo serdecznie z powodu śmierci babci Cornelii. „Trzeba powiedzieć mu o ojcu i zabrać go natychmiast do Meksyku", upiera się Nena Cuesta wobec protestów don Néstora.

W Gayosso czuwają Carlos Pellicer, bracia José i Celestino Gorostiza, Xavier Villaurrutia i León Felipe. Rano 14 sierpnia Ruth zawiadamia Lupe, która tego dnia zapomniała zadzwonić do Lafory.

– Jorge Cuesta zmarł, chodźmy go zobaczyć.

– Nie, nie, w żadnym razie!

– Idziemy i koniec.

– Nie mam nic wspólnego z tym człowiekiem.

– To ojciec twojego syna.

Zaledwie piętnastoletnia Ruth Rivera Marín wchodzi do kwiaciarni Matsumoto, Japończyka, który sprowadził do Meksyku jacarandy. Prosi o utkanie kobierca z gardenii i fioletowych lilii wystarczająco dużego, by przykryć trumnę. W kaplicy ubrana na czarno Lupe Marín przechodzi obok rodziny Cuestów. Całkiem trzeźwy Víctor szlocha przez cały czas, Alicja Echeverría próbuje go pocieszyć.

Ruth kładzie na trumnie kobierzec z kwiatów, gardenie pochodzą z Fortín de las Flores.

– Chodźmy stąd, nie wytrzymam tu ani minuty dłużej – niecierpliwi się Lupe.

– Czekaj, chcę się pożegnać.

Na widok swojego jedynego syna, który nadchodzi prowadzony za rękę przez Natalię Cuestę, Lupe obraca się na pięcie i pospiesznie opuszcza kaplicę. Lucio Antonio Cuesta Marín, stając przed zamkniętą trumną, natyka się na współczujące spojrzenie swojej przyrodniej siostry Ruth. Odtąd będzie musiał stawiać czoła losowi sieroty i odrzuconego, który będzie go prześladował przez całe życie.

Na Cmentarzu Francuskim Xavier Villaurrutia, postarzały, bledszy i smutniejszy niż zwykle, zastanawia się nad epitafium najbardziej błyskotliwego spośród Contemporáneos:

Wyostrzona brzytwa
Umysłu do szczętu.
To właśnie stąd
Ta myśli gonitwa
W duszy tyle zamętu.
Mówią, że mnie zamroczył
Sen wieczny. Błąd!
Właśnie otwieram oczy!

Tydzień później, 21 sierpnia 1942 roku, w Córdobie rodzina Cuestów bierze udział w uroczystej mszy: „Za duszę Jorge Cuesty Porte-Petit i Cornelii Ruíz Portugal, wdowy po Cueście, w dziewięć dni po ich śmierci. Pogrążona w bólu rodzina prosi o przybycie na tę pobożną uroczystość i modlitwę za wieczne odpoczywanie zmarłych. (300 dni odpustu)".

Luis Cardoza y Aragón napisze dwa lata później w swoim wierszu *Apollo i Coatlicue*: „Jednym ruchem wyrywasz święte wnętrzności, by cisnąć je Bogu wprost w twarz".

ROZDZIAŁ 31

EGIPCJANIN

Lupe Marín jest przerażona śmiercią Jorge Cuesty. Jak dobrze, że oddaliła się od tego potwora, jak dobrze, że oskarżyła go w *Jedynej*. Jak doskonale utrafiła, informując o wszystkim doktora Laforę; przewidziała to wszystko i uciekła na czas.

Lupe nie poświęca ani jednej myśli swojemu synowi Antoniowi, żywemu dowodowi, że kiedyś szalała za Cuestą, była w nim zadurzona po uszy, co powtarzała na prawo i lewo. Nie zna współczucia względem tego mężczyzny tyleż błyskotliwego, co zdesperowanego, z którym odkryła przyjemność lektury, za co nie poczuwa się do najmniejszej wdzięczności.

– Biłabym pokłony przed facetem takim jak Jorge, gdybym wcześniej nie poznała Diega. Nie zamierzam mu wybaczyć jego końcowego szaleństwa – zwierza się Conchy Michel.

– Przedtem nie chciałaś o nim nawet słyszeć, skąd ci się teraz wzięły te pokłony?

– To było dawniej, teraz przemyślałam wszystko i zrozumiałam, że musiał wiele wycierpieć.

– Powiedz to Ruth.

Lupe woli walczyć samodzielnie ze swoimi demonami. Przyznanie się do własnych słabości oznaczałoby przyznanie się do błędu i dopuszczenie myśli, że jej powieść – jedna wielka kalumnia – dodatkowo przyczyniła się do zniszczenia Jorge Cuesty.

– Nie wstyd ci, mamo? – zapytała ją kiedyś Ruth.

– Nic się nie martw, i tak nikt tego nie przeczytał.

Odwiedza doktora Laforę. „To niezwykle inteligentny człowiek, wiele się od niego uczę". Jednak Lafora unika jak może tematu Jorge, do tego stopnia, że Lupe w końcu rezygnuje. „Może tak jest lepiej. Trzeba zacząć nowy rozdział". Mimo to nocą wciąż powraca do niej myśl o Jorge, nieustannie krąży wokół tego tematu: jej życie z Jorge, Jorge i jego śmierć.

W soboty i niedziele Pico i Chapo umawiają się z przyjaciółmi lub idą do Niebieskiego Domu, choć zdarza się to coraz rzadziej. „Nie chcę siedzieć przy łóżku Fridy", mówi Mała Lupe.

Lupe często zaprasza Conchę Michel do siebie na Tampico 8, bo przyjaciółka uwielbia jej kuchnię: „Prawdziwe delicje". Gdy nie ma gości, Marín wypija filiżankę owsianki lub je jakiś owoc. Pije bardzo niewiele wody. Czasem Concha zaprasza ją do jakiejś restauracji, gdzie Lupe wybiera strategiczny stolik, by widzieć, kto wchodzi: „No popatrz tylko, znam tego deputowanego, ale ta kobieta to na pewno nie jego żona. Zauważyłaś, jaka gruba jest żona rektora?".

Nie bije już córek, ale dalej na nie krzyczy, nawet jeśli ich przyjaciółki ją podziwiają: „Jaka elegancka jest twoja mama! Jak świetnie gotuje twoja mama! Jaką ciekawą osobowość ma twoja mama! Uwielbiam twoją mamę!".

Lupe Marín umie uwodzić.

Jeden z uczelnianych kolegów Lupe, Juan Manuel Gómez Morín, wyróżnia się sposobem bycia. Mała Lupe uważnie i z podziwem przysłuchuje się jego wypowiedziom na zajęciach. Jest uparty, niemal zawsze wygrywa w dyskusjach. „Juanie Manuelu, znów muszę się poddać", mówi profesor prawa konstytucyjnego, kiedy widzi, że student po raz kolejny podnosi rękę. Dziewczyny uganiają się za nim, bo jest przystojny i dobrze wychowany, jednak on patrzy tylko na Lupe Riverę.

– Co zamierzasz? Wpadła ci w oko ni mniej ni więcej tylko córka samego Diega Rivery – ostrzega swojego przyjaciela z Guadalajary Efraín, syn Gónzaleza Luny.

Juan Manuel też nosi nie byle jakie nazwisko, jest synem Manuela Gómeza Morína, rektora Narodowego Uniwersytetu Meksyku UNAM w 1933 roku, założyciela Banku Meksyku i Partii Akcji

Narodowej (PAN), to nie byle co. PAN przeciwstawia się całkiem słusznie oportunizmowi PRI (Partii Rewolucyjno-Instytucjonalnej), winnej problemom Meksyku, których z biegiem czasu wciąż przybywa.

Lupe bardzo szybko dochodzi do wniosku, że młody Gómez Morín jest mężczyzną jej życia, lecz kiedy mówi o tym Diegowi Riverze, muraliście paleta i pędzel wypadają z rąk, bo łapie się za głowę:

– Tylu jest chłopaków, a ty musiałaś się zakochać akurat w tym?

– Tato, kiedy go poznasz…

– Lupe, czy ty w ogóle wiesz, kim jest jego ojciec?

– Nie zamierzam wychodzić za jego ojca.

– Wychodzić? Zwariowałaś! Zapomnij o nim. Jego ojciec to największy reakcjonista w Meksyku.

Małą Lupe rozmowy z matką kosztują wiele nerwów, z reguły łatwiej dogaduje się z Diegiem, który na wszystko się zgadza, ale w tym wypadku ucieka się do tej, którą uważa za ostateczny autorytet.

Lupe Marín ze zdumieniem przyjmuje córkę o piątej po południu.

– Tym razem co znowu? Jesteś chora?

– Nie, byłam u taty, jest nieznośny, powinnaś z nim porozmawiać.

– A o czym to?

– Powiedz mu, że Juan Manuel to porządny i pracowity człowiek, że przykłada się do nauki… I że go kocham.

– Po kiego diabła musiałaś się zakochać w tym typie? Choć muszę przyznać, że dobrze się ubiera…

Entuzjazm Małej Lupe przypomina jej własną fascynację Diegiem: „Boże mój, jakie my kobiety jesteśmy głupie".

– Posłuchaj, twój ojciec poświęci wszystko dla swojego przeklętego komunizmu, i jeśli ci powiedział, że ten typ jest *wrogiem ludu*, to zapamiętaj sobie, że nikt ani nic nie wybije mu tego z głowy.

– Och, mamo, nie bądź śmieszna! Jak mógłby być wrogiem ludu?

– Jeśli naprawdę go kochasz, nie zwracaj na nikogo uwagi – wtrąca Ruth.

Mała Lupe idzie za radą siostry i zakochuje się w Juanie Manuelu niczym szekspirowska Julia w Romeo.

Ruth fascynuje się teatrem, Salvador Novo daje jej nawet małe role i oklaskuje ją, gdy wychodzi na scenę. Diego proponuje, że da jej list do włoskiego reżysera Vittoria De Sica. Ruth nie posiada się z radości: „Tato, gdybym mogła z nim pracować, byłabym zachwycona". Jedzie do Włoch, a kiedy wręcza reżyserowi list, De Sica obsadza ją w swoim dziele. Na scenę wychodzi także inna Meksykanka, śniada i czarnowłosa Columba Domínguez, odtwórczyni głównej roli w filmie *L'edera*. Ledwo widzi nową, dopada ją zazdrość. „Myślę, że powinnam raczej zająć się historią sztuki", poddaje się Ruth i postanawia pojechać do Egiptu.

Nie da się zwiedzić Muzeum Egipskiego w Kairze w jeden dzień. „Mój ojciec jest faraonem", stwierdza na widok Tutanchamona, w szczególności po tym, jak Yusef, dyrektor, dowiedziawszy się, że jest córką Diega Rivery, zaprasza ją na obiad. „Ile drzwi otwiera przede mną tata!" Kłania się jej Sfinks, mumie wychodzą ze swych sarkofagów. Ruth dokładnie ogląda każdą monetę i każdy papirus, mimo że hieroglify nic jej nie mówią. „Mamy to samo w Meksyku – oświadcza Yusefowi – stare kodeksy opowiadają o przeszłości, a nasze urny są lepsze niż wasze". Dyrektor uśmiecha się, widząc jej entuzjazm. „Jeśli ma pani ochotę zjeść ze mną jutro, zapraszam jeszcze raz, chciałbym, żeby spróbowała pani najlepszych daktyli w Egipcie". W południe, po zjedzeniu śródziemnomorskiego *kushari* i o krok przed przeistoczeniem się w Nefertiti, młoda Ruth czuje się posiadaczką piramidy Cheopsa, Chefren i Neferirkare i zakochuje się w tym młodym opalonym mężczyźnie o ogromnych czarnych oczach, który zlewa jej się w jedno z Ramzesem I.

Yusef jest jak Nil, powolny i kręty, biegnie od Babilonii i Macedonii aż do ich stołu, uwodzi ją. Ruth pisze do Diega Rivery, że weźmie w Kairze ślub. Pamięta entuzjazm, w jaki wpadł Diego, przeczytawszy, że muzułmański żołnierz, generał Nasser, chciał obalić króla Faruka narzuconego przez Anglików.

Lupe Marín atakuje Diega: „To wszystko twoja wina, bo pozwalasz jej robić, na co jej tylko przyjdzie ochota". Diego pisze do córki: „Posłuchaj, Nefertiti, to wszystko idzie za szybko, wróć do Meksyku, Ty i Twój Ramzes musicie się lepiej poznać; poczekaj chwilę, jeśli naprawdę Cię kocha, przyleci po Ciebie na latającym dywanie", ale Ruth nic nie jest w stanie zatrzymać.

Po miesiącu odkrywa, że największy macho pośród meksykańskich samców nie jest tak zazdrosny jak jej Yusef. Nazywa ją Azeneth, zabrania wychodzić na ulicę i malować sobie oczu. Mędrzec, który pokazał jej starożytny Egipt, okazuje się apodyktycznym nauczycielem, szpieguje ją i zamyka na klucz. Miarka się przebiera, kiedy Yusef sprowadza hydraulika, żeby naprawił umywalkę, a Ruth z nudów przygląda się, jak tamten pracuje. Jej mąż wszczyna skandal. Ruth ma dosyć, ucieka przez okno i biegnie poprosić o azyl w ambasadzie Meksyku. „Jestem córką Diega Rivery, zawieźcie mnie na lotnisko, chcę wrócić do Meksyku".

Kiedy wreszcie dociera do Coyoacán, przysięga Diegowi, że drugi raz nie popełni takiego błędu. Lupe pyta ją tylko:

– Słuchaj no, a ten twój Arab zawijał sobie szmatę na głowie?

Ruth, już odegipcjowana, postanawia zostać architektem i żeby zadowolić ojca, wybiera proletariacką politechnikę. Jest pierwszą kobietą, jaka pojawia się w Szkole Inżynieryjnej.

Trzy lata później generał Nasser przyjmuje prezydenturę i nacjonalizuje kanał Sueski ku wielkiemu zadowoleniu muralisty i jego córek.

Diego nie posiada się z dumy. Fakt, że jego starsza córka Lupe zarabia własne pieniądze, kiedy inne kobiety w jej wieku próbują jedynie dobrze wydać się za mąż, a jego ulubienica Ruth jest pierwszą i jedyną kobietą w Szkole Inżynieryjnej, to dla niego powód do wielkiej satysfakcji.

Popalając trawkę, Frida przyklaskuje decyzjom córek Diega, choć nie podziela ich upodobań. Krytykuje Małą Lupe i jej przyjaciół, których nazywa „burżujami z Nacional Financiera", ponieważ zbierają się w Sanbornsie przy Madero 4, w La Casa de los Azulejos. „Przychodzą tam sami gringo jak pączusie w maśle". Kahlo woli L'Escargot, Manola albo pieczone mięso z Tampico. Mówi też o kompleksie Edypa u Ruth i ośmiela się jej zasugerować: „Czemu nie spróbujesz żyć z dala od ojca? Podobnie jak ty uwielbiałam swojego tatę i dotrzymywałam mu towarzystwa w pracy, kiedy robił zdjęcia, oraz wkładałam chusteczkę do ust, jak miał te swoje drgawki, ale ty to już przesadzasz".

ROZDZIAŁ 32

PIERWSZY WNUK

Lupe Marín czuje się dotknięta zachowaniem starszej córki. Podczas kłótni Mała Lupe wychodzi, trzaskając drzwiami: „Idę do taty". Relacje z siostrą też ma nie najlepsze, bo jest zazdrosna o miłość Diega. Oświadcza: „Najlepsi specjaliści w tym kraju pochodzą z UNAM-u", na co Ruth odparowuje: „Najlepsze jointy też". Starczy, że Diego lub Lupe pochwalą Ruth, a już starsza córka się zaperza.

– Dom Rivera-Marín znów w stanie wojny – śmieje się Concha Michel.

Lupe Rivera szuka schronienia u boku Juana Manuela, uosabiającego przeciwieństwo wszystkiego, co przeżyła do tej pory. Spędzają całe dnie, trzymając się za ręce, a krytyki Diega i pogróżki Lupe tylko jeszcze mocniej ich jednoczą, do tego stopnia, że Mała Lupe chodzi z narzeczonym nawet na mszę.

Doña Lupe Marín (jak mówi na nią Juan Manuel) domyśla się, że o komuniście Diegu Riverze źle się mówi w domu Gomezów Morínów, ale nie podejrzewa, że ją samą mają tam za nędzną kreaturę. W domu przy alei Nuevo León wspominają o „tej kobiecie" jako o zatraconej i upierają się, że nie ma żadnych zasad moralnych. Poza tym wyszła za inżyniera chemika Jorge Cuestę, znajomego Gómeza Morína, i porzuciła swojego syna. „Jej obie córki nie są nawet ochrzczone".

Doña Lydia Torres, matka Juana Manuela, gorliwie przyjmuje komunię na mszy o ósmej, nie toleruje dyskusji ani pompatycznych słów i dziękuje Panu przed każdym posiłkiem. Bardziej wyrozumiała niż jej mąż próbuje występować jako mediator między Juanem Manuelem a jego ojcem.

Jedyne, w czym są do siebie podobne doña Lydia i doña Lupe, to fakt, że mają w domu decydujący głos. Kiedy doña Lydia zaczyna sobie wyłamywać palce, Gómez Morín zgadza się na wszystko. Choć jego żona tłumaczy, że to „nic poważnego", don Manuel jest zły na syna: „Czy ty nie widzisz, z jakiej rodziny pochodzi ta dziewczyna?".

Za to Lupe Marín lubi Juana Manuela.

– Wiesz co? Ten typ bardzo dobrze się ubiera, jest przystojniejszy od Echeverríi i dużo lepiej wychowany. Poza tym jesteś już wystarczająco dorosła, żeby za siebie decydować.

Lupe Marín nie dostrzega, że ta czuła, niewinna, nieśmiała i skora do uśmiechu dziewczyna o wesołych oczach musi radzić sobie w życiu z balastem: jest córką Diega Rivery. Mała Lupe wstydzi się przyznawać, kim są jej rodzice; od dzieciństwa i młodości szuka kogoś, na kim mogłaby się wesprzeć. Do wszystkich podchodzi z pytającym spojrzeniem. Tłumi swój kompleks niższości pracą. Gasi światło w swoim pokoju, dopiero gdy jest pewna, że zapamiętała zasady szkoły formalistów Kelsena.

Ruth tak bardzo zajmują sklepienia i łuki, obciążenia i dźwignie na zajęciach na politechnice, że nie ma czasu przejmować się zmartwieniami siostry. Obie wracają do domu przy Tampico 8, kiedy ich matka już śpi. Lupe nie tęskni za nimi, bo spędza cały dzień przy maszynie. Szyje córkom ubrania, których zazdroszczą im koleżanki: „Ruth, jaka piękna spódnica! Przywiozłaś z Paryża?".

Któregoś dnia Lupe Marín wraca ze swoich lekcji z mnóstwem szpilek powpinanych w ubranie i spotyka Lupe i Juana Manuela w kuchni.

– A wy co? Nie macie zajęć?

– Mamo, musimy z tobą porozmawiać.

– No to rozmawiajcie…

– Jestem w ciąży.

– Czy wyście się wczoraj urodzili, że nie wiecie, jak się robi takie rzeczy?

– Proszę pani! – obrusza się Juan Manuel.

– Niech się pan zamknie! Nie zorientowałaś się? – pyta córki.

– Ale mamo, skąd mam wiedzieć takie rzeczy, skoro nigdy mi nic nie mówiłaś?

– Głupia dziewucha! Teraz się jeszcze okazuje, że to moja wina. Juan Manuel i Mała Lupe trzymając się za rękę, wychodzą z domu przy Tampico. „Idę do taty".

– Na pewno będzie zachwycony! Powiedz mu, żeby ci namalował portret.

Dla Diega ta wiadomość to prawdziwa katastrofa:

– Jak to możliwe, że mój pierwszy wnuk będzie nosił nazwisko mojego najgorszego wroga?

– Tato, nie obchodzi mnie, czy to twój najgorszy wróg, zakochałam się i tyle.

Dla don Manuela Gómeza Morína wiadomość też stanowi autentyczną tragedię. Jego najstarszy syn, najbardziej do niego podobny, jego spadkobierca, chłopak ze wspaniałą przyszłością!

Ruth pyta tylko: „A twoja kariera?". Lupe nie skończyła jeszcze studiów, ale pracuje już w Nacional Financiera. Jak zamierza zajmować się dzieckiem? Wszystko wpędza ją w kompleksy: „Moja siostra Ruth jest ładniejsza. Rodzice kochają Ruth bardziej niż mnie. Ruth jest wysoka, a ja niska. Kiedy tata widzi Ruth, od razu ją przytula; po obudzeniu najpierw odzywa się do Ruth. Ruth jest jego miłością, towarzyszką. Codziennie Ruth, Ruth i Ruth, na mnie nawet nie zerknie, bo nienawidzę komunistów".

Ciąża potęguje jej niepewność. Nerwowość Lupe osiąga takie nasilenie, że znajomi muszą podnosić ją na duchu.

„Nie martw się, wszystko się ułoży".

Niestety, nie układa się.

W 1946 roku ciąża Lupe Rivery stanowi skandal. „Dziecko będzie się nazywać »Zjednoczenie Narodowe«". Krytyki względem Ruth nie dają na siebie czekać: „Córka Diega Rivery studiuje męski kierunek". „To jedyna kobieta pośród tylu mężczyzn". „Przekonacie się, że ta śniada tyka źle skończy".

Siostry Rivera Marín dziedziczą po Diegu talent, a po Lupe siłę charakteru. Don Manuel Gómez Morín nawet nie próbuje poznać młodej Lupe i postanawia wysłać syna na jezuicki uniwersytet w Georgetown w Waszyngtonie. Zakochani naiwnie wierzą, że miłość przezwycięży każdy przesąd i że znów się połączą.

Juan Pablo przychodzi na świat 3 czerwca 1947 roku. Manuel Gómez Morín nie zgadza się, by nosił jego nazwisko. Babcia Isabel Preciado, która właśnie przyjechała z Guadalajary, unosi się honorem:

– Niech się nazywa Marín Preciado!

– Ależ mamo, jak mógłby się tak nazywać? Niech będzie Rivera, to nazwisko faktycznie jest znane – wtrąca Lupe Marín.

– Tak, niech będzie Rivera – kończy dyskusję Ruth.

Ostatecznie interweniuje doña Lydia i rejestrują dziecko pod nazwiskiem Juan Pablo Gómez Rivera.

Lupe Rivera mieszka u matki, która zajmuje się niemowlęciem. Kiedy doña Lydia odwiedza Juana Pabla, drzwi otwiera jej Lupe Marín. Mała Lupe pracuje w Nacional Financiera, a nocą studiuje prawo na uniwersytecie.

Lupe zanosi synka do gabinetu swojego wujka Francisca Marína, pediatry i młodszego brata matki.

– Patrz, wujku, jaki grubiutki, przyniosłam ci go, żeby się pochwalić.

Podczas badania coś niepokoi lekarza: „Słuchaj, twój synek jest napuchnięty. Nerki nie pracują, jak trzeba. Pojedziemy zaraz do Szpitala Pediatrycznego".

– Doskonała diagnoza, Francisco – potwierdza pediatra Felipe Cacho. – Chłopiec ma guza na nerce, musi być natychmiast operowany.

W szpitalu do Lupe Rivery podchodzi piętnastoletnia wolontariuszka Chaneca Maldonado. Ma krągłą buzię i bardzo krótkie włosy.

– Nie martw się, wyjdzie z tego.

Kilka dni później młoda wolontariuszka odwiedza dziecko w jego domu przy Tampico. Lupe Marín otwiera jej drzwi z dzieckiem w ramionach.

– Przychodź na obiad, kiedy zechcesz – zaprasza.

Rok później Lupe Rivera kończy prawo. Dzięki pracy w Nacional Financiera nie cierpi biedy. Pewnego dnia do jej drzwi puka notariusz Roberto Cosío.

– Lupita, przychodzę od don Manuela, żeby ci powiedzieć, że jest gotów zaoferować ci pensję i pomóc, żebyś miała własny dom i uniezależniła się od matki.

– Szanowny panie – unosi się honorem Lupe – proszę zapytać don Manuela, czy nie wie, że jestem adwokatem i mogę sama utrzymać swojego syna? Od niego nie potrzebuję absolutnie niczego.

– Ale co też pani mówi?

– To, co pan słyszy, nie chcę ani grosza, a już tym bardziej, żeby mi wynajmował mieszkanie. Nie chcę niczego od tego człowieka.

Następnego dnia, wychodząc z Sanbornsa koło Nacional Financiera, Lupe natyka się na swojego teścia: „Przeklęty staruchu, nienawidzę cię, najchętniej splunęłabym ci w twarz", myśli sobie.

Przechodzi obok, posyłając mu wyniosłe spojrzenie.

Diego obojętny na wszystko, co nie wiąże się z malarstwem, bierze wnuka na ręce. Szybko się męczy. Dzieci lubi tylko na obrazkach, które maluje.

– Jeśli ten jest spokrewniony z Gómezem Morínem, mam tylko nadzieję, że następny nie będzie wnukiem Francisca Franco – rzuca zgryźliwie.

ROZDZIAŁ 33

MACKA W CHAPINGO

„Wytrzyj buty", tylko tyle ma do powiedzenia Lupe, kiedy jej nastoletni syn przyjeżdża z Córdoby. Przyjmuje go źle. Lucio Antonio śpi w składziku koło pralni, gdzie nocą trzęsie się z zimna. Ostatni dźwięk, jaki słyszy przed zaśnięciem, to warczenie maszyny do szycia.

Po ugotowaniu obiadu Lupe idzie prosto do pracowni krawieckiej, skąd potem dochodzi stukotanie maszyny. Nigdy nie pyta syna, czy mu zimno, czy jest głodny albo jak idzie mu w szkole. Kiedy Antonio mówi, że zamierza być pisarzem lub chemikiem, a może nawet inżynierem jak jego ojciec, Lupe wyrokuje: „Nie uda ci się". Gołym okiem widać, że go nie znosi. „Sam się obsłuż, coś tam znajdziesz w kuchni". Jej niechęć przytłoczyłaby najdzielniejszego, ale Antonio czepia się matki. Czasem jedzie bez pożegnania do Córdoby, a kiedy wraca po miesiącu, Lupe wita go zdradliwym tekstem: „Nawet nie zauważyłam, że cię nie ma".

Na jej jad nie ma odtrutki.

Po powrocie do Meksyku Antonio dowiaduje się, że jego matka i przyrodnie siostry nie mieszkają już przy Tampico 8, tylko w sąsiednim trzypiętrowym domu, pod numerem 6, na rogu z aleją Chapultepec, który kupił dla nich Diego Rivera.

– Możesz spać w pracowni krawieckiej – zgadza się Lupe, gdy noce stają się jeszcze chłodniejsze.

Na parterze domu są jedynie donice, na pierwszym piętrze jadalnia, kuchnia i salon. Na górze znajdują się sypialnie Lupe i jej dwóch córek, nie ma żadnego pokoju dla Antonia. Pomieszczenie bez drzwi na końcu korytarza Lupe przeznacza na swoją pracownię. Przy ścianie ustawia maszynę, krzesło, lustro i pryczę.

W piątki zaprasza na karty Juana Soriano i Carlosa Pellicera. Przyjaciele przychodzą zadowoleni punktualnie o ósmej wieczorem, żegnają się o szóstej rano. Wszyscy są zagorzałymi palaczami, więc Antonio dusi się od dymu, a zasnąć udaje mu się dopiero nad ranem. Żeby się zemścić, podkrada pieniądze z kieszeni marynarek porzuconych na pryczy.

Podczas karcianych nocy Ruth, Lupe i mały Juan Pablo chronią się w Niebieskim Domu. Frida podejmuje ich tequilą i marihuaną.

Antonio błaga wszystkich świętych, żeby jego matka nie przegrała w karty, bo następnego dnia odbije to sobie na nim. Po samym tonie jej głosu wie od razu, jak jej poszło. Lupe i Ruth złe traktowanie Antonia wydaje się normalne, bo same też nie zaznały matczynej czułości.

Największe nadzieje budzi w Antoniu Boże Narodzenie, bo Lupe prowadzi go wtedy raz jeden do El Palacio de Hierro lub El Puerto de Liverpool:

– No już, wybierz sobie, co ci będzie potrzebne w tym roku.

Antonio z trudem obejmuje stertę spodni, swetrów, koszul i butów.

Lupe najczęściej krytykuje starszą córkę:

– No patrz tylko, jaka jesteś gruba! Ta sukienka jest na ciebie za ciasna.

– Mamo, dopiero co urodziłam.

– Powinnaś ćwiczyć.

– Robię to codziennie.

– No to nie widać efektów.

Ruth traktuje nie lepiej. „Po co wybrałaś takie męskie studia? Nikt ci nie da pracy!"

Żadna z sióstr nie interesuje się młodszym bratem. Między sobą też nie trzymają sztamy. W tej rodzinie każdy dba tylko o siebie.

Kiedy Antonio wraca do Córdoby po spędzeniu kilku dni z matką, jego zachowanie się pogarsza. W *preparatorii* staje się problematycznym uczniem. Ciotka Natalia, znużona nieustannymi wezwaniami do szkoły, podpisuje uwagi i czasem go usprawiedliwia. Chłopak jest równie wysoki jak jego ojciec, popędliwy i nabuzowany. Przenikliwe oczy siedemnastoletniego Antonia robią wrażenie, ale starczy, że jakaś dziewczyna uśmiechnie się do niego, a już traci rozsądek i rzuca się składać jej nieprzyzwoite propozycje. Dziewczyny uciekają oburzone. W Córdobie dziadkowie dźwigają na swoich barkach alkoholizm Víctora, który po separacji z Alicją Echeverríą i samobójstwie Jorge wrócił do rodzinnego domu. Nie są w stanie zapanować nad rozbestwionym wnuczkiem!

Po każdym pijaństwie do Víctora powraca dręcząca go obsesja, która spędza mu sen z powiek: „To ja oddałem go do szpitala". Przechowuje nawet najbardziej błahe świstki po starszym bracie, notatki z apteki czy sklepu, książki, listy ze szpitala w Tlalpan. Pisze także opowiadania, które, przełamując wstyd, pokazał w stolicy Renatowi Leducowi: „Czemu, do cholery, miałbyś nie dokończyć dzieła, które twój brat Jorge przerwał w połowie? Twoje opowiadania są bardzo dobre".

W kieszeni spodni Víctor nosi niczym amulet jeden z ostatnich listów Jorge do Natalii. Pokazuje go Antoniowi: „Przeczytaj to i powiedz mi, czy tak pisze szaleniec. Twój ojciec był najbardziej świadomym i inteligentnym człowiekiem, jakiego w życiu poznałem".

Antonio wygładza kartkę starganą niczym chusta świętej Weroniki:

Kupić: w Beick Felix (róg Madero i Motolinía) 500 gram kwasu tartarowego, 300 gram taniny w dwóch opakowaniach, jedno 250, a drugie 50 gram.

W Carlos Stein (Zócalo): roztwór insuliny 3000 jednostek.

– 25 gram płynnego wyciągu z ergotaminy.

W Regina: 1,5 kg nadmanganianu w trzech paczkach po pół kilo.

Dodać do resztki, która została w garnku, trzy litry wody: mieszać przez chwilę, aż osad się całkiem rozpuści; odstawić na pięć lub sześć godzin, żeby opadło, a potem zlać cały klarowny płyn, który powstanie ponad osadem. Powinno wyjść około czterech litrów.

Płyn należy przelać do dwóch pojemników (lub jednego, jeśli się zmieści) i gotować w garnku, aż całkiem odparuje i zostanie tylko zawarta w nim substancja stała.

Uzyskaną w ten sposób substancję po wysuszeniu podzielić na dwie równe części i utrzeć jak najdrobniej.

Jedną połowę podzielić na sześć porcji i położyć na złożone karteczki, takie jak w aptece. Drugą połowę należy z kolei podzielić na trzy równe porcje i zrobić z nimi, co następuje:

Pierwszą wymieszać bardzo dokładnie z *cajetą Celaya*[50] z tych w szklanych słoiczkach, tak żeby jak najbardziej równomiernie połączyła się z zawartością słoiczka.

Drugą część wsypać do butelki z sosem pomidorowym, ketchupem i także wymieszać bardzo starannie.

Trzecią część dosypać do masy na tort kukurydziany.

Przywieź mi w niedzielę po południu ćwierć kilo masła i ser z Toluki, razem z butelką ketchupu i słoikiem *cajety*. Możesz ją kupić w sklepie na rogu Insurgentes i Coahuila. Przywieź mi także papierki i sześć paczek gumy do żucia po dwanaście pastylek. Tort kukurydziany przywieź w piątek, razem z owocami.

Z listu wynika, że przed 1942 rokiem Jorge Cuesta eksperymentował na sobie z narkotykiem o mocnym działaniu halucynogennym, który wiele lat później miał być znany jako LSD. Niemal w tym samym czasie Albert Hofmann opatentował w Szwajcarii kwas lizergowy uzyskany z grzyba rosnącego na ziarnach żyta, który w 1960 roku miał znaleźć medyczne zastosowanie przy leczeniu alkoholizmu i łagodzeniu cierpień chorych na raka.

Komentarze Víctora spędzają Antoniowi sen z powiek, ogarnia go obsesja ojca. „Twój ojciec to geniusz, większy naukowiec niż Linus Pauling czy Zygmunt Freud. W Meksyku nie umieli go docenić, powinien był się urodzić w Stanach Zjednoczonych lub w Europie. Lafora to gnida, bał się jego inteligencji; twój ojciec by go wykończył". Antonio próbuje pisać; w rezultacie powstaje dłu-

---

[50] *Cajeta de Celaya* – masa kajmakowa na bazie koziego mleka z dodatkiem cynamonu.

ga lista obscenicznych wizji, które nauczycielkę literatury przyprawiają o rumieniec.

– Pański bratanek posuwa się za daleko, nie ma za grosz szacunku. – Doña Clotilde Secante wzywa Natalię do szkoły.

– Proszę dać mu szansę…

– Niech pani dziękuje Bogu, że to jego ostatni rok, wszyscy już mają go dosyć.

Na koniec *preparatorii* Antonio Cuesta Marín uzyskuje bardzo mierną średnią. Imponuje kolegom, jednak żaden z nich nie zalicza go do grona przyjaciół: samotny i całkiem pozbawiony hamulców szokuje ich swoimi erotycznymi fantazjami.

– Czemu nie zapisze go pan do jakiejś szkoły w stolicy? – sugeruje don Néstorowi ojciec Miguela Capistrána.

– Nie ma zadatków na intelektualistę, wyślę go do Texcoco, niedaleko Dystryktu Federalnego, niech nauczy się czegoś praktycznego. Chapingo to świetna szkoła rolnicza.

– Tato, on nie dojrzał do samodzielnego życia, to jeszcze dzieciak – protestuje Natalia.

Podróż pociągiem do Texcoco poprzez pola kukurydzy jest krótka i piękna. W Texcoco dziadek z wnuczkiem wsiadają w autobus do Chapingo – płacą skromną sumę piętnastu centavo za przejazd. Prowadząca do budynku droga wysadzana drzewami robi wrażenie, a z lewej strony ogromy ogród kusi łąką pełną różanych krzewów. „Jest tu ponad hektar czerwonych, białych i żółtych róż – szczyci się jeden z dozorców. – Nie ma na świecie drugiego takiego różanego ogrodu". Obok róż czekają boiska do koszykówki i piłki nożnej. Bilard, stoliki do szachów i domina, mają też nowość – telewizję. Z dala od głównych zabudowań widać basen, halę sportową, ambulatorium i chlew.

Antonio Cuesta składa egzamin wstępny i w mgnieniu oka otrzymuje stypendium obejmujące internat i wyżywienie.

– Dbaj o to stypendium, Chapingo to jedyne miejsce, gdzie możesz studiować, nie płacąc ani grosza – poucza go don Néstor.

Żeby rozpocząć naukę w Państwowej Szkole Rolnej, Antonio potrzebuje sześciu koszul, sześciu podkoszulków, sześciu par majtek, dwunastu par skarpetek, dwunastu chusteczek, stroju kąpielowego, grzebienia, szczoteczki do zębów, szczoteczki do odzieży i jeszcze jednej do butów. Większość kandydatów nie ma nawet na majtki, a jednak przyjmuje się ich, bo trzeba wypełnić trzy sypialnie, w których wydzielono przepierzeniami sześćdziesiąt dziewięć pokoików, każdy z podwójnym łóżkiem.

Choć doskonale na nim leży, Antonio niechętnie wkłada obowiązkowy wojskowy mundurek. Gdyby Lupe go zobaczyła, uznałaby, że dobrze się prezentuje. Inni nie zdejmują marynarki i spodni w kolorze khaki, nawet kiedy mają przepustkę, bo w tym stroju łatwiej poderwać dziewczynę.

Antonio cieszy się, że będzie sam, a jeszcze bardziej, że zrobi wrażenie na matce i siostrach.

Pewien Indianin – który według mieszkańców Texcoco jest nieokrzesanym wieśniakiem – gra dobrze na bębnie, inny jest mistrzem kornetu; wspólnie tworzą orkiestrę wojskową. „Może też byś się zapisał do orkiestry, Antonio? Dzięki temu się wybijesz". Granie na instrumencie to taki rodzaj zasługi, który nic nie mówi Antoniowi. „Ja z trąbeczką? – obrusza się. – Takim łosiem to jeszcze nie jestem".

Mieszkańcy internatu zbierają się przy głównym wejściu, gdzie na tablicy zawieszonej na drzewie można przeczytać nazwiska uczniów, do których przyszła korespondencja. Do Antonia pisze don Néstor, ciotka Natalia; jego matka Lupe nigdy.

Z dala od nadzoru ciotki Natalii, od kazań dziadka i alkoholizmu Víctora, Antonio oddaje się studiom, które pochłaniają go bez reszty, bo w szkolnym laboratorium eksperymentuje z marihuaną i peyotlem, a kiedy już złapie fazę, czuje się gotów do bohaterskich czynów, jakich wedle słów Víctora dokonywał jego ojciec. Bardzo wysoki i przystojny, gdziekolwiek się pojawia, skupia na sobie spojrzenia, ludzie pytają, kto to taki, a on korzysta z tego zainteresowania, by rozkochiwać w sobie każdą napotkaną dziewczynę. Na olimpijskim basenie koledzy przezywają go *Macka*, ze względu na długie palce przywodzące na myśl odnóża ośmiornicy.

W odróżnieniu od *prepy* w Veracruz, tutejszym dziewczynom podobają się jego bezczelne maniery. Antonio co tydzień ma nową. Zdobywa sobie popularność wśród kolegów, którzy oklaskują go za jego dowcipy.

W pierwszym dniu zajęć nauczyciel matematyki chce się zorientować w poziomie wiedzy swoich studentów i daje im zadanie do rozwiązania: „Oblicz długość jadącego na południe (do miasta Meksyk) pociągu, który w te pędy zapierdziela na łeb na szyję w przeciwnym kierunku niż inny, zmierzający z określoną prędkością na północ (do Texcoco)".

Antonio buntuje się:

– „Zapierdziela w te pędy"? Jeśli profesor jest takim osłem, że mówi „zapierdziela w te pędy", ja tym bardziej mogę rzucać mięsem.

Ze zdumieniem odkrywa, że w kaplicy główną rolę gra jego matka. Panoszy się nad ołtarzem, ogromna, z napęczniałym brzuchem, z biustem na wierzchu, patrzy na niego swoimi dziwnymi zielonymi (lub też niebieskimi) oczyma, z agresywnym grymasem na wargach, z uniesioną jedną ręką, jakby chciała go ostrzec: „Nie zbliżaj się". Czy jest piękna? Straszna? To płodna ziemia, która wszystkich przeraża. Jej namalowana dłoń, szeroka i raczej mała, różni się od tej o długich palcach u Lupe Marín. Antonio przygląda się jej i czuje, że rodzicielka skazuje go na potępienie.

Nikomu nie mówi, że monumentalna postać to jego matka, a kiedy ktoś to odkrywa, najpierw wybucha gniewem, ale w końcu sam zaczyna z tego kpić jak inni.

– Nie przeszkadza ci, że mówią takie rzeczy o twojej matce? – pyta jeden z wieśniaków.

– Sam jestem sobie matką.

Kiedy uwolni się od Lupe Marín? Antonio nigdy nie przypuszczał, że będzie go prześladować aż w Chapingo.

Przyszli agronomowie wiedzą, kim jest Diego Rivera, ale nie mają pojęcia, kim był Jorge Cuesta. On też o nim nie wspomina, woli nie otwierać tej trumny. Tyle razy słyszał, jak Víctor i Natalia wychwalają Jorge, aż postanawia dokończyć dzieło rozpoczęte przez ojca. „Ja też będę poetą i nieprzejednanym krytykiem". Zaczyna od zmieszania z błotem życia studenckiego w Chapingo. Jego zdaniem nauczyciele są gówno warci, nie ma porównania z inteligencją jego ojca. To banda tępaków.

– To jakiś absurd, w kółko tylko nauka i sport: koszykówka, piłka nożna, pływanie. To jasne, że każdy normalny mężczyzna może oszaleć, prowadząc takie mnisze życie... Chyba czegoś nam dosypują do jedzenia, żeby stłumić popęd seksualny.

– Podobno azotanów – kiwa głową jego kolega Tomás Cervantes.

– Nie bądź głupi, raczej bromu...

Podczas wakacji chłopcy opuszczają szkołę niczym młode byczki. Antonio zatrzymuje się u Lupe i zaprasza służącą do kina.

– Czy ty nie wiesz, jak trudno teraz znaleźć służącą – wpada w furię Lupe. – Spadaj do Córdoby do swojej Natalii.

Kiedy Antonio pokazuje jej zeszyt z wierszami, Lupe śmieje mu się w nos:

– Wypisujesz tu same kretyństwa.

– A mój ojciec?

– Nigdy nie przeczytałam ani nie zamierzam przeczytać choćby jednej linijki napisanej przez twojego ojca.

Bliskość Chapingo i miasta Meksyk pozwala mu odwiedzać Lupe, ale woli bilard, klub i kantynę. Niechęć ze strony matki i sióstr staje się coraz wyraźniejsza. Antonio wciąż docina starszej siostrze Guadalupe (żąda od niego, by tak się do niej zwracał): „Burżujka! Jaka konwencjonalna! Paskudnie wyglądasz! Skąd wytrzasnęłaś takie buciory? Jaka ohydna torba!". Z Ruth ma nieco lepsze układy, ale nikt nie uchyla przed nim w życiu żadnych drzwi.

ROZDZIAŁ 34

KARMELIZOWANY ORZESZEK

Wobec krzyków matki Ruth zachowuje milczenie. Starsza siostra nie może się z tym pogodzić i podjudza ją. „Niczego nie przemilczaj, bo się pochorujesz, musisz stawić jej czoła", denerwuje się. Wyższa i szczuplejsza Ruth nie reaguje. „Jak mnie wkurza, że ty nic nie mówisz!" Ruth tęskni za Jorge Cuestą, który w dzieciństwie zastąpił jej ojca, a kiedy matka wypytuje ją o pretendentów, odpowiada lakonicznie: „To kolega".

Studenci politechniki dziwią się jej obecności na uczelni, drażnią ich jej dobre oceny. Ta nieśmiała dziewczyna irytuje ich swoim wysokim wzrostem i spuszczonym wzrokiem. „Oby ją szybko wywalili, pieprzona baba". Na politechnice i w Wyższej Szkole Inżynieryjnej i Architektonicznej prawie nie ma kobiet. Za każdym razem, gdy wchodzi do sali, obserwuje ją trzydzieści par męskich oczu i Ruth wlepia wzrok w czubki swoich butów. Odzywa się do niej tylko jeden kolega, Pedro Alvarado Castañón, siostrzeniec grawera Carlosa Alvarada Langa, dyrektora Państwowej Szkoły Malarstwa i Rzeźby. Jako jedyny wspomina na uczelni o Leonardzie da Vinci i Ruth zaskoczona podnosi wzrok. Okazuje się, że nie tylko zna prace Diega, ale wręcz go podziwia:

– To największy malarz Meksyku... i nie mówię tak dlatego, że to twój ojciec.

Pedro broni jej, któregoś dnia Ruth słyszy, jak mówi do dwóch kolegów: „Ruth jest córką najlepszego muralisty w Meksyku, ale zamiast żyć na jego koszt, zasuwa na politechnice".

Począwszy od tego momentu, inni zaczynają ją odprowadzać, włączają do swoich rozmów, zapraszają na zabawy i teraz Ruth siedzi już na zajęciach uśmiechnięta.

– Jej ojciec to komunista, na pewno dlatego wysłał ją na męski kierunek – wyjaśnia jeden z kolegów Pedrowi.

Po zajęciach Pedro i Ruth uczą się wspólnie w domu przy Tampico 6. Ruth przedstawia go Lupe Marín, Lupe Riverze i małemu Juanowi Pablowi.

Teraz, kiedy starsza córka jest adwokatem, a Ruth studentką na politechnice, Diego szczyci się nimi: „A ty chciałaś, żeby zostały sekretarkami!", śmieje się w twarz Lupe, która większość czasu poświęca Juanowi Pablowi.

Siostry kłócą się o każdy drobiazg, a Lupe Marín zawsze bierze stronę Ruth:

– Broni cię, bo robisz wszystko, co zechce, ja jednak nie zamierzam milczeć – protestuje Mała Lupe.

Pedro Alvarado i Ruth jedzą niedzielne obiady w Niebieskim Domu z Diegiem i Fridą. Pedro potrafi całymi godzinami gadać o malarstwie, a Diego potakuje mu głową. „Lubię tego twojego kolegę". Zgadza się od razu, kiedy córka zawiadamia go, że zamierza wyjść za Pedra.

– Gdzie będziecie mieszkać? – martwi się Lupe.

– Nie przejmuj się, Pedro ma oszczędności i zamierzamy kupić sobie mały domek.

Lupe Rivera mieszka z matką i Juanem Pablem przy Tampico 6. Ruth i Pedro Alvarado urządzają się przy ulicy Valerio Trujano, w kolonii Guerrero, w jednym z trzech identycznych domów. W środkowym mieszka tancerz Guillermo Arriaga z żoną, Kostarykanką Gracielą Moreno, oraz ich mali synowie, Guillermo i Emiliano. W domu po lewej osiedlają się aktorzy z La Linterna Mágica, José Ignacio Retes i Lucila, a w ostatnim Ruth i Pedro poczynają swoje pierwsze dziecko.

Pomysł, żeby mieszkać w kolonii Guerrero tuż obok Arriagi, zachwyca Ruth, ponieważ znają się od dziecka. Guillermo ćwiczy *Balladę o jeleniu i księżycu*[51] z piękną Aną Méridą, córką Carlosa Méridy, przyjaciela Diega. U Guillerma często są imprezy. Przy-

---

[51] *La balada del venado y la luna*, Carlos Jímenez Mabarak.

chodzą na nie Lupe Marín, Retesowie, Pedro Coronel i Amparo Dávila, którzy fetują Ruth i Pedra.

Po ukończeniu studiów Ruth zostaje pierwszym inżynierem--architektem kobietą z całej politechniki. Gratuluje jej przejęty Juan Manuel Ramírez Caraza, rektor politechniki i specjalista od komunikacji lądowej, a dyrektor Bellas Artes zaprasza ją, by wykładała w Szkole Malarstwa i Rzeźby oraz w Szkole Wzornictwa i Rzemiosła. Nocami, kiedy Ruth wreszcie dociera do domu, ledwo starcza jej czasu na przygotowanie zajęć. Matka zarzuca jej: „Za dużo pracujesz, nigdy cię nie widuję". Pedro Alvarado kończy studia później niż ona i szuka pracy, ale znajduje tylko stanowisko pomocnika w biurze kreślarskim.

Małżeństwo Rivera-Alvarado żyje skromnie. Lupe Marín jada u Ruth w niedziele. Wieczorem para odwiedza Diega i Fridę, a Lupe zawsze chce iść z nimi.

– Jesteś szczęśliwa z tym gościem? – docieka Lupe. – Mnie on się wydaje okropnie mdły.

– Oj, mamo!

25 grudnia 1950 roku Agustín Lazo dzwoni do Lupe o dziesiątej rano: „Xavier właśnie umarł". „O czym ty mówisz, jaki Xavier?" „Xavier Villaurrutia, Lupe, jakiego innego Xaviera mógłbym mieć na myśli?" Pod Lupe uginają się nogi, musi usiąść, z trudem wydobywa z siebie głos: „Jak to? Na co?". Według lekarza była to „dusznica bolesna". „To bardzo dziwne, bo Xavier nigdy nie chorował na serce, ale rodzina nie zgadza się na autopsję".

Osiem lat po Jorge Cuescie Xavier Villaurrutia umiera w wieku czterdziestu czterech lat w swoim domu przy Puebla 247 w kolonii Roma.

Na cmentarzu Tepeyac Lupe w czarnych okularach stoi sztywno obok Agustína Lazo, który szlocha rozpaczliwie. Jaime Torres Bodet, pracujący teraz w organizacji pozarządowej, wysyła przejmujący list do rodziny Xaviera; drugi, jeszcze bardziej zbolały, kieruje do Agustína Lazo.

Nie sposób zapomnieć miłości, jaką żywił do niej Villaurrutia, jak chwalił jej cięty język: „Lupe, cokolwiek byś powiedziała, będzie genialne". Wspomina wspólnie spędzane wieczory, wspólne lektury, zdrady Novo. Co się stało, przecież to jeszcze nie był na niego czas? „Czyżby także popełnił samobójstwo?" Przegląda wiersz, którego Xavier kazał jej się nauczyć na pamięć:

> W studnię dręczącej gry lustra w lustrze
> wpada mój głos
> wołanie
> woła *nie*?
> woła mnie?
> wołam *nie*!
> lód ze szkła
> krzyk z lodu
> w ślimaku ucha
> szum fal to morze, wiem
> To może wiem?

Prócz straty Xaviera Lupe dręczy inne zmartwienie: jej córka Ruth. W czasie gdy małżeństwo Rivera-Alvarado psuje się coraz bardziej, jej starsza córka poznaje ekonomistę Ernesta Lópeza Malo, działacza Partido Popular. Ernesto jest inteligentny, interesuje się kinem, teatrem, muzyką i dobrym jedzeniem. „Stanowimy idealnie dobraną parę", zwierza się Lupe Rivera, która znów jest w ciąży. Nie przestaje pracować, choć mąż nalega, by zrezygnowała. 21 października 1952 roku przychodzi na świat jej drugi syn, Diego Julián. Ernesto zajmuje się zarówno niemowlakiem, jak i Juanem Pablem, którego traktuje jak własnego syna. Chodzi na wywiadówki w Colegio Alemán, o których Lupe Rivera zapomina. To on podpisuje stopnie w dzienniczku i z uśmiechem przyjmuje pochwały nauczycielek. Fakt, że Juan Pablo jest grzeczny, sprawia mu przyjemność, choć w Colegio Alemán trudno być nieposłusznym.

Śmierć Fridy 13 lipca 1954 roku wstrząsa siostrami Rivera, bo wokół niej skupiał się cały ten ich dziwny i potężny świat. Choć można się było tego spodziewać, Ruth przeczuwa, że będzie to straszliwy cios dla jej ojca. „Czy ma wyrzuty sumienia?", zastanawia się. Diega łączyła z Fridą wielka namiętność, jakiej nigdy nie było między nim a Lupe, bo Frida składała mu się co dzień w ofierze. „Zrób ze mną, co zechcesz". Frida żyła i malowała dla niego. Lupe nigdy nie kochała go w taki sposób. Nigdy nie stanowiła części jego misterium. Siostry stają nad krawędzią czegoś dla nich nieprzeniknionego. Ruth zastanawia się, jaki los czeka dziecko, którego się spodziewa. 20 grudnia tego samego roku rodzi się Ruth María de los Ángeles, Pipis. Jej rodzicami chrzestnymi zostają María Félix i Diego Rivera.

Owdowiały Diego przypomina duszę pokutującą. Lupe Marín często go odwiedza: „Ugotuję ci rosołu z kury. Ubierz się cieplej, bo zachorujesz". Przynosi mu posiłki do Niebieskiego Domu, teraz smutnego i pustego. Jelonek *Granizo* nie biega już po ogrodzie, bezwłose psy Azteków siedzą zamknięte w kojcu, zniknęły małpki i papugi, kucharka wzięła wolne, ostatecznie Diego i tak nie ma apetytu. Na rogu ulic Londrés i Aldama panuje cisza jak na cmentarzu.

Zły znak! Diego nie interesuje się już polityką, nigdy nie pyta w drzwiach odwiedzających: „Co myślisz o naszym rządzie?", co dawniej miał w zwyczaju. Teraz nawet program surowego veracruzańczyka Adolfa Ruíza Cortinesa nie przykuwa jego uwagi.

„Staruszek", jak nazywają prezydenta, wraz ze swoim gabinetem jest nieprzejednany i jako pierwszy zdaje relację ze stanu państwa w dzień po objęciu władzy. Odrzuca upominki od prywatnych firm. Jedyne pieniądze, które go interesują, to wygrane w domino. Lupe Marín podziwia jego dyscyplinę, a Diego uśmiecha się, gdy opowiada mu, że Luz Aspe – wielka przyjaciółka Tenchy, córki Plutarca Elíasa Callesa – zasugerowała Miguelowi Alemánowi, by się przebrał za Ali Babę i czterdziestu rozbójników na bal kostiumowy w Los Pinos. „Mam nadzieję, że teraz, kiedy my, kobiety, wreszcie mamy prawo głosu, nie wybierzemy idiotycznie", emocjonuje się Lupe.

Pół roku po śmierci Fridy Diego puka do drzwi domu przy Tampico 6 i zastaje Lupe, starszą córkę i wnuczka Juana Pabla siedzących przy stole.

„Chcę porozmawiać w cztery oczy z twoją matką". Kiedy córka z wnuczkiem wychodzą z jadalni, proponuje Lupe Marín małżeństwo. Godzinę później Mała Lupe widzi, jak jej ojciec schodzi zgarbiony po schodach, trzymając się poręczy.

– Wiesz, po co tu przyszedł twój ojciec, a ja zaśmiałam mu się w twarz? Żebym za niego wyszła.

– Mamo, dlaczego się nie zgodziłaś?

– Zwariowałaś? Jak mogłabym wyjść za takiego starego dziada!

– Mamo, właśnie popełniłaś największy błąd w swoim życiu.

– Jest już bardzo zużyty, widziałaś, jaki zgarbiony chodzi? Ja mam jeszcze życie przed sobą – tłumaczy Lupe.

Lupe Rivera patrzy na matkę z nienawiścią: „Mamo, jak mogłaś? Straciłaś jedyne, co ma wartość w twoim życiu. Tata boi się samotności. Może i jest gigantem, ale tacy mężczyźni jak on nie umieją żyć sami. Jeszcze tego pożałujesz, i to szybko. Za pół roku będziesz się zalewać łzami, że znalazł sobie inną".

Na Boże Narodzenie Diego zaprasza je we trójkę, by odwiedziły go w domu przy Altavista. Lupe chełpi się swoimi indyczymi piersiami w sosie winegret. Po raz ostatni rodzina spotyka się w komplecie: Lupe Marín, Diego Rivera, Lupe Rivera i Ernesto López Malo z dziećmi, Juanem Pablem i Diegiem Juliánem, Ruth, Pedro Alvarado i mała Ruth María.

Podczas kolacji Mała Lupe opowiada o swoim *przeżyciu z obcymi* w Sierra Gorda de Querétaro. Diego słucha jej z uwagą.

– Pewnie widzieliście lecące po niebie pioruny kuliste. Tam ludzie mówią na to *tzintziniles*, co w języku otomi oznacza *wiedźmy*.

– To na pewno były spadające gwiazdy – wtrąca Lupe Marín.

– Oj, mamo! Już w Biblii i Popol Vuh jest mowa o innych cywilizacjach we wszechświecie. A może sądzisz, że jesteśmy jedyni?

– Wiem tylko, że ja jestem jedyna, a nie mam nic wspólnego z ufoludkami.

Lupe zwraca się do ojca:

– Sądzisz, że Kamień Słońca albo kalendarz aztecki to przedstawienie statku kosmicznego?

– Tak, Lupe, myślę, że to może być prawda, wiele przekazów z naszej prekolumbijskiej przeszłości nie zostało rozszyfrowanych, a podobnie jak ty uważam za bardzo prawdopodobne, że istnieje życie na innych planetach.

– Oboje jesteście wartymi siebie fantastami i bajarzami – śmieje się Lupe Marín.

29 lipca 1955 roku, rok po śmierci Fridy, Diego bierze ślub z Emmą Hurtado, swoją agentką od 1946 roku i właścicielką galerii

sztuki noszącą jego imię. „Jak mógł się ożenić z takim małym wy-skrobkiem, kobietą, którą wszyscy mają za nic? – lamentuje Lupe.

– To już szczyt wszystkiego, wziąć ślub z takim *karmelizowanym orzeszkiem"*.

– Mówiłam ci przecież, mamo, ostrzegałam cię. Teraz sama wypijesz piwo, którego sobie nawarzyłaś.

Coraz mniej związana ze swoją rodziną młoda Lupe Rivera Marín zbliża się do PRI, Agustína Olachei i Alfonsa Corony del Rosal. Ten ostatni jest wojskowym. Niemożliwe, żeby córka Diega Rivery nie zdobyła mandatu poselskiego, skoro ma takie same zasługi jak inni, a przy tym dużo większe predyspozycje. Czy Lupe nie słuchała w domu od dziecka o polityce? „Wstąpiłaś do PRI?", oburza się Diego Rivera. „Owszem i nawet będę deputowaną, teraz, kiedy kobiety mogą być w sejmie. Wielu ludzi jest gotowych mnie poprzeć i sfinansować moją kampanię". Diego się złości: „Poświęcisz się najgorszej działalności, jaką człowiek może się zająć. Jeśli masz zajść tam, gdzie planujesz, pójdź tam drogą techniki, a nie pochlebstwa". „Tato, uważam, że najbardziej sprawiedliwą doktryną społeczną jest socjaldemokracja, demokracja, której leży na sercu dobro całego narodu, i dla mnie właśnie takie wartości reprezentuje PRI".

ROZDZIAŁ 35

OSTATNI AUTOPORTRET

3 lutego 1956 roku Ruth rodzi swoje drugie dziecko: Pedra Diega. Okres ciąży jest dla niej bardzo ciężki, bo dowiaduje się, że Diego ma raka prostaty. Od śmierci Fridy Diego mieszka z Emmą Hurtado w domu-pracowni przy Altavista, strzeżony przez figury ogromnych judaszów – kukieł z papier-mâché, które robi dla niego Carmen Caballero, jego kartoniarka. Teraz Diego maluje portrety bogatych pań, żony polityków lub biznesmenów, których auta, szoferzy i ochroniarze czekają na ulicy przed domem.

Juan Pablo i Diego Julián odwiedzają go z Lupe Riverą i siadają obok jego plecionego fotela. Diego nie zwraca na nich uwagi, zajmuje się wyłącznie córką Ruth. „Będzie równie wysoka jak jej matka. Chcę ją namalować". Na temat śniadego i pulchniutkiego niemowlęcia, które Ruth przynosi na ręku, mówi: „Ładny, ale to Pipis namaluję, jak tylko poczuję się trochę lepiej".

Ruth stale dotrzymuje ojcu towarzystwa, zaniedbuje Pedra Alvarado, zaniedbuje też swoje dzieci. Codziennie ogłasza: „Dziś wieczorem idę z tatą do Bellas Artes. Jutro jadę z tatą do Choluli". Trzy lata starsza od Pedra Alvarado Ruth narzuca mu swoje decyzje, aż wreszcie któregoś dnia oświadcza po prostu: „Zamieszkam u taty".

– A nasze dzieci? A ja?

– Jak chcecie, przeprowadźcie się ze mną. Tak czy inaczej, teraz najważniejszy jest tata.

Emma Hurtado się nie liczy, liczy się tylko Ruth. Diego woła ją zaraz po przebudzeniu: „Pójdziesz ze mną do Anahuacalli? Musisz mi w czymś doradzić".

Pedro Alvarado, który chodził na zajęcia Ruth, ponieważ skończyła studia wcześniej niż on, czuje się odstawiony na boczny tor. W sercu Ruth jest miejsce tylko dla Diega Rivery.

Artysta poświęca się muralowi w Centrum Medycznym przy alei Cuauthémoc, choć coraz bardziej opada z sił. Za wszelką cenę chce go skończyć.

Stowarzyszenie Malarzy Związku Radzieckiego zaprasza go do Moskwy: „Tam jest mój ratunek, tam mnie wyleczą. Nie ma lepszego systemu opieki zdrowotnej niż radziecki. Tam nikt nie słyszał o korupcji, koniec z problemami. Właśnie takiego zaproszenia było mi trzeba".

Diego i Emma stawiają czoła śnieżnym zamieciom, przeciwnościom natury i słabości swoich zużytych ciał. „Ten wielki kraj uleczy Diega!", powtarza Emma za nim.

Po powrocie, w wieku siedemdziesięciu jeden lat, mistrz oświadcza prasie: „Wyzdrowiałem". Zapewnia, że Rosjanie uratowali mu życie z pomocą bomby kobaltowej, choć prywatnie przyznaje, że w Związku Radzieckim lekarze nie przyjmują do szpitali chorych w terminalnym stanie. „Nie ma sensu, żebyście zajmowali tu łóżko, idźcie lepiej, towarzyszu, umrzeć w domu".

Diego i Emma Hurtado zobaczyli niekończące się szeregi kobiet w chustkach na głowie czekających na ulicy w kolejce po swoją rację chleba, a nawet wódki. Komunizm i równość klasowa nadal pozostają utopią. Już w 1927 roku Diego spojrzał na Związek Radziecki krytycznym okiem, uznawał Stalina za grabarza rewolucji. Opisywał go: „głowa w kształcie fistaszka zwieńczonego wojskową fryzurą", jedna ręka założona za plecy, a druga z przodu pod marynarką na wzór Napoleona.

– Nie wiem, po co tam pojechałem – wyznaje Diego Lupe Marín, patrząc smutno.

Zaraz po powrocie ze Związku Radzieckiego Rivera usuwa ze swojego muralu w Hotel del Prado słynne zdanie Nigromante: „Boga nie ma". Zamiast niego pisze: „Konstytucja z 1917 roku".

Następnego dnia wzywa prasę: „W Hotelu del Prado będzie miało miejsce sensacyjne zdarzenie". Wybiera godzinę szczytu, wpół do siódmej po południu, wspina się na rusztowanie i odkrywa mural schowany za zasłoną. Schodzi na dół do zdumionych reporterów: „Jestem katolikiem". Dodaje, że podobnie jak Zapata uwielbia Najświętszą Panienkę z Guadalupe. Dziennikarze uznają, że jest stary i zmęczony.

Córki przychodzą niemal codziennie do domu przy Altavista, wnuczki biegają z jednego domu do drugiego przez wiszący łącznik: „Pospadają, zabierz je stamtąd, denerwują mnie", prosi Diego Emmę Hurtado.

Lola Olmedo zaprasza go do Acapulco. Przekonuje, że pobyt nad morzem dobrze mu zrobi. Tam właśnie w 1954 roku powstał jego ostatni autoportret: wychudły Diego trzymający w jednym ręku paletę, a w drugim własne serce, ze smutkiem malującym się na wymizerowanym obliczu. Po powrocie kładzie się do szpitalnego łóżka, które kupiła Emma. Kazała je wstawić do pracowni obok figur wielkich judaszów. Ruth nigdy nie widziała go tak wycieńczonym, dręczy się myślą, że zbliża się koniec. „Mój ojciec umrze". Mała Lupe, która żyje z dala od Diega, jest silniejsza, ale podobnie jak siostra, ilekroć wychodzi z domu przy Altavista, ma ściśnięte gardło.

Lupe Marín nie zwraca uwagi na Emmę Hurtado, do jej domu wpada jak burza. Wydaje rozkazy na prawo i lewo, a kiedy ostatecznie siada przy łóżku Diega, rozśmiesza go swoimi opowieściami i plotkami. Z jej dowcipów śmieją się nawet kartonowe judasze. Wychodzi z pracowni dopiero, kiedy widzi, że senny Diego opuszcza powieki na swoje wyłupiaste oczy.

– Wiesz, co mi powiedział twój ojciec? Że Orzeszek go przeraża i że gdyby nie był chory, rozwiódłby się z nią – zwierza się Ruth.

Lupe Marín podtrzymuje go na duchu, jest powiewem życia; opowiada, że taki to a taki deputowany gotów jest bronić swojego stołka z pistoletem w garści; że w życiu nie zdołałby sobie wyobrazić, jak potworny kapelusz nosi żona prezydenta: dwa sadzone jaja, masz pojęcie?, tak go ochrzcił Luis Spota; że wydało się, iż ten a ten gubernator ma drugą rodzinę. Diego delektuje się swą Gniadą Mulicą. Kiedyś nieraz doprowadzała go do szału, ale i tak zawsze go bawiła. Słuchanie jej monologów przywołuje wspomnienia. Lupe chwali obie córki. Starsza „ma wredny charakter", ale jest aktywna. Podkreśla zalety dużo łagodniejszej Ruth: „Pytają o nią uczniowie ze Szkoły Architektonicznej. Przyjaciele ją kochają. Pedro Ramírez Vázquez zleca jej plany i budowy. No i co powiesz? Dziś kobiety już nie zajmują się obsługiwaniem swojego mężczyzny. Pamiętasz, Brzuchaczu, jak ja o ciebie dbałam?".

– Jeszcze jak pamiętam, Gniada Mulico.

– Zgadnij, kogo spotkałam na rynku San Juan? Vasconcelosa! Powiedział mi, że na pewno szybko dojdziesz do siebie.

– Zamiast tak gadać i przekazywać ci idiotyczne pozdrowienia, lepiej by przyszedł mnie czasem odwiedzić. Chicho Bassols ostrzegł mnie, że mam w banku tylko osiem tysięcy pesos…

– A ja chciałam cię prosić o pieniądze – uśmiecha się Marín.

– Przysuń się bliżej, Lupe. Wiesz, kim są jedyne kobiety, które w życiu kochałem? To moje córki, a mam je z tobą.

Diego dyktuje testament Chichowi Bassolsowi, swojemu przyjacielowi i prawnikowi: Niebieski Dom (i wszystko, co się w nim znajduje) zostanie przekształcony w muzeum otwarte dla narodu meksykańskiego. Anahuacalli, które zaczął budować w 1942 roku, posłuży za schronienie tysiącom prekolumbijskich eksponatów i także będzie dostępne dla szerokiej publiczności. Tereny wokół Anahuacalli, na których planował wybudować Miasto Sztuki, będą administrowane przez Bank Meksyku. Na koniec mianuje Radę Wykonawczą: Narciso Bassols, dyrektor naczelny, Carlos Pellicer, dyrektor zbiorów, i Eulalia Guzmán, dyrektor historiograficzna.

Anahuacalli w San Pablo Tepetlapa, zaprojektowane przez samego Diega Riverę, który tak bardzo pragnął być przy inauguracji, zostaje powierzone pod opiekę Ruth i Juana O'Gormana. Przyjmują Franka Lloyda Wrighta ze Stanów Zjednoczonych – znacznie większe wrażenie niż ciężka bryła budynku robi na nim ogromna ilość zgromadzonych eksponatów archeologicznych, które będą wystawiane w muzeum.

Guadalupe Amor, z którą Lupe lubiła spotykać się w Ciro's, zaprasza ją do swojego domu przy ulicy Duero, żeby posłuchała, jak *Peque* (czyli Josefina Vicens) czyta pierwsze rozdziały jej powieści

Pusta książka[52]. „Pita, wiesz doskonale, że nigdy nie kładę się później niż o ósmej wieczorem, nie przyjdę".

W niedzielę 28 lipca 1957 roku o wpół do trzeciej rano Josefina Vicens wciąż jeszcze czyta czwarty rozdział, Pita ją oklaskuje: „To cudowne, czytaj dalej, jeszcze trochę". Nagle szczekanie psów wypełnia ulicę, budynek drży. „Trzęsienie, trzęsienie", krzyczy Tita Casasús. Archibaldo Burns powstrzymuje Elenę Garro, która otwiera balkon i chce wyskoczyć na ulicę. Pita zachowuje imponujący spokój. Kilka minut później rozbudzeni mieszkańcy przechodzą obok, krzycząc: „Spadł Anioł, spadł Anioł!"[53]. Wszyscy wychodzą na ulicę; jakaś kobieta klęczy na rogu Duero i Lerma. Przenikliwe sygnały karetek i wozów strażackich wyją jak oszalałe wzdłuż Paseo de la Reforma.

Zalana łzami Tita Casasús pyta: „Co z Lupe Marín? Przecież właśnie przeprowadziła się na Paseo de la Reforma 137, zaraz obok ronda Cuauthémoca? Na którym piętrze mieszka? Jej mieszkanie musiało mocno ucierpieć". Alarmuje Antonia Peláeza i Roberta Garzę: „Zadzwońmy do niej". Kiedy wreszcie udaje im się połączyć, Lupe odpowiada opryskliwie: „Nic mi nie jest, mój budynek wyszedł z tego cało".

Torre Latinoamericana o wysokości stu osiemdziesięciu dwóch metrów i wielkich połaciach okien wiszących nad przepaścią, zainaugurowana rok wcześniej przez prezydenta Ruíza Cortinesa, przetrwała nietknięta; za to zawalił się najwyższy budynek w mieście, Corcuera. Następnego dnia rano miłośniczka wielkiego ekranu Lupe opłakuje kina Colonial, Ópera, Gloria, Goya, Titán, Majestic, Capitolio, Cineac, Roble Insurgentes, Encanto i Cervantes, po których pozostała kupka gruzu.

Dla owej ogromnej budowli, jaką jest Diego Rivera, najgorszym trzęsieniem ziemi okazuje się jego własne zdrowie. Coraz słabszy, postanawia namalować portret wnuczki, Ruth Maríi Alvarado: „Przyprowadźcie do mnie Pipis, jest bardzo ładna". Zaczyna

---

[52] *El libro vacío*, Guadalupe Amor.
[53] Chodzi o postać anioła z Pomnika Niepodległości (Angel de la Independencia) przy Paseo de la Reforma.

pracę, lecz po pierwszej sesji poddaje się. „Jest bardzo spokojniut-
ka, przypomina ciebie, tak grzecznie siedzi, ale nie mam siły i nie
wiem, czy zdołam to skończyć", wyjaśnia Ruth. Nie kończy też
murali w Centrum Medycznym i Pałacu Chapultepec, bo paraliż
odejmuje mu władzę w prawej ręce.

– Pędzel już mnie nie słucha.

ROZDZIAŁ 36

POŻEGNANIE MISTRZA

– Podasz mi *kinexa*?

Siedząc w wyplatanym fotelu w domu-pracowni przy Altavista, Lupe Marín przygląda się leżącemu w łóżku Diegowi. Nazywanie chusteczek higienicznych kleenex kinexami to ich prywatny żart. Diego popycha ku niej paczkę chusteczek po kołdrze, szepcząc ledwie dosłyszalnie: „Nie mogę ruszać ręką. Weź sama". Lupe wydmuchuje nos, tłumaczy się: „Ech, ten katar!". Żegna się, bo dusi ją wzbierający w gardle szloch. Śmierć Diega to najgorsza tragedia w jej życiu! W korytarzu pielęgniarka napomina ją: „Mistrz Rivera skarży się, że przychodzi pani tylko po to, żeby płakać. Choćby pani nie wiem ile razy powtarzała, że to katar, on i tak wie, że pani płacze nad nim".

– Myślałam, że się nie zorientował – broni się urażona Lupe.

– Ze wszystkiego zdaje sobie sprawę, ale nie ma już siły protestować.

Diego wie, że przegrał z rakiem. Lupe przygląda mu się z natężoną uwagą i mruczy: „Wygląda jak święty". Jest teraz słodki, wyszlachetniały, zdaniem Lupe choroba wyzwoliła go z „całej tej seksualnej i pornograficznej aury, jaka zawsze go otaczała". Teraz pozostała już tylko postać człowieka obleczonego w całun swojego malarstwa.

– Bardzo się o niego martwię – powtarza Lupe pielęgniarce.

– Przyjmuje tylko panią, swoje córki i panią Maríę Félix, ale ona rzadko przychodzi.

– Nie pojawił się Vasconcelos? Bo Diego o niego pytał.

– Nikt więcej, tylko generał Cárdenas wysłał posłańca.

Każda wizyta przebiega tak samo, Lupe podchodzi do łóżka, całuje Diega w czoło, bierze go za rękę i ją również całuje, zwraca się do niego per *Pelelico*, Kukiełeczko, podobnie jak córki. Rudą Emmę Hurtado nazywa Orzeszkiem, niby to z sympatii. Tak naprawdę nienawidzi jej niemal równie mocno jak Loli Olmedo, która ma w swojej kolekcji ponad dwudziestu Riverów. Diego uśmiecha się, słysząc, jak Marín żegna na schodach jego żonę: „Do widzenia, Orzeszku".

– Dlaczego nazywasz Emmę Orzeszkiem?

– A co? Nie widziałeś, jakiej jest wielkości? Taka mała bździna.

– Ech, Lupe, ty nigdy się nie zmienisz! – śmieje się Diego.

– María Félix nie przyszła? – pyta Lupe pielęgniarki.

– Była wczoraj po południu, pan Rivera poprosił, żebyśmy mu poprawiły poduszki i lepiej go posadziły, żeby mógł ją dobrze widzieć. Przyszła bardzo szykowna, w czarnych spodniach i cieniuteńkiej bluzeczce, mówiła, że to z Paryża. Stukała obcasami, aż echo niosło po całym domu…

Lupe opowiada Ruth:

– Twój ojciec zapytał mnie: „A może napiszesz o mnie książkę?", a ja mu na to: „Taa, pewnie, już łapię za pióro!".

– Wątpię, żeby tata chciał, żebyś o nim pisała, bo powiedział, że obie twoje książki były gorzej niż beznadziejne – denerwuje się Mała Lupe.

– Ty za to wyglądasz masakrycznie z tymi podkrążonymi oczami – odgryza się Lupe Marín.

Diego nie rozpieszczał specjalnie swoich córek, wręcz przeciwnie, był o nie zazdrosny, upierał się, że Lupe zaniedbuje go przez te dwie smarkate. Stał się opiekuńczy, dopiero kiedy dorosły, a Ruth poświęciła mu się duszą i ciałem, rzuciła wszystko tylko po to, by dotrzymywać mu towarzystwa na zebraniach Partii Komunistycznej i „wysłuchiwać wszystkich bzdur wygadywanych przez towarzyszy", jak kwituje to jej starsza siostra, która podobnie jak matka nie cierpi „tych patałachów".

Lupe odwiedza Diega 23 listopada 1957 roku. O świcie 24 listopada muralista umiera. „Cierpiał zbyt długo", odpowiada Emma Hurtado na lamenty Lupe Marín. Odrętwiała Ruth nie jest w stanie nawet się rozpłakać.

Podczas czuwania uczniowie Fridy, na których wszyscy mówią „los Fridos", Fanny Rabel, Arturo García Bustos i Rina Lazo, rysują jego twarz. Federico Canessi przygotowuje maskę pośmiertną, a Ignacio Asúnsolo robi odlew z małych, teraz już bezużytecznych rąk, po czym znów układa je na obecnie nieistniejącym brzuchu, ponieważ podczas choroby Diego bardzo schudł.

Lupe i Ruth Rivera Marín w żałobie pozwalają zbliżyć się tylko wybranym; Dr Atl wspiera się na kulach podtrzymywany przez swoją wierną sekretarkę Teresitę Proenzę. Na stojąco obok ciała trzymają straż Lázaro Cárdenas, Carlos Pellicer, Elenita Vázquez Gómez, Rina Lazo i Arturo García Bustos.

– Teraz wejdą fotografowie – uprzedza Emma Hurtado i staje, malutka, z naelektryzowanymi rudymi włosami obok Lupe Marín, która zagradza drogę zastępowi fotografów i reporterów czekających na ulicy. „Uspokój się, ja tutaj decyduję, to pamiątka dla narodu meksykańskiego", unosi się Emma Hurtado.

– Patrzcie tylko, Orzeszek pokazał pazurki – odparowuje Lupe.

Hurtado postanawia, że Lupe i pracownicy Gayossa pomogą jej ubrać zmarłego w granatowy garnitur i czerwoną koszulę. Diego zmizerniał tak bardzo, że jego chudość przyprawia Lupe o dreszcz.

– Lepiej na niego nie patrz – lituje się nad nią Emma.

Następnego dnia mahoniowa trumna stoi w holu Pałacu Bellas Artes. Politycy, deputowani, malarze, aktorzy i robotnicy, rolnicy z Xochimilco i San Pablo Tepetlapa ustawiają się w kolejce do katafalku. „Chcemy się z nim pożegnać". Wiele kobiet w chustach niesie kalie, wieńce i bukiety też są z kalii. Pierwszą wartę trzyma Lázaro Cárdenas z Dr. Atlem, który płacze wsparty na swojej jedynej nodze.

Vasconcelos siada koło Lupe Marín, a ona wyrzuca mu: „Diego prosił, by przyszedł go pan odwiedzić, a pan tego nie zrobił", odchodzi, nim tamten zdąży skończyć odpowiedź. Wzrusza się, słysząc, jak jakaś kobieta mówi do syna: „Tyle kalii namalował, a teraz sam zwiądł".

Nie tylko katafalk, cała podłoga w Bellas Artes pokryta jest kaliami, a wielu żałobników donosi coraz to nowe bukiety. Komuniści próbują przykryć trumnę czerwono-czarną flagą, tak jak zrobili na pogrzebie Fridy Kahlo, ale Lupe Rivera rzuca się im przeszkodzić z twarzą wykrzywioną gniewem:

– Tylko nie to! Nie będę tego tolerować! Odczepcie się od mojego ojca! Przez całe życie na nim żerowaliście, teraz zostawcie go w spokoju.

Widząc jej wściekłość, towarzysze cofają się i szukają spojrzeniem wsparcia u Ruth, która stoi bezbronna ze zdruzgotaną miną. „Nie, towarzysze, nie teraz…"

Ruth, która zbyt długo słuchała ich dyskusji, która asystowała im podczas tylu mityngów i zebrań, brała udział w niezliczonych posępnych marszach, solidaryzowała się ze wszystkimi postulatami i licznymi nieszczęściami, teraz też pragnie zostać sam na sam z ojcem.

Ci sami aktorzy, którzy trzy lata wcześniej, 13 lipca 1954 roku, byli obecni przy scenie z flagą z sierpem i młotem na trumnie Fridy, czekają w upale. Nie wiedzą, że spowodują dymisję pisarza Andrésa Iduartego, dyrektora Bellas Artes – jeszcze tego samego dnia będzie musiał opuścić kraj.

– Zostawcie go w spokoju! – krzyczy histerycznie Lupe Rivera. – Będziecie go wykorzystywać nawet po śmierci? Jeszcze nie dość dużo wam dał? Hieny, żebracy!

Ruth szeroko otwiera oczy. Nawet przy zwłokach ojca muszą serwować jej, najmłodszej, najczulszej, najwierniejszej, tej, która nigdy się nie skarży, skandal niczym pchnięcie nożem. Wysoki wzrost i mroczna uroda nie pozwalają jej zniknąć. Carlos Pellicer trzyma się obok i podsuwa ramię. Coraz gęstszy tłum tłoczy się wokół katafalku, wielu ciekawskich osłania się przed słońcem gazetami, w których nagłówki krzyczą: „Zmarł Diego, zmarł Diego, zmarł Diego". Schowana przed słońcem Lupe Marín została teraz wdową, bo kiedy nie ma Fridy, znów ona jest tą jedyną, matką jedynych dwóch córek Mistrza, tą pierwszą i tą ostatnią, modelką z Chapingo. Tak, jedyną, jedyną, jedyną. A może jest gdzieś jakiś portret tego nędznego Orzeszka? To jej składają kondolencje, ją obejmują na pocieszenie, a ona wspaniałomyślnie podnosi na duchu najbardziej zgnębionych. U jej boku stoi Vasconcelos, Marte R. Gómez, Lázaro Cárdenas ze swoimi ochroniarzami. Orzeszek jest nikim. Kto w ogóle zwraca na nią uwagę, spójrzmy tylko? Nigdy nie była osobą na miarę Diega, tylko małym rudym gówienkiem. Lupe z wielką satysfakcją stwierdza, że to jej, jedynej, wielkiej Lupe Marín, oddają hołd.

– Co tak brzydko pachnie? – pyta Judith van Beuren.

– To zapach ludu – odpowiada Marín.

Dziennikarze wypytują Emmę Hurtado, ich zdaniem wdowę po Diegu Riverze, o spuściznę mistrza. Orzeszek szacuje na głos, że wartość obrazów i rysunków przekracza dwadzieścia milionów pesos, kolekcje sztuki prekolumbijskiej to czternaście milionów, teren w San Pedro Tepetlapa, na którym stoi na wpół wybudowane muzeum Anahuacalli, dom w Coyoacán i dwa domy przy Altavista warte są przeszło czterdzieści milionów.

– Zwariowała – obrusza się Lupe. – Diego miał tylko osiem tysięcy pesos w banku.

W tydzień po śmierci Diega Lupe Marín zaprasza na obiad wnuczki. Lupe i Ruth sądzą, że ich widok rozproszy jej przygnębienie, nie zdają sobie sprawy z wpływu, jaki na nich wywiera. Najstarszy Juan Pablo to jej ulubieniec; uwielbia, kiedy bierze ją pod ramię i idą razem przez Paseo de la Reforma, a ludzie zatrzymują ją, by zapytać, kim jest jej eskorta. „No proszę, jaki wysoki i wytworny!" W wieku czternastu lat Juan Pablo mierzy już 180 centymetrów. Lupe docenia u niego, że od dziecka dba o wygląd, niebieskie skarpetki zawsze dobiera pod kolor koszuli. „Jaką wspaniałą prezencję ma twój wnuk, na kilometr widać, że jest z porządnej rodziny!" Młodszy brat Diega, Julián, to jego przeciwieństwo, Lupe nie przepada za nim: „Patrz tylko, jak ty chodzisz". Po Juanie Pablu na drugim miejscu ma słabość do Ruth Maríi, jedynej dziewczynki, wysokiej i smukłej jak ona sama i jak jej córka Ruth, zgrabnej niczym modelka o idealnych proporcjach. Lupe wykrawa i szyje dla niej sukienki i bolerka, które leżą na niej jak ulał. We wnuczce widzi siebie i to jej pochlebia. Jak dobrze, że wszyscy chwalą jej urodę, jak dobrze, że jej pochodzenie i dobra rasa rzucają się w oczy! To Marín jak ona, krew z krwi, kość z kości.

Kiedy Pedro Diego chce ją pocałować, Lupe ogranicza się do wyciągnięcia szyi i nastawienia policzka, ignoruje jego wyciągnięte ramiona. Nie traci też najmniejszej okazji, by upokorzyć swoją córkę Lupe. Jej oko jest nie tyle krytyczne, co bezlitosne, nieważne, o kogo chodzi. Swojej siostrze Isabel, która teraz spotyka się z Wolfgangiem Paalenem, zarzuca: „Ten Austriak do ciebie nie pasuje, ożeni się z pierwszą lepszą. Diego mi go kiedyś przedstawił. To skończony neurastenik".

Isabel specjalizuje się w muzealnictwie, antropologii i etnologii. Podziela entuzjazm Paalena do wszystkiego, co prekolumbijskie, i organizuje wycieczki do Taxco, Oaxaki, Michoacán, targuje się z rzemieślnikami. Dla Lupe Marín Paalen to *przemytnik,* choć zastrzega: „Możliwe, że będzie im razem dobrze, oboje uwielbiają włóczyć się po zapadłych dziurach".

Przyjaciółki mają u niej dług wdzięczności, szczególnie Carmen del Pozo: „W tym kolorze ci ładnie, ten fason cię pogrubia, zabiorę ci tę falbankę". Doradza też Loli Álvarez Bravo. „Za mocno zbierasz włosy".

– A Concha Michel i Lola Álvarez Bravo? – pyta Lupe Rivera o dwie wielkie przyjaciółki matki.

– Już się nie widuję z tymi potwornymi babsztylami.

– Oj, mamo, ze wszystkimi się użerasz!

Starczy, że Lupe nie może znaleźć pierścionka lub naszyjnika, a już oskarża gości o kradzież. „To złodziejki", mówi o Loli i Conchy. Na lotnisku strofuje na cały głos Juana Soriano. „Jak możesz jechać do Europy w takich szmatach? Wyglądasz jak strach na wróble! Kupiłeś ten płaszcz przeciwdeszczowy od ulicznego handlarza? Jesteś za niski, żeby nosić taki długi płaszcz. Ciągnie się za tobą po ziemi. Nigdy jeszcze nie widziałam cię tak beznadziejnie ubranego. Płaszcze przeciwdeszczowe kupuje się w Burberry, nie wiedziałeś? Nie mogę cię zarekomendować w takiej postaci, zrobisz ze mnie pośmiewisko w Rzymie. Nie zauważyłeś, że Włosi ubierają się jak książęta? Nawet się do mnie nie zbliżaj! Nie znam cię!"

Pipis ostrzega przed sztucznymi włóknami. Żadnych tam nylonowych majtek, cała bielizna musi być z bawełny, niech nawet nie myśli o jakiejś tam podłej wiskozie! „Uszyję ci spodnie z lnu".

"Ale Guagua, len się strasznie gniecie!" "To zdejmiesz i wyprasujesz. W naszej rodzinie używamy wyłącznie szlachetnych materiałów".

Chodzi wystrojona w sukienkę z włoskiego jedwabiu ze stójką i ze złotą obrożą na szyi, nosi rzucające się w oczy naszyjniki z wielkimi paciorkami, to, *co powiedzą*, zajmuje w jej życiu niesamowicie ważne miejsce.

Niezdolna dostrzec, że rani swoją starszą córkę czy Juana Soriano, wypuszcza swoje strzały na wszystkie strony. Nie zauważa, że wielu usuwa się jej z drogi. *„Vous avez un chic fou"*, orzekli Dior, Fath i Lavin i od tamtej pory Lupe wkracza wszędzie jak na pokaz mody.

Lupe Rivera także rozsmakowuje się w komplementach. W sejmie, w senacie wszyscy dają się uwieść urokom władzy. Nagrody, jak ta z ekonomii, rekompensują jej różnorakie cierpienia z przeszłości. Decyduje przyznać Meksykowi miejsce w swoim życiu i wkracza do świata politycznych śniadań w Sanbornsie, spotkań z deputowanymi, synekur, kolacji i koktajli, na których ją hołubią i wychwalają pod niebiosa za najbłahsze słowo. Nie sposób oprzeć się takim wyrazom podziwu, takim komplementom. W dzieciństwie matka tyle razy ją upokarzała, te nagrody jej to rekompensują. Sukienki szyte przez matkę nie są już wystarczające, teraz w jej garderobie gromadzą się kreacje na najróżniejsze okazje. Jeśli sukienka jest niebieska, buty także muszą być niebieskie, do tego niebieska torebka, biżuteria z lapis lazuli, apaszka na szyi współgrająca z resztą stroju. W sejmie zasadą jest jednomyślność; wszyscy jednym głosem mówią *tak*, a dochody kumulują się w bonach i pożyczkach; każdy spodziewa się przyszłości z cadillakiem, domem w Las Lomas i weekendową willą w Cuernavace lub Tepoztlán, z klubem golfowym (tym w Industriales), zarezerwowanym stolikiem w Ambassadeurs. Sejm jest matką dużo bardziej kochającą niż Lupe Marín. Lupita rozsiada się wygodnie w swoim poselskim fotelu, trzy razy jest deputowaną, sejmowe kuluary zna jak własną kieszeń. „Lupita, jakże się cieszę, że cię widzę". Prezydenci republiki ściskają ją na powitanie, Adolfo López Mateos i Gustavo Díaz Ordaz zapraszają ją do Los Pinos; teraz docenia ją jej dawny pretendent Luis Echeverría, podobnie jak szefowie sił zbrojnych poobwieszani medalami i odznaczeniami. Generał Corona prosi ją o rady.

Ambasador Włoch wydaje fortunę, żeby ją u siebie podjąć: *„Tu sei la regina!"*. Kiedy prezydent proponuje jej funkcję senatora – sześć lat na świeczniku – dawna Pico czy też Pikulinka czuje, że zaszła już wystarczająco daleko dzięki własnym zasługom. Cenią ją dla niej samej, nie za to, że jest córką Diega Rivery. Jako ambasadorce FAO udaje jej się założyć Instytut Kobiety w Rzymie. Co powiedziałby Diego, widząc ją na tym stołku?

Lupe Marín gryzie się teraz w język, nim wygarnie jej, że jest gruba i źle ubrana – stara się ostrożniej dobierać słowa. Juan Pablo oddycha z ulgą, skończyły się kłótnie. Poza tym Lupe Rivera nakazuje swoim sekretarkom: „Jakby dzwoniła moja matka, nie łączcie". Kiedy Ruth skarży się: „Nie mogę już znieść mamy", radzi jej zrobić to samo.

Choć deputowana Rivera upiera się, że nowa generacja polityków zmieni kraj (epoka Vasconcelosa, cóż za piękne czasy!), nędza i ignorancja wcale się nie zmniejszają. Minister edukacji Jaime Torres Bodet w 1943 roku po raz drugi zdał sobie sprawę, że bardzo niewielu rodziców stać na zakup książek, i postanowił rozdać ponad sto tytułów w ramach Ludowej Biblioteki Encyklopedycznej. Jego walka z analfabetyzmem nie znała wytchnienia, budował szkoły w najbardziej odległych zakątkach kraju, stworzył szkołę Normal dla nauczycieli i Konserwatorium w stolicy, a kiedy skarżyli mu się: „Nie mamy nawet dachu nad głową", wysyłał zaraz salę szkolną z prefabrykatów i robotnicy z ministerstwa jechali ją postawić w najbardziej zapadłych wsiach.

„Nie możemy sobie pozwolić na stratę choćby jednego meksykańskiego dziecka".

Podczas kadencji Lópeza Mateosa Torres Bodet inauguruje uroczyście Narodowy Komitet Bezpłatnej Książki, w którego publikacjach można przeczytać: „Książki te są prezentem od narodu meksykańskiego dla narodu meksykańskiego". Wraz z architektem Ramírezem Vázquezem wspiera budowę Narodowego Muzeum Antropologicznego i Muzeum Sztuki Współczesnej. Straszliwie wymagający wobec samego siebie Torres Bodet wymaga także bardzo wiele od innych i w jego biurach przy ulicy Argentina światło nie gaśnie dniem i nocą. Jest nie do zdarcia, nie tylko mówi o „lepszym kraju", lecz także próbuje nauczyć alfabetu tysiące Meksykanów, którzy, podobnie jak twórcy i uczniowie państwowych szkół pedagogicznych, widzą w edukacji jedyną drogę ratunku. W radiu bez przerwy słychać hasło: „Jeśli umiesz czytać i pisać, naucz sąsiada". Torres Bodet pragnie, by Meksykanie, zarówno piśmienni, jak i niepiśmienni, wspierali się i zaufali sobie wzajemnie. Nikt nie może żyć sam, na marginesie bieżących wydarzeń; jeśli jeden traci, tracą wszyscy. Klęska jednego to klęska wszystkich. W Meksyku sprawiedliwość chodzi z przepaską na oczach, umieścił ją tam jeszcze don Porfirio.

ROZDZIAŁ 37

MALARZ AMERYKANISTA

– To mój młodszy brat, wielki fan klubu América; chce zostać piłkarzem, zostawiam ci go. Przyjechał z Zacatecas, żeby studiować
architekturę, powiedz mu, żeby płacił ci czynsz – Pedro Coronel powierza Guillermowi Arriadze szczuplutkiego chłopaczka o zmierz-
wionej czuprynie.

Przy ulicy Valerio Trujano 356 w Centro chłopaczek ów, nazwiskiem Rafael Coronel, bierze w posiadanie pokoik i pozwala
do niego wchodzić jedynie Emilianowi, starszemu synowi Arriagi
i jego żony Gracieli. Nim zdecyduje, czy wybrać rachunkowość czy
architekturę, zacatekańczyk przemierza ulice Centro i dopada go
sprzedawca z Lagunilli: „Kierowniku, spójrz tylko, to prymitywny
idol aztecki, jak dla pana oddam go za dziesięć pesiaczków". Kiedy Rafael dowiaduje się, że jego idol jest fałszywy, wpada w gniew.

– Co za młot z ciebie, twój prowincjonalny akcent cię zdradza!
Moczą to w coca-coli, a potem zakopują, żeby wyglądało na auten-
tyk. Zamiast łazić po Lagunilli, idź lepiej do kampusu i zastanów
się, na jakie zajęcia się zapiszesz – radzi Guillermo Arriaga.

Wielkolud Pedro Coronel chodzi rankiem do Narodowej Szkoły Malarstwa La Esmeralda.

– Można za to przeżyć? – pyta pogardliwie Rafael.

– A jak myślisz, z czego mam na chleb? Nie bądź naiwny! Arriaga powiedział mi, że dobrze rysujesz i wyrzucasz wszystko do kosza.

– A co niby takiego dobrego jest w moich bazgrołach?

– O-so-bo-wość, a to w malarstwie jest na wagę złota. Powinieneś to wykorzystać.

– Żyć z malarstwa? Oszalałeś!

– Czasem masz fuksa i kupią od ciebie obraz i potem żyjesz z tego przez parę miesięcy. Tak sobie radzę. Sądzisz, że zostaniesz gwiazdą klubu América? Zejdź na ziemię, braciszku. Chcesz poznać swojego imiennika, który daje rady prawdziwego intelektualisty?

Rafael Ruiz Harrell prowadzi go do domu Archibalda Burnsa i Lucindy Urrusti w San Ángel, w którym bywa Carlos Fuentes, Octavio Paz i Elena Garro, a także Jorge López Páez z Dolores Castro, dziewczyną Pedra Coronela. W jednej chwili Rafael trafia do kółka literatów i artystów, *la crème de la crème*, na Olimp. „Powinieneś brać przykład z młodszego brata, siedzi cichutko i przysłuchuje się", mówi Archie do Pedra, którego pijaństwa idealnie pasują do jego postury drwala.

Kiedy Dolores Castro, poetka i narzeczona Pedra, zastaje Rafaela w łóżku w domu przy Valerio Trujano, beszta go.

– W wyrku o tej porze? Masz, lepiej to przeczytaj. – Rzuca mu książkę.

– Czyje to?

– Kafki.

– A co to za jeden?

– Nie wiesz? Przeczytaj.

Rafael kończy *Przemianę* i czuje, że Kafka otworzył mu oczy: „No już, rusz się, wstawaj, bo przeistoczysz się w karalucha". Czyta tyle razy, aż jego egzemplarz jest w strzępach.

W La Esmeralda wisi ogłoszenie: *Konkurs malarski dla młodych*. „Wezmę udział, ostatecznie nie mam nic do stracenia". Nie ma pieniędzy na płótno, kupuje więc kredki woskowe i karton i szkicuje oświetloną blaskiem księżyca twarz kobiety o nieproporcjonalnie dużym nosie i mrocznych oczach: *Kobieta z Jerez*. Wybiera swoją ziemię, Jerez w stanie Zacatecas, w hołdzie dla Ramóna Lópeza Velarde.

Najbardziej zaskoczony zdobyciem nagrody w postaci stypendium w wysokości trzystu pesos miesięcznie jest on sam. Zachwycony sukcesem młodszego brata Pedro upija się na całego. Rafael dostanie stypendium pod warunkiem, że rozpocznie naukę w jakiejś szkole artystycznej. „Daj sobie spokój z Américą i architekturą, lepiej idź kupić sobie parę butów".

Na zajęciach w La Esmeralda jego sztalugi stoją tuż obok stanowiska innego początkującego malarza, Francisca Corzasa, który dodaje mu animuszu: „Teraz jeszcze wiesz niewiele, ale masz co trzeba, z czasem się nauczysz". Zaprasza go na kielicha do baru. Począwszy od tego momentu, młodzi adepci sztuki wspólnie piją i analizują prace Siqueirosa i Orozco. „To faktycznie Wielka Trójca. Dr Atl też jest niezły, choć to faszysta". Ich nauczyciel, Carlos Orozco Romero, nie spuszcza Coronela z oka i mówi Corzasowi, żeby odpuścili sobie kantynę i gitarę: ma dobry głos, więc fundują mu kolejkę za każdą piosenkę i kończy o świcie, z twarzą w trocinach na podłodze. Orozco Romero zaskakuje młodego Coronela stwierdzeniem: „Zobaczymy, jak to panu pójdzie, skoro jest pan bratem wielkiego malarza".

– Mówi mi pan to, żebym się wycofał?

Jakaś drobna kobieta pozuje nago na środku atelier. To Julia López, modelka Diega Rivery. Rafael jest jak sparaliżowany, drży mu ręka, nie umie oderwać od niej wzroku, nie potrafi nakreślić choćby jednej linii.

– Co panu jest? Nigdy nie widział pan nagiej kobiety? – pyta Orozco Romero.

– Nie... to znaczy tak... ale nie w ten sposób.

– Czyli w jaki?

– Nie przy wszystkich.

– To proszę się przyzwyczajać.

Szczerość Rafaela zjednuje mu ludzi. *Kobieta z Jerez* zostaje wystawiona w Bellas Artes; wiele dziewczyn ściska go, żeby mu pogratulować, i młodzieniec podskakuje z radości, jakby strzelił gola dla swojej Amériki.

– Niech ojciec mi wybaczy, ale zostanę najbardziej rozchwytywanym malarzem w Meksyku – krzyczy do Corzasa.

– Bardziej niż Diego Rivera? Wszyscy mają go dosyć, tak bardzo mu zazdroszczą.

– Diego Rivera to gigant, ja koło niego jestem tycim liliputkiem.

Ilekroć Rafael wspomina o niedawno zmarłym Diegu Riverze, nazywa go *gigantem, kolosem, największym*. Z Corzasem spędzają całe godziny przed *Stworzeniem* w Amfiteatrze *preparatorii*. To samo robią w Pałacu Narodowym przed *Historią Meksyku*. Pomimo swojego nabożeństwa dla Diega, Rafel maluje postacie pociągłe i melancholijne, które nie mają nic wspólnego z nim ani z jego krajem, ani nawet z malarstwem jego brata Pedra. Corzas już przebył tę drogę i marzy o podróży do Włoch.

– Póki nie pojedziemy do Europy, będziemy tylko pacykarzami.

***

Ruth Rivera szuka Guillerma Arriagi w domu przy Valerio Trujano i natyka się na leżącego na trawniku potarganego chłopaka. Pyta go: „Co tu robisz?". „Przyglądam się tej chmurze, patrz tylko, to czarodziej w spiczastym kapeluszu. Widzisz go?"

– Kim jesteś?

– Rafael Coronel, do usług. A ty?

Z ziemi wydaje mu się równie wysoka co Empire State Building.

– Jestem Ruth i już sobie idę, bo tak naprawdę chciałam się zobaczyć z Guillermem.

Rafael patrzy za oddalającą się szczupłą, wysoką i zgrabną kobietą w idealnie skrojonej sukience. „Cóż to za tajemnicza nieznajoma ubrana na francuską modlę?", zastanawia się.

– Ach, to była Ruth, córka Diega Rivery – wyjaśnia mu Guillermo Arriaga po powrocie, a Rafael dodaje: „Może nie uwierzysz, ale ja poznałem Diega Riverę, zanim umarł, i podał mi rękę. To był bardzo miły i dobroduszny człowiek. Emma Hurtado wystawiała w swojej galerii portret Silvii Pinal, gwiazdy z filmów Luisa Buñuela. Francisco Corzas, Mario Orozco Rivera i ja schowaliśmy się w kącie, kiedy Diego Rivera, ogromny, wkroczył do galerii pod ramię z Silvią Pinal. „Ta pani o rudawych włosach to Emma Hurtado, właścicielka tej zatęchłej galerii", pokazał mi Corzas. Nagle Diego spojrzał w naszym kierunku: „Jesteście studentami malarstwa, prawda? Chodźcie no tutaj, chłopcy", i zaprosił nas na drugie piętro galerii z Marte R. Gómezem, Pascualem Gutiérrezem Roldánem i innymi magnatami z PEMEX-u, Alvarem Carillo Gilem i kolekcjonerami tej rangi co Inés Amor. Teraz wierzysz mi, że go poznałem?".

Celestino Gorostiza, dyrektor Bellas Artes, zatrudnia Ruth, żeby prowadziła nowo utworzony Wydział Architektury w Bellas Artes. „Och, Celestino, to zaszczyt, ale też mnóstwo pracy!" Siedzi w biurze do późnej nocy. Jej dziećmi, sześcioletnią Ruth Marią i czteroletnim Pedrem Diegiem, zajmuje się opiekunka w domu--pracowni w San Ángel. Ich ojciec, Pedro Alvarado, również nie zwraca na nie uwagi.

Jakby miała za mało pracy, Ruth bierze na swoje barki odpowiedzialność za projekt Anahuacalli w Coyoacán i w weekendy pracuje przy desce kreślarskiej z Juanem O'Gormanem. Czasami przychodzi Pedro Ramírez Vázquez – buduje nowe Narodowe Muzeum Antropologiczne z zespołem, do którego bardzo chciałby wcielić swoją kochaną Ruth, choćby ta nie miała już ani jednej wolnej minuty.

Na któryś z obiadów u Arriagów Ruth przychodzi bez męża: „Rozwodzimy się", mówi bardzo głośno. W Rafaelu pociąga ją złośliwy uśmieszek i maniery źle wychowanego chłopaka. „Przyjechał do Meksyku, bo chciał zostać piłkarzem, ale to geniusz, wygrał pierwszą nagrodę w konkursie dla młodych w La Esmeralda", wyjaśnia jej Arriaga. Mały Coronel uśmiecha się za każdym razem, ilekroć wielki Coronel, jego brat, z kieliszkiem w ręku ogłasza z zacatekańskim akcentem: „Z tego patałacha lepszy malarz niż ze mnie".

– Pożycz mi kasy, bo zaprosiłem Ruth do kina – prosi Rafael Guillerma Arriagę.

A niech to! Ruth wie wszystko o malarstwie i to nie tylko w Ameryce Łacińskiej, lecz także w Nowym Jorku, Los Angeles, Paryżu. Opowiada mu o Jacksonie Pollocku, fanatycznym naśladowcy Siqueirosa, o pozycji, jaką ma Meksyk na światowym rynku sztuki, o cudownym okresie przeżywanym przez Amerykę Łacińską. Zapomnij o Paryżu, o galeriach i marszandach, o Almie Reed, Frances Payne, Inés Amor. „Żeby zatryumfować, trzeba przejść przez Meksyk". Wyjaśnia mu, że łatwo można otworzyć sobie drogę, że zajdzie bardzo daleko.

Kolekcjonerzy nie tylko potrzebują Ruth, szanują ją i lubią. Portret z okrągłym lusterkiem w ręku, jaki namalował jej Diego, jest wystawiany obecnie w Nowym Jorku, a czasopisma o sztuce bezustannie go reprodukują. Powtarzają, że z twarzy jej siostry Lupe można wyczytać, że młodsza jest ulubienicą ojca. To ta, która wstąpiła do Partii Komunistycznej, w odróżnieniu od Lupe, działaczki PRI. To Ruth pojawia się u jego boku w gazetach i wiadomościach, bo postawiła wszystko na jedną kartę, na ojca.

– *Money makes the world go round.* Nie wiesz o tym, Rafaelu?

Po trzech miesiącach powtarzania przy każdej wspólnej wyprawie do kina: „Nie przejmuj się, ja zapłacę", Ruth zaprasza Rafaela na coś więcej: by u niej zamieszkał.

– A gdzie będę malował?

– W pracowni taty.

– Fanki Rivery cię zatłuką.

– To niech zatłuką!

Są tam najlepsze europejskie farby (tysiące tubek na wpół zużytych i tysiące jeszcze nie otwartych), które należały do Diega. Są tam i czekają na niego. Żeby nie było go widać od strony alei Altavista, Rafael urządza się w kąciku z dala od wielkiego okna i maluje przy własnej sztaludze. Postać Diega Rivery mu nie ciąży, nie robią na nim wrażenia nawet wielkie kartonowe judasze stojące pod ścianami. Nie onieśmielają go także wspólne obiady z Lázarem Cárdenasem, którego znał tylko z książek do historii.

– To kiedy przyjechałeś, mój chłopcze? – pyta go eksprezydent Meksyku między jednym kęsem a drugim.

Rafael czuje, że generał chce go umniejszyć. Na pewno myśli sobie: „Biedna Ruth, jak nisko upadła!".

– Rafaelciu, przedstawię ci moją matkę.

Lupe Marín, niesamowicie wysoka i wyrafinowana, ubrana w osobiście skrojoną sukienkę podobną do tej, którą ma na sobie Ruth, obrzuca Rafaela uważnym spojrzeniem od stóp do głów i pozwala mu czekać z dłonią wyciągniętą w powietrzu.

– A więc zakochałaś się w tym tak źle ubranym typie?

By mu to zrekompensować, Ruth proponuje kochankowi podróż po Europie. Zdejmuje ze ściany jeden z obrazów Diega Rivery, sprzedaje go Albertowi Misrachiemu i daje Coronelowi tysiąc dolarów.

– No już, zbieraj się do Europy, pooglądasz sobie obrazy mojego taty.

Francisco Corzas pojechał do Włoch nieco wcześniej. Żegnając go, Rafael patrzył na niego zafrasowany: „Tam się spotkamy, tylko lepiej odstaw butelkę, Pancho…".

ROZDZIAŁ 38
REFUGIO

Restauracja El Refugio, prowadzona przy ulicy Liverpool przez Judith van Beuren, która wyszła za Amerykanina ze Stanów, Fredericka van Beurena, to istna latarnia morska folklorystycznego i turystycznego Meksyku. To tam wkracza tryumfalnie María Félix, która zamawia jedynie rosół wołowy i cztery surowe marchewki: „Dzięki temu mam taką cerę". Alfa Henestrosa, obwieszona złotymi monetami, zadaje szyku pod ramię z Andrésem. W Juchitán jedzą *totopos*[54] z cudownym gulaszem z żółwia, ale zgadzają się spróbować sosu *mole de olla* według przepisu Judith. W ślad za nimi idzie Chucho Reyes, spec od bibułki; Juan Soriano, któremu trzęsą się ręce, bo zapomniał wziąć swojego tofranilu; Dolores del Río, która niby to je jak ptaszek; a nawet sam José Vasconcelos rozpowszechniający plotkę, że Diego Rivera jadał wyłącznie ludzkie mięso i *tamales* z zielonym chili z dziecięcym palcem w środku. Czasem przychodzi Indio Fernández, ale Judith nie wpuszcza go, bo za dużo pije. Za to cieszy się na widok Octavia Paza, który gawędzi z Xirauami i Misrachimi i denerwuje się, gdy ktoś im przerywa. Mieszkający pół przecznicy dalej z Ritą Macedo Carlos Fuentes przychodzi w koszuli z zakasanymi rękawami, dziarski i świeżo wykąpany, zamawia orszadę i *quesadillas de huitlacoche*[55]. Octavio Paz

---

[54] *Totopos* – kruche, pieczone lub smażone trójkątne kawałki tortilli.
[55] *Quesadillas de huitlacoche* – *quesadillas* z głownią (gatunkiem grzyba pasożytującym na kukurydzy).

każe go zaraz zawołać do swojego stolika. Lata później, w 1990 roku, już jako laureat Nagrody Nobla Octavio wybierze El Refugio na miejsce, w którym przyjaciele wydadzą bankiet na jego cześć.

Judith van Beuren, która przez wiele lat pracowała na Islas Marías jako sekretarka generała Francisca Múgiki, prosi stołowników, by podpisali swoje serwetki. Zamierza je oprawić i powiesić na ścianie.

Lupe Marín wpada jak burza z torbą na ramieniu i kieruje się wprost do kuchni. Zatrudniony kilka dni wcześniej jako szef kelnerów krągłolicy i dobroduszny Jaime Chávez widzi, jak obejmuje na powitanie Judith: jedna wysoka, druga niska, obie brunetki o długich kręconych włosach, pewne siebie królowe moździerza i mątewki. „Przyszła doña Lupe, nalejcie jej tequili", poleca Chávez kelnerowi.

– Pani nie pije, przyszła gotować.

W chwili prawdy obie, Judith i Lupe, krzątają się wokół garnków śpiewających na wielu palnikach. Panują nad kuchnią niczym caryca Rosji Katarzyna Wielka nad swoimi poddanymi.

Judith kocha tradycję: *tamales*, nadziewane papryczki chili, *sopes*[56], sos *mole* z ziarnem dyni, *enfrijoladas*[57], sos *guacamole*, *tostadas* i raciczki wieprzowe. Podaje kawę z kotła w glinianych dzbanuszkach. Tortille są wyśmienite, bo wybiera najlepszą kukurydzę i osobiście sprawdza *nixtamal*[58], który kucharki uklepują tak dokładnie, jakby od tego zależało ich życie. Co do sosu *mole*, Judith pozostaje nieugięta: „Trzeba go ucierać na żarnach". Jeśli któraś z pochylonych nad żarnami dziewcząt przerywa pracę, Judith łaja ją: „Dalej, leniwa, na to się urodziłaś kobietą".

Lupe chwali wyczucie Judith: zastawa jest z ręcznie wytwarzanej ceramiki z Puebli i z Tonalá, z kutej miedzi z Michoacán; szklanki z dmuchanego szkła z Carretones, a gliniane dzbanuszki z Chigna-

---

[56] *Sopes* – gruba tortilla kukurydziana smażona na smalcu i spożywana z mięsem, serem, warzywami (najczęściej fasolą, cebulą, sałatą) i sosem.

[57] *Enfrijoladas* – rulonik z tortilli kukurydzianej nadziewany farszem mięsno-warzywnym (czerwona fasola, awokado, cebula, sałata) i obficie polany pikantnym sosem.

[58] *Nixtamal* – masa do wyrobu tortilli lub *pozole* wytwarzana poprzez gotowanie kukurydzy w roztworze wapna, ręczne oddzielenie łupin i utarcie ziarna na mączkę.

huapan. „We Francji kupiłam sobie zastawę z Limoges i nie stłukł mi się nawet spodek do masła, ale uważam, że do meksykańskich dań naczynia, które wybrałaś, pasują idealnie", oświadcza Lupe.

– Och, Lupe, chyba nie stałaś się snobką!

Lupe i Judith namiętnie grywają w brydża. Kiedy nie ma klientów, wycofują się o piątej po południu z talią kart na tyły restauracji El Refugio, gdzie zajmują miejsca przy biurku Judith. „Jestem *kartomanką*", wyznaje van Beuren. Gdy zasiądą do gry, u Judith lub u Lupe, nikt nie odciągnie ich od stolika, nawet wydzwaniający w panice z restauracji Jaime Chávez:

– Przyszła pani Silvia Pinal i pyta o panią.

– Powiedz jej, że nie ma mnie w Meksyku, tylko porządnie ją obsłuż; i oczywiście firma stawia, nie przyjmuj od niej pieniędzy...

Judith radzi się antropologa Daniela Rubína de la Borbolli, założyciela Państwowej Szkoły Antropologii i Historii. Entuzjazm Rubína łączy się z zapałem projektanta Artura Paniego, i w efekcie w restauracji tryumfuje styl ludowy, choć w Meksyku wsie są puste, a prawdziwy lud je tortille z solą.

Arturo Pani uwzględnia sugestie Lupe: „Ten kąt jest za bardzo napchany, nie idź w kicz, zabierz trochę tych wycinanek".

Brydżowa partnerka Judith oferuje się przyrządzić Arturowi Paniemu swoje najsłynniejsze dania: wieprzowinę z *pulque* à la Lupe Marín i pierś w sosie winegret. Sunie po kuchni niczym rekin; jedynie fartuszek chroni jej sukienkę:

– Uczcie się, pani zakłada tylko mały fartuszek i ani jednej plamki – chwali ją Jaime Chávez.

Widząc wchodzącą Lolę Olmedo, Lupe docieka:

– Co zamówiła ta małpa?

– *Mole de olla*[59].

– Zaraz jej tu przyrządzimy – mówi jadowicie i opróżnia solniczkę do talerza Loli, żeby *bandytka* (jak ją nazywa) sparzyła się przy pierwszej łyżce.

– „Czemu mi odmawiasz, kiedy cię przyzywam?" – recytuje

---

[59] *Mole de olla* – wołowina gotowana z kolbami kukurydzy, czosnkiem, cebulą, dynią i opuncją połączona z pikantnym sosem pomidorowym.

gromkim głosem Pita Amor jedną ze swoich *Decym do Boga*[60], zamawiając w międzyczasie drugiego drinka o malowniczej nazwie *jedwabne rajstopy*. Lupe ostrzega Jaimego Cháveza:

– Na pewno ci nie zapłaci, nie ufaj jej.

Największą wściekłość zachowuje dla Emmy Hurtado. Ciska fartuch na podłogę i wychodzi na spotkanie „wdowy po Riverze". „A ciebie kto pytał o zdanie, pluskwo?" Od kiedy Emma ujawniła publicznie majątek Diega, jego kolekcje, domy, tereny, Marín nienawidzi jej jeszcze bardziej. „Lupe, uspokój się". Judith znosi ataki na swoich klientów, bo uwielbia przyjaciółkę.

– Oj, Lupe, powinnaś była pojechać na Islas Marías, kiedy tam byłam, generał Múgica stałby przed tobą na baczność.

---

[60] *Décimas a Dios*, Guadalupe Amor.

ROZDZIAŁ 39

GUAGUA

Lupe Marín to słońce, wokół którego krążą jej cztery wnuki. Niekiedy wypadają poza orbitę, szczególnie Ruth María, Pipis i Pedro Diego, najmłodsi i najbardziej porzuceni, bo ich matka spędza całe dnie w Bellas Artes lub na politechnice. „Co za utrapienie z tymi dziećmi!", mówi Lupe, otwierając im drzwi przy Paseo de la Reforma. Rafael Coronel maluje jak nawiedzony, bo „trzeba wykorzystać dobrą passę", zamyka się w pracowni Diega. Odrzuca dzieci Ruth. „Nigdy nie będę miał potomstwa", wyrokuje gniewnie.

Dzieci, Ruth María i Pedro Diego, mieszkają przy ulicy Flores, która odchodzi od alei Altavista. Odwiedzają babcię tylko raz na tydzień i drętwieją, słysząc jej pytanie: „Kto was ubrał?". Nazywają ją Guagua, jak Juan Pablo. We wtorki jedzą u niej obiad i jeśli chcą, zostają na noc: „Ale tylko dwoje, wszyscy czworo nie". Nim zamkną oczy, babcia otwiera drzwi i podchodzi do łóżka Pedra Diega: „Rączki na kołdrę, szybciutko".

– Guagua, zimno mi.

– Nieważne, wyciągaj ręce.

Inés Amor, dyrektorka Galerii Sztuki Meksykańskiej, najpierw działającej przy Abrahama Gonzáleza 66, w piwnicy domu Amorów, a potem przy ulicy Milán, zostaje promotorką Rafaela Coronela podobnie jak Rufina Tamayo i Juana O'Gormana. Podczas ich pierwszej indywidualnej wystawy 1 lipca 1956 roku Inés zorientowała się w talencie obu Coronelów.

Ciąża Ruth wyprowadza z równowagi Rafaela. „Uprzedzałem cię. Nie chcę dzieci". Przyszła matka przerywa pracę dopiero na dwie godziny przed narodzinami Juana Rafaela Coronela Rivery. Chłopiec przychodzi na świat 25 maja 1961 roku i jest bardzo duży.

Dwa tygodnie później Ruth zapada na tyfus. Wściekły Rafael musi sobie radzić z dwoma małymi Alvaradami i noworodkiem. Nie panując nad sobą, wyrzuca starsze dzieci z domu: „Wynoście się stąd, tylko zawadzacie!". Prawie nie utrzymuje kontaktów z Lupe Marín ani z Lupe Riverą, która nie akceptuje go, ponieważ korzysta ze sztalug, farb i pracowni jej ojca.

– A mały? – pyta Lupe Marín. – Kto się nim zajmuje?

– Ja, a niby kto? – odpowiada rozsierdzony Rafael.

– Nie, człowieku, ja go wezmę, póki Ruth nie dojdzie do siebie. Teraz najważniejsze, żeby ona wyzdrowiała.

Lupe Marín znajduje mamkę i dzieli swój czas pomiędzy noworodka i maszynę do szycia. Wiele klientek przychodzi do niej na przymiarki, które stanowią cały podniosły ceremoniał.

– To dziecko ma bardzo duże jądra – zawiadamia Rafaela.

– Wszystkie dzieci mają takie kuleczki – odpowiada zięć.

Wspólnie wybierają łóżeczko i wanienkę w El Palacio de Hierro. „Tamta", wskazuje Lupe.

– Nie, to badziewie. Mam pieniądze na porządną.

– Jesteś pewien? – pyta nieufnie.

– Niech się pani nie przejmuje, Inés Amor mi zapłaciła.

Lupe bardzo podoba się imię wnuczka: Juan Coronel. „To nazwisko jak z ballady *corrido*", ale w samotności, gdy nikt nie słyszy, nazywa go Juanito. To jej najnowszy wnuczek. Pozostałe wiedzą, że okazywanie zazdrości to najgorsze, co mogą zrobić. Najstarszy Juan Pablo to już młodzieniec, gada ze swoją Guaguą o dziewczynach i fasonach butów.

Ledwo Ruth dochodzi do siebie po tyfusie, a już wraca pędem do pracy; mały Juan Coronel znów trafia do pracowni przy Altavista w ramiona niani, Librady Olvery, *Lili*, Indianki Tarahumara, śniadej, niziutkiej, pyzatej i czułej. Rafael nie wychodzi z pracowni Diega, nawet w niej sypia. Nikomu nie wolno tam zaglądać; dzieci już raz zniszczyły mu obraz. „Najważniejszy jest końcowy przebłysk geniuszu". Dzieci krzyczą, a natchnienie idzie w cholerę.

Ruth María i Pedro Diego boją się tego kudłatego mężczyzny, który patrzy na nich z nienawiścią: „Jak ciebie nie ma, bije nas i zamyka w łazience", skarżą się. „Przesadzacie", odpowiada Ruth. Fakt, że Rafael ich przegania lub nie daje im nic do jedzenia, stanowi dla dzieci torturę, którą będą wspominać przez całe życie.

Kiedy Juan kończy półtora roku, Ruth wyjeżdża na cztery miesiące do Włoch, gdzie pracuje w Międzynarodowej Radzie Zabytków i Miejsc Historycznych (ICOMOS). Do jej zadań należy zabezpieczenie i ochrona kulturalnego dziedzictwa ludzkości. Przyzwyczajony do nieobecności żony Rafael oddaje się malarstwu, a starsze dzieci, Pedro Diego i Ruth María, pozostają pod opieką służącej, która daje im jeść i wychodzi z nimi na spacery. Małego Juana Lili rozpieszcza niczym króla.

Wszystkie wnuczki Diega i Lupe uczęszczają do Colegio Alemán. „Tam rzeczywiście uczą dyscypliny", zgadza się Lupe. Jej najstarszy wnuk zachowuje się przykładnie. Drugi, Diego Julián, jedyny, który nie chce się do niej zwracać Guagua, odmawia mówienia po niemiecku: „Nie jestem twoją papużką, babciu". Zamiast koszuli używa podkoszulka i najwyraźniej nie zawarł znajomości z grzebieniem. Jaki oporny ten zbuntowany wnuczek! „To chłopaczysko jest uparte jak muł", powtarza Lupe Marín swoim córkom, „a wy nie macie pojęcia o wychowaniu".

Kiedy czek za pracę w szkole Sor Juana Inés de la Cruz się opóźnia, Lupe biegnie do Ministerstwa Edukacji:

– Pan minister nie może teraz pani przyjąć.

– Proszę powiedzieć temu tchórzowi, żeby tu przyszedł albo zacznę krzyczeć.

Torresowi Bodetowi nie pozostaje nic innego, jak uspokoić bestię: „To na pewno jakieś nieporozumienie, zaraz wypłacą ci twoje pieniądze".

Lupe kupuje owoce i warzywa najlepszej jakości, powstrzymuje się od jedzenia czerwonego mięsa i potrafi wybrać świeżego kurczaka i rybę. Tkaniny do szycia sukienek i bluzek zdobywa w Paryżu lub Rzymie, a kiedy nie może jechać do Europy, bierze taksówkę na ulicę Venustiana Carranzy albo Las Cruces, gdzie Libańczycy, którzy wiedzą, co znaczy jakość, obsługują ją z przyjemnością, ponieważ targowanie się z nią to prawdziwa przyjemność. Lupe nigdy nie zachodzi do księgarni, bo wciąż czyta od nowa tych samych autorów: Dostojewskiego, Tołstoja, Puszkina, Balzaka i Szekspira. Nie chodzi też na wykłady czy recitale, od kiedy wiele lat temu wysłuchała Berty Singerman, którą uznała za szczyt kiczu. Kiedy pytają ją o Martína Luisa Guzmána lub Mariana Azuelę, wpada w gniew: „Ja nie czytam niczego o tej pieprzonej rewolcie zgrai szmaciarzy, którą nazywacie rewolucją meksykańską".

Co roku 12 grudnia wydaje fortunę na imieniny. Zaprasza córki, pięcioro wnucząt, Rafaela Coronela, Juana Soriano, Judith van Beuren, Lolę Álvarez Bravo, Chanecę Maldonado, która teraz prowadzi wielką agencję reklamową Stanton i zarabia bajeczne sumy, ponieważ zatrudnia jako publicystów Gabriela Garcíę Márqueza, młodego Fernanda del Paso, Álvara Mutisa, Chinę Mendozę, Eugenię, córkę Alfonsa Caso.

W tym dniu Lupe otwiera drzwi przy Paseo de la Reforma z szerokim uśmiechem na twarzy. „Wydaje się wręcz miła", komentuje Rafael Coronel.

Juan Soriano korzysta z jej dobrego humoru. „Wpadnij do mojej pracowni przy Melchor Ocampo, chcę ci zrobić kilka portretów". „Nie nudź, już dla ciebie pozowałam". W 1945 roku Soriano namalował ją wspartą na prawym łokciu, z zebranymi włosami, podkreślając dłonie o niesamowicie długich palcach. Teraz jednak portretuje ją w pełnym transie, wściekłymi jak nigdy dotąd pociągnięciami pędzla; dłonie tej drugiej Lupe nie są już piękne, to proste linie dziurawiące płótno, twarz jest klockiem, oczy dwoma tunelami, uszy mają sinofioletową barwę i wyglądają jak słuchawki lub rogi wystające z głowy robota, zamiast nosa próżnia, o ile nie dzika kreska gotowa rozedrzeć płótno; Lupe z profilu jest krwiożerczą kosmitką, barwy są tak żywe, że każą myśleć o jakimś rytualnym obrzędzie; Lupe z wyciągniętymi rękoma wykluwa się z potwornego kokonu, w którym niebieski miesza się z czerwienią i zielenią. Na innym dużych rozmiarów obrazie Juan przeszywa swoją modelkę lancą, jej rażąco szczupłe ramiona stają się strzałami, które przybijają ją do krzyża. Niekiedy w ekstazie mruczy: „Jesteś cudowna, nie ruszaj się". Czasem znów krzyczy do niej: „Jesteś klaczą. Jesteś tysiącem kobiet. Jesteś hieroglifem. Uwielbiam cię, nienawidzę".

Juan widzi, jak Lupe przekuwa swoją wściekłość w urodę, jej wybuchy wiodą ją w świat, z którego nie może już wyjść. „Lupe, czynisz widocznym to, co niewidoczne". Gwałtowność jego lirycznego uniesienia pustoszy mu duszę; wyczerpany Juan chce ją całą dla siebie, na wyłączność. Pośród desperackiej radości Lupe jest odpowiedzią na wszystkie jego pytania. Po części ptak, a po części chimera. Lupe jest z brązu i jest z piasku, jest gargulcem i jest syreną. „Lupe, przyjdź jutro, Lupe, nie zostawiaj mnie, Lupe, jesteś jedyną prawdziwą kobietą, Lupe, chcę być tobą".

Kolekcjoner Carlos García Ponce, brat Fernanda (malarza) i Juana (pisarza) wpada w entuzjazm; Elena Portocarrero i Andrés Blaisten są zdumieni; wysiłek Juana Soriano jest nadludzki: „Odnalazłem swoją drogę". Nie śpi, nie je, już nie pije, niemal nie oddycha, drżą mu dłonie, drżą oczy.

Wreszcie Lupe pyta Juana, czy pozwoli jej zobaczyć, co namalował. Artysta pokazuje jej całą serię, a ona obraża się: „To tak mnie widzisz? Nie będę już dla ciebie pozowała. Boję się tych twoich portretów. Czemu mnie atakujesz? Czemu ukazujesz jako kościotrupa? Czy dla ciebie jestem uosobieniem śmierci?". Juan broni się: „Ty, Lupe, boisz się śmierci, dlatego odrzucasz te portrety". Lupe zmienia kurs: „Jesteś moim katem, a ja twoją ofiarą". Juan mówi jej o metamorfozie, wyjaśnia, jak ją widzi, ile mrocznych przekleństw kryje się w ludzkim ciele; on jako malarz musi schodzić do piekieł i wyłaniać się stamtąd na nowo, by wyciągnąć je na widok. Octavio Paz śledzi jego twórcze zmagania ze znacznie większym entuzjazmem niż kiedykolwiek dotychczas. „Jak ci idzie? W porównaniu z twoim *Apollem i muzami* to, co teraz robisz, wydaje mi się fascynujące. W twoich portretach jest więcej okrucieństwa, ale także więcej czułości, te pociągnięcia pędzla rodzą się w duszy poety". Soriano zapewnia, że Lupe jest jego boginią, ona upiera się, że zbrukał ją na zawsze. Słuchając zachwytów Paza, można by sądzić, że Lupe Soriano to Tonantzin w swoich rozlicznych wcieleniach. Lupe denerwuje się. „To, co namalowałeś, pozostawiło mi okropny niesmak.

Nie będę już teraz mogła uwolnić się od mojej śmierci". „Masz całkowitą słuszność, Lupe, bo zawsze ilekroć wchodzisz do jakiegoś pokoju, prócz tego, że czuję przerażenie, wiem też, że ofiarowujesz mnie śmierci", odpowiada Soriano.

Dla Soriano Marín stanowi nieoczekiwane źródło natchnienia i choć nikt nie kupuje obrazów, wystawa okazuje się wielkim sukcesem wśród krytyki i publiczności. Juan Soriano jeszcze nigdy nie balansował tak bardzo nad przepaścią. „Ja jestem tym, który teraz maluje, jestem prawdziwym Soriano, który objawił się samemu sobie, barbarzyńcą, który wreszcie sam siebie zaakceptował". Lupe upiera się: „Wydałeś mnie na tortury, a potem namalowałeś jako martwą". „Tak, bo ty wróciłaś z piekieł".

Fakt, że Soriano wywołuje większy skandal niż Diego Rivera, cieszy Octavia Paza. Patrząc na jego przeklęte i straszliwe Lupe, nikt zdaje się nie pamiętać portretu, który Diego Rivera namalował w 1938 roku. Widzowie nazywają Lupe *Meduzą, Boginią, Wiedźmą, Harpią, Królową Nocy*. Powtarzają, że jest falliczna. Juan budzi się nasycony Lupe po koniuszki włosów. „W tych portretach zebrałem wszystkie inne, jakie namalowałem w swoim życiu, wszystkie te, które namalowałem w okresie największego wyzwolenia, kiedy przebywałem w Rzymie". Każde z tych płócien kieruje myśli Lupe na Jorge Cuestę. „Czyżby winił mnie za coś ten tchórzliwy kurdupel, nagły obrońca Jorge Cuesty?"

ROZDZIAŁ 40
SYN POETY

Antonio Cuesta przyjeżdża z Córdoby do mieszkania matki przy Paseo de la Reforma. Lupe Marín otwiera drzwi i wita go pełnym niechęci gestem. Postawny, wysoki i elegancki Antonio za wszelką cenę próbuje nie zauważać matczynej wrogości. Przypomina z wyglądu Jorge Cuestę, nosi wąsy i patrzy bez mrugnięcia na swojego rozmówcę, jak gdyby chciał podkreślić, że powieka nie opada mu tak jak ojcu. Dla niego Lupe Marín jest jak magnes, całkiem jak dla Jorge Cuesty. Mimo że matka stale go odrzuca, on zawsze wraca. Lupe nigdy o nim nie wspomina, ale syn godzi się na wszelkie upokorzenia, byle tylko ją zobaczyć.

– Nie przedstawisz mi swoich przyjaciół?

Kiedy zakończył studia w Chapingo, dziadek Néstor Cuesta kazał mu wrócić do Córdoby. Starczyło kilka miesięcy, by życie rodzinne znużyło Antonia. Wciąż marzy mu się to samo, świat matki, a nie prowincjonalna nuda!

„A więc jesteś synem poety?", pytają go. „Nie było lepszego krytyka niż on". „To kluczowy poeta dla historii literatury meksykańskiej". „Z grupy Contemporáneos twój ojciec był najbardziej błyskotliwy". Tyle się o tym nasłuchał, że w końcu zdecydował, że też będzie poetą. Tak, on, jedyny syn Jorge Cuesty, jedyny spadkobierca jego talentu, kontynuator jego dzieła, olśni wszystkich. By spełnić swoje powołanie, koniecznie musi poznać Paryż i przeczytać Francuzów w oryginale, jak jego ojciec.

– Nie zamierzam opłacać ci żadnej podróży – unosi się dziadek don Néstor. Ciotka Natalia także odmawia pomocy.

Antonio zdobywa stypendium Banku Meksyku przeznaczone na studia nad literaturą francuską. „Nigdy nie będziesz pisarzem", sprowadza go na ziemię Lupe. „W porównaniu z Dostojewskim czy Tołstojem Cuesta jest nikim, jest nędznym dydelfem, co zresztą mu powiedziałam".

Po każdym takim ataku Antonio się wścieka, ale nigdy nie odchodzi: „Zostanę u ciebie przez kilka dni, zobaczę się z moją siostrą Lupe".

– Co znowu? – Lupe Rivera także przyjmuje go źle.

– Bank Meksyku przyznał mi stypendium na wyjazd do Paryża, ale to tylko zwrot kosztu kursów lub seminariów.

Lupe obciąża hipotekę jednego z terenów, które odziedziczyła po Diegu, i wręcza Antoniowi trzy tysiące pięćset pesos, żeby kupił bilet na „Île de France". Antonio nie chce czekać na stypendium w Meksyku i postanawia od razu jechać do Paryża.

– Ej ty, a jak w końcu nie dostaniesz tego stypendium? – pyta ironicznie matka. – Ile pieniędzy zabierasz do Francji?

– Dziesięć dolarów.

– Sądzisz, że za to przeżyjesz? – wybucha śmiechem i ku jego zdumieniu wręcza mu pięćdziesiąt dolarów.

W Nowym Jorku Antonio musi zapłacić dziesięć dolarów za wizę i skarży się na *granice imperializmu*. Podczas podróży czyta pierwszy tom *Kapitału*, ale nudzi go to i wyrzuca książkę do morza. Resztę czasu spędza na szezlongu z zeszytem w kratkę, w którym zapisuje teksty, jego zdaniem na miarę markiza de Sade'a, tyle że lepsze.

– U mnie Bataille może chodzić na posyłki.

W Paryżu wynajmuje pokój na stancji dla studentów i co rano stawia się w ambasadzie przy rue de Longchamp, by zapytać o swoje stypendium: „Jest pan pewien? Nie mamy tu na liście żadnego Cuesty", odpowiada mu sekretarka. Dni mijają, dolary topnieją i ostatecznie Antonio wkracza w wielkim stylu do Ministerstwa Spraw Zagranicznych Francji, na bosaka, w podartej koszuli, z wytrzeszczonymi oczami, z brodą jak u Marksa: „Dotarłem do Paryża i nie mam ani grosza; rząd mojego kraju mnie zdradził". Jego elokwencja intelektualisty i bystre spojrzenie sprawiają, że Alliance Française proponuje mu stypendium, które obejmuje koszt zakwaterowania, wyżywienie, kurs języka francuskiego i literatury i jeszcze zostaje mu coś niecoś na zwiedzanie Paryża: „To dopiero oświecony człowiek!". Rodolfo Otero, inny przymierający głodem Meksykanin oddający się rzemiosłu, dodaje mu ducha w jego arogancjach: „Musimy pojechać do Rosji, to nasza mekka".

Antonio opisuje w liście do starszej siostry swoje perypetie, w odpowiedzi otrzymuje notkę od matki: „Kanalio! Mam nadzieję, że zwrócisz siostrze pieniądze, które ci pożyczyła, w przeciwnym razie niech ci nie przyjdzie do głowy postawić swojej pieprzonej nogi w moim domu".

Antonio mówi już po francusku i poprawia swoje relacje z gospodarzem. Choć ma wiele wrodzonego wdzięku, gdy tylko zaczyna recytować swoje wiersze, zniechęca nawet najżyczliwszych. Postanawia pojechać do Niemiec, podzielonych po zwycięstwie aliantów, i osiedlić się w Berlinie Zachodnim. Tam poznaje neapolitańczyka Giovanniego Proiettisa, podobnego jak on awanturnika.

– Przedostaniemy się na wschodnią stronę, tam wszystko jest dużo tańsze.

Zafascynowany sekretnymi przejściami i kanałami Antonio przeistacza się w bohatera powieści szpiegowskiej. Dyskutuje z Giovannim, posiłkując się argumentami po łebkach przejrzanego Marksa, i przekonuje go, że on, tylko on jest marksistą-leninistą, ale ideały walki klasowej nie wystarczą, by zaspokoić głód.

Zawsze nosi przy sobie wełniany koc z San Martín Texmelucan, cały dziurawy i poplamiony.

– To ostatnie, co możesz sprzedać? – pyta go Giovanni.

– A kto zechce kupić takie wystrzępione byle co?

– Idź na Friedrichstrasse, spotkasz tam mnóstwo Żydów intelektualistów, na pewno ich to zainteresuje.

Kiedy Antonio przychodzi z kocem, handlarze przepędzają go bez ceregieli: „Jak śmiesz!". „Bezczelnik!" Giovanni, który czeka na niego kilka przecznic dalej, nie zniechęca się:

– Mam kilku przyjaciół, którzy uwielbiają meksykańskie, boliwijskie czy peruwiańskie rzeczy, zobaczysz, że z nimi to co innego…

– To czysta wełna, autentyczna aztecka, utkana meksykańskimi dłońmi – recytuje Antonio z powagą mnicha.

– Mówi, że bardzo im przykro, bo wiedzą, że to dla ciebie nieuczciwa propozycja, ale mogą ci zaproponować jedynie sto pięćdziesiąt marek – tłumaczy Giovanni.

To dużo więcej, niż spodziewał się Antonio. Daje Giovanniemu dwadzieścia marek w prezencie i pozbywa się go, bo chce sam zjeść kotleta, o którym marzy od dawna. W restauracji pokazuje na słowo najbardziej zbliżone brzmieniem do kotleta. Kelner przynosi mu pucharek lodów czekoladowych.

Za pieniądze uzyskane ze sprzedaży koca jedzie do Hamburga, a stamtąd wraca do Francji. Z Paryża nadaje kolejny list, tym razem do drugiej siostry, Ruth: „Muszę wrócić do Meksyku, pomóż mi". Ruth wysyła mu pieniądze opatrzone krótką notką: „Nie zapomnij, że jesteś winien także Lupe. I jeszcze jedno: nie pokazuj się w domu, bo mama jest na ciebie wściekła".

Po powrocie do Meksyku Antonio dochodzi do wniosku, że jego powołaniem jest poezja. Starczy kartka papieru i pióro, by przelać uczucia na papier i napisać sonety, które czyta na głos swojemu sąsiadowi przy stole w kantynie El Golfo de México (nazywanej przez wszystkich *El Paraíso de los Golfos*)[61]. Antonio dosiada się do pierwszego samotnego pijaka, który rozgląda się wokół za jakąś bratnią duszą, i bez zbędnych wstępów wypala: „Pragną nazwać cię wywrotowcem, ci co…".

– A niech cię cholerka! To ci dopiero wierszyki układasz; pozazdrościć natchnienia! – żegna się jedyny potencjalny słuchacz.

Antonio jest pewien, że inspiracja płynie do niego wprost od ojca. „Przeczytam to Renatowi Leducowi".

Ostrze swojej ironii wymierza w kobiety, a ponieważ jest elokwentny i ma głęboki głos, przebija się przez gwar baru, w którym siedzi pięciu stałych bywalców: Pepe, Luis, Eugenio, Claudio i oklaskujący go poeta Renato Leduc. „Z profesją prawnika mnie tam nie po drodze. / Mnie to nie pociąga, to nie moja wina. / Wolę

---

[61] *Golfo* – zatoka, ale także złodziejaszek, obwieś. *El Paraíso de los Golfos* – Raj Łajdaków.

sobie w domu trzepać kapucyna / niż robić karierę w tej przecudnej todze. / Młodzi kauzyperdzi, rozważcie to sami, / rzecz to raczej dziwna, rodzą się z jajami / i rzekłbyś na oko, że są to mężczyźni, / lecz tracą owe jaja pomiędzy książkami / i już jako cioty okradają bliźnich. / Tytuł swój przyjmują w jaśniejącej chwale: / piewcy cnót, etyki, prawa i pokoju. / Lepiej mnie nie pytaj, co dzieje się dalej, / wnet te ideały unurzają w gnoju". Wznoszą toasty za każdy wiersz, a któryś z nich komentuje: „Dobre, dobre, to było naprawdę dobre". Pepe jest zbulwersowany: „Trochę przesadziłeś", a Claudio mu wtóruje: „Na poważnie ci to opublikowali?". Śmieją się głośno, Luis mocno klepie Antonia po plecach, a Eugenio wstaje, by go uścisnąć. „Wstawaj, powinieneś czytać swoje sonety na stojąco, zasługujesz na to, by wyrecytować je w Pałacu Narodowym, są wyborne". Renato także go oklaskuje: „Nie ulega kwestii, kawał drania z ciebie". Żadnemu nie przyszłoby do głowy powiedzieć, że sonety są przeciętne; wręcz przeciwnie, każdy wers wywołuje chichoty i gratulacje, a Eugenio zamawia następną kolejkę piwa: „Ja stawiam". Cuesta nabiera odwagi i czyta coraz pewniejszym głosem. Entuzjazm osiąga swój szczytowy punkt, kiedy Antonio, który zdążył już zakasać rękawy koszuli, krzyczy głośno, by wszyscy w kantynie go usłyszeli: „Jakże cierpię, kiedy myślę, że z czasem / mój ptaszek mi służby odmówi". Zamawiają coraz to nowe piwa, co ciekawe wiele kobiet przysuwa bliżej swoje krzesła, klaszczą i śmieją się do łez, gdy Antonio, cały roześmiany, intonuje barytonem kolejny sonet.

Chodzi o wywołanie skandalu, o słowa, które rozsadzą Gremium Szacownych Obywateli i wszystkie wartości meksykańskiego społeczeństwa. Stolik w kantynie to nie kościelny klęcznik, stąd nie odchodzi się w milczącej zadumie. Wiersze prowokują do zwierzeń i przechwalania się podbojami. „Znasz ją? Ja już ją przeleciałem". Wyjaśniają, że mają chrapkę na tą czy na tamtą i nie wiedzą już, które piwo piją ani kto zapłaci rachunek. Jedno nie ulega kwestii, impreza musi trwać dalej, co za pamiętna noc, nigdy nie bawili się tak dobrze. Już w okolicach świtu Renato Leduc wydaje ostateczny werdykt i wybiera „najlepszy ze wszystkich sonetów". Pepe protestuje: „Czemu ten? Ten nie! Gdzie jego siła? Nie ma w nim tego tupetu i arogancji, co w innych!". Luis jest podobnego zdania: „Tak,

tak, temu brakuje pazura". Ze wszystkich stron słychać protesty, padają nowe propozycje, wrzask się zwiększa, aż wreszcie wtrąca się właściciel kantyny: „Panowie, pora spać".

ROZDZIAŁ 41

TLATELOLCO

W 1964 roku Ruth pracuje w Muzeum Anahuacalli razem z Juanem O'Gormanem. Frida Kahlo kupiła kilometry kamienistego terenu wulkanicznego, na którym rosną jedynie ciernie i kaktusy, a Diego postanowił wybudować na tej działce swoją piramidę: aztecką, Majów, toltecką, riweryjską.

Wspierany przy kompletowaniu kolekcji radami Alfonsa Caso wzniósł trzypiętrową świątynię wyposażoną w szereg łuków i nisz oraz czarny zimny labirynt niczym tunel monstrualnej kopalni celującej w niebo. „Na najwyższym piętrze umieszczę moje studium poświęcone Tlalocowi". Przeszło pięćdziesiąt tysięcy eksponatów sztuki prekolumbijskiej zebranych na przestrzeni całego życia będzie wystawiane w tej faraońskiej budowli na południu miasta Meksyk. Czy sam Diego nie jest bogiem, panem feudalnym, magnatem, przewodnikiem duchowym otoczonym przez uczniów i sługi? Czy jego rodzina nie jest meksykańską rodziną królewską rywalizującą z władzą prezydencką?

„Za tę kwotę pozwolę sobie na luksus nowej podróży do Europy", oświadcza Lupe po sprzedaży obrazu Diega. Mała Lupe zwraca jej uwagę: „Mamo, musisz być na otwarciu Anahuacalli".

– Masz rację! Pojadę po inauguracji.

Inauguracja Muzeum Anahuacalli ma miejsce 18 września 1964 roku. Ruth jest dużo wyższa niż prezydent republiki i Lupe, imponująca. Obie przyciągają wzrok białymi, perfekcyjnie skrojonymi strojami. Idą obok Jaime Torresa Bodeta, Juana O'Gormana i Carlosa Philipsa Olmedo, syna Loli, który przyczynił się do ukończenia prac w muzeum. Prowadzą po rozświetlonych salach prezydenta Adolfa Lópeza Mateosa w ciemnych okularach, jego świtę i muralistę Davida Alfara Siqueirosa, który właśnie wyszedł z więzienia.

W Madrycie Lupe odwiedza doktora Gonzala Laforę, który jest już na emeryturze. Zarówno Lafora, jak i jego żona chętnie wspominają Meksyk i cieszą się z plotek i złorzeczeń płynących kaskadą z ust gościa. Lupe przebiegle pyta lekarza: „Niech mi pan powie, Lafora, jaki miał pan najgorszy przypadek?". Psychiatra wykręca się: „To tajemnica zawodowa".

Nigdy nie wspomina o Jorge Cueście.

„Czyżby pomylił się w diagnozie?", zastanawia się Lupe. „A może to ja się pomyliłam?"

Codziennie rano kieruje się do parku El Retiro. Spacerów domagają się jej długie nogi. Chodzi z taką naturalnością, że mieszkańcy Madrytu, którzy są z reguły dobrymi piechurami, patrzą na nią z sympatią i wołają: „Ej, brzydulko!". Bardzo madrycki komplement. Ruth, którą wybrano spomiędzy wielu konkurentów, by wygłosiła wykład na kongresie architektonicznym, przyjeżdża do tego samego hotelu. Lupe wpada w zachwyt:

– Ojciec byłby z ciebie dumny, Ruth.

Nim jej młodsza córka powróci do Meksyku, jadą razem do Paryża, gdzie Lupe kupuje dla swojego wnuczka Juana Coronela dwie marynarki w kratkę księcia Walii i pisze do niego pocztówkę. Na jej odwrocie widać obejmującego kobietę mężczyznę z sumiastymi wąsami:

Paryż, 21 maja 1964

Kochany Juanito! Chciałabym, żebyś teraz, kiedy skończysz trzy lata, miał wąsy jak pan na tej kartce. I żebyś jak ten pan znalazł sobie w Meksyku narzeczoną. Przesyłam ci najlepsze życzenia w dniu Twoich urodzin i dwie marynareczki, które zawiezie Ci mama. Mam nadzieję, że wkrótce się zobaczymy. Całuje Cię, Twoja Guagua.

– Mamo, a co kupiłaś innym dzieciom?

– Nic, prezent dla Juanita jest z okazji urodzin.

Ilekroć podróżuje, pierwszym wnuczkiem, do którego pisze, jest Juan Coronel.

Madryt, 11 maja 1966

Mój kochany Juanie Coronel! Było mi bardzo przykro podczas wyjazdu, bo nie przyszedłeś pożegnać mnie na lotnisku. Potem dowiedziałam się, że byłeś chory, a ponieważ telefony na lotnisku nie działały, nie mogłam do Ciebie zadzwonić.

Szkoda, że nie umiesz pisać, mógłbyś mi napisać, co mówi o mnie Twoja mama. Najlepiej podyktuj list sekretarce mamy i w ten sposób opowiesz mi o wszystkim. Powiedz grubemu, że do niego nie napisałam, bo nadal moczy się do łóżka, i że jeżeli nie zwalczy tego złego nawyku w czasie mojego pobytu w Europie, nie przywiozę mu płaszczyka. Przekaż Pipis, żeby mi dała znać, co mam Wam przywieźć. Płaszcz przeciwdeszczowy, garnitur czy buty, w żadnym razie zabawki.

Uważaj na siebie i nie baw się ze zwierzętami; często myj ręce, jedz mięso i owoce. Wysyłam ci tysiąc całusów, podziel się z rodzeństwem. Pozdrów tatę, mamę, Lili i Lupe, jeżeli jest z Wami. A także tego chłopaka, który się tobą opiekuje. Odpowiedz mi Ty, bo Twoja mama do mnie nie pisze i w kółko tylko źle o mnie mówi. Ucałowania, Twoja Guagua.

Po wizycie w Madrycie i Paryżu Lupe dochodzi do wniosku, że Meksykanki źle się ubierają, zbyt mocno malują, są tandetne, a kiedy – na powrót w Meksyku – spotyka swoją starszą córkę, sztorcuje ją jak małą dziewczynkę: „Jak ty nie umiesz o siebie zadbać, no popatrz tylko, tusz ci się rozmazał! Nie widzisz, że wyglądasz jak krowa?". Dla niej człowiek gruby to synonim kogoś złego, głupiego i brudnego, a ponieważ stale to powtarza, przekazuje takie podejście w spadku córkom, zwłaszcza Ruth, która łatwo przybiera na wadze i co chwila jest na diecie.

Zgrzyty między Ruth a Rafaelem Coronelem są coraz większe. Rafael jest już uznanym malarzem, a jego prace sprzedają się jak ciepłe bułeczki. Ruth María i Pedro Diego unikają go jak diabła. Pewnej nocy Pedro Diego zastaje matkę płaczącą w poduszkę:

– Czemu płaczesz, mamo? Będziecie się rozwodzić?

– Skąd taki pomysł? Ty się o to nie martw ani się nie wtrącaj, to sprawy dorosłych, a ty jesteś dzieckiem.

Nieśmiała z natury Ruth samotnie zmaga się z problemem. Nigdy nie opowiada o niczym matce, ani tym bardziej siostrze. Za nic w świecie nie chce wracać do awantur z dzieciństwa. Przez całe życie będzie chodzić ze spuszczoną głową, zachowa milczący sposób bycia i będzie się usuwać na bok. Jej wzrost już sam w sobie wprawia ją w zakłopotanie. Wyróżnia ją niezmierzona miłość do ojca i ogromna pracowitość. Pedro Ramírez Vázquez podziwia jej spokój, zaprasza ją na obiad i radzi jej, by uwierzyła w siebie i swój talent. W odróżnieniu od starszej siostry, Ruth, towarzyszka Diega podczas nudnych zebrań partii, daleka jest od wiary w tryumfalizm PRI, którego Lupe stanowi teraz część. Wytchnieniem są dla niej zajęcia ze studentami z politechniki, którzy przychodzą do niej aż na aleję Altavista.

Ruth kupuje mieszkanie w budynku Molino del Rey w Tlatelolco, z widokiem na Plac Trzech Kultur, bo nie ma czasu jeździć na południe miasta, żeby się przebrać, gdy nagle musi iść na jakiś koktajl lub kolację w Centro. Skąd miałaby wiedzieć, że niebawem ten budynek stanie się polem bitwy?!

W połowie 1968 roku ruch studencki wstrząsa miastem Meksyk. Solidarna ze swoją *alma mater* Ruth dotrzymuje towarzystwa studentom politechniki. Lupe Marín strofuje natomiast z kwaśną miną dziewczyny, które na ulicy Guadalquivir zbierają datki dla studentów: „Weźcie się lepiej do jakiejś uczciwej roboty, drogie buntowniczki".

Ruth i Rafael przygotowują kanapki dla studentów z Casco de San Tomás. Rafael przenosi też wiadomości od studentów politechniki do Warsztatu Grafiki Ludowej. 2 października rano[62] Lupe

---

[62] 2 października 1968 roku w Tlatelolco przy Placu Trzech Kultur siły rządowe przeprowadziły pacyfikację manifestacji studenckiej. Podczas masakry, zwanej też Nocą Tlatelolco, zginęło ok. 200–300 osób, wielu manifestantów odniosło rany lub zostało uwięzionych.

Marín i Ruth umawiają się w Tlatelolco i Lupe stwierdza: „Dziwnie to wygląda. Nigdy nie widziałam tylu wygolonych chłopaków".
– Ci wygoleni to tajniacy.
Nocą Rafael Coronel podlicza ofiary zbrodni na placu.
– Nie mieszaj się w to. Pamiętaj, że masz trójkę dzieci – ostrzega Lupe Rivera swoją młodszą siostrę.
Choć wielu ludzi nie ma pojęcia, co wydarzyło się na Placu Trzech Kultur, Lupe Rivera, przyjaciółka Echeverríi, zaleca ostrożność: „Nie wychylajcie się, to brzydko wygląda". Po raz pierwszy od wielu lat Ruth spędza cały dzień w łóżku.
– Czuję się fatalnie – mówi do słuchawki, gdy ktoś do niej dzwoni.

ROZDZIAŁ 42

NAJWIĘKSZY CIOS

Ruth walczy z depresją, zajęcia na politechnice są dla niej niczym koło ratunkowe. Z biura w Bellas Artes, którego okna wychodzą na skrzyżowanie San Juan de Letrán i alei Juáreza, obserwuje ludzkie mrówki, które biegną załatwiać swoje sprawy, i zastanawia się, po co to robią.

Z domu wychodzi coraz wcześniej, wraca jak najpóźniej. „Praca to moja terapia", wyjaśnia starszej siostrze, która mimo sprzeciwu matki, od trzynastu lat chodzi do psychoanalityka. „Po co ci to?", spytała ją Lupe Marín pogardliwie. „Bo psychoanaliza to nauka". „A ile będzie ci liczył ten Freud z kolonii Condesa?" „Zasługuję na dobrego specjalistę – obraziła się Mała Lupe. – Kto inny, mając taką matkę jak ty, już dawno strzeliłby sobie w łeb".

W pracowni Diega Rafael maluje z zaciekłością. Za wszelką cenę stara się unikać Ruth. Kiedy widzi, że jego żona jest w domu, obraca się na pięcie i wraca do swojej kryjówki.

Małą Ruth Maríę, Pipis, znają dobrze w okolicy, bo spędza cały dzień na ulicy Flores. Kiedy pada, chroni się w bramie u sąsiadów, byle tylko nie wracać do domu. Wesoło podskakują za nią jej czarne włosy, słońce ją spiekło, jest wysoka i śniada, biega bardzo szybko i śmieje się nerwowo. Niektórzy sąsiedzi zapraszają ją: „Chodź, wejdź. Chcesz szklaneczkę lemoniady?". Inni nie mogą się nadziwić całkowitemu osieroceniu wnuczki Diega Rivery. Niepewny i strachliwy Pedro Diego potrafi iść sam z Altavista do alei Insurgentes, byle tylko nie spotkać ojczyma.

Nieobecność Ruth Rivery i agresywne zachowania Rafaela docierają do uszu Lupe Marín, więc wyrzuca córce: „Ruth, co z tobą? Te dzieci potrzebują opieki".

– Może zamieszkają u ciebie?

Lupe faworyzuje Ruth Marię. „To moja jedyna wnuczka".

Nocą najmłodszy Juan Coronel czeka w napięciu, aż usłyszy klakson auta Ruth, która ma w zwyczaju wciskać go trzykrotnie. Biegnie otworzyć jej drzwi w swojej piżamce w paski. Większe dzieci także przychodzą, przytłaczają ją swoimi potrzebami. Ruth uspokaja starszych i siada na skraju łóżka najmłodszego. Czyta mu bajki, czasem przeglądają wspólnie jakiś tom historii sztuki. Juan Coronel zasypia zawsze z kawałkiem kocyka lub jakąś szmatką między kciukiem a palcem wskazującym; kiedy nie może jej znaleźć, płacze rozpaczliwie. Ruth pyta go, dlaczego przywiązuje taką wagę do tej szmatki, a on odpowiada: „To moja mama".

Ruth oddaje honor własnemu imieniu i pracuje z zaangażowaniem swojej biblijnej imienniczki. Nie potrafi strofować dzieci, ale kiedy odkrywa, że Juan Coronel dorysował w podręczniku wąsy Benitowi Juárezowi, wyprowadza ją to z równowagi: „Jak mogłeś popełnić podobne barbarzyństwo?". Oniemiały wobec gniewu matki chłopiec patrzy na nią przerażony. „Twój dziadek namalował prześliczny portret Juáreza, który był kluczową postacią dla Meksyku. Powinieneś iść za jego przykładem". Opowiada mu, że w dzieciństwie Benito żywił się szczawiem i komosą, a od pasania owiec przeszedł do opieki nad większym stadem durnych kóz i pieprzonych baranów zwanym Meksykiem.

Ruth wariuje na punkcie Rafaela Coronela, lecz on coraz bardziej się od niej oddala. Za zapuchniętymi powiekami męża, który zarywa noce, malując, Ruth próbuje na nowo odnaleźć mężczyznę, w którym się zakochała.

– Rafael, źle się czuję.

– To weź się w garść…

Jedzie do Guadalajary na kontrolę do swojego wujka, doktora Preciado. Dla sióstr Rivera jedynymi lekarzami w ich życiu są ci z rodziny Preciado lub Marín.

– To rak lewej piersi. – Diagnoza paraliżuje ją.

Trzydziestodziewięcioletnia Ruth, córka Diega Rivery, matka trojga małych dzieci, której kariera właśnie nabiera rozmachu, czuje, że wszystko jej się wali. Dyrektor Bellas Artes, José Luis Martínez, radzi:
– Powinnaś pójść do innego lekarza, dzięki temu poznasz drugą opinię. Weź parę dni wolnego.
Rafael jest bezwzględny w swojej obojętności.

Ruth uczepia się swojej rutyny: prowadzi zajęcia i seminaria, które zmuszają ją do biegania między politechniką a Bellas Artes. „Jak mogłeś przypuszczać, że przekażę komuś moje obowiązki?", tłumaczy Horaciowi Floresowi Sánchezowi, który radzi jej, żeby o siebie dbała. Ruth nie mówi nic matce, ani tym bardziej siostrze. Po co? W kwietniu lekarz Roberto Garza nalega: „Musisz poddać się operacji". „Nie mogę, muszę jechać do Japonii". Po powrocie, miesiąc później, Horacio Zalce, brat malarza Alfreda, potwierdza pierwszą diagnozę: „W Meksyku nie możemy już tego operować, są przerzuty, stan jest bardzo zaawansowany".

Zaniepokojony Rafael odkłada swoje pędzle i oferuje się pojechać z nią do MD Anderson Cancer Center w Houston. Dzieci przeżywają przygotowania do podróży.

„To na pewno nic takiego". Lupe Marín stara się być silna, ale w samotności, po raz pierwszy od śmierci Diega, dopada ją przygnębienie. Poza tym nie narzeka na brak zajęcia: Rafael Coronel podarował jej teren w Cuernavace. Wybudowanie domu w Mieście Wiecznej Wiosny przesłania złe wróżby. Lupe pilnuje bielenia ścian, szerokości okien, dachówek, wszystkiego, co Ruth dla niej wybrała. Jednak gdy pewnego wieczora odwiedza ją Lupe Rivera, widzi, że matka opada na fotel i płacze skulona. Łzy cieką z jej oczu, jakby ktoś odkręcił dwa krany. Płyną nieprzerwanie. Bez jednego słowa Mała Lupe patrzy na niewyobrażalny spektakl. „Moja matka płacze?", pyta samą siebie z niedowierzaniem.

Ruth i Rafael znów jadą do Houston. W MD Anderson po wyczerpującej serii badań ordynator orzeka, że jedynym ratunkiem jest chemioterapia.

Kiedy zarządca hotelu Hilton dowiaduje się, że gości u siebie córkę Diega Rivery, każe wywiesić meksykańską flagę na balkonie pokoju 219. Także szef kelnerów i barman (Meksykanie, którzy pokonali wpław Río Bravo) zapewniają: „To wielki zaszczyt, że możemy podejmować w Houston córkę Mistrza!".

Samo przejście na drugą stronę ulicy na chemioterapię całkiem wyczerpuje Ruth. „Z czego zapłacimy za ten hotel?", martwi się. „Nic się nie przejmuj". Rafael dzwoni do Inés Amor, by dowiedzieć się, czy sprzedała jego obraz. Inés wysyła pieniądze co osiem dni, a jeśli nie uda jej się nic sprzedać, wypłaca zadatek. „Na pewno się sprzeda, ten Coronel to kopalnia złota".

Kuracja jest torturą. Po sesjach chemioterapii następują wymioty i wyczerpanie, które przykuwa Ruth do łóżka na wiele dni. Rafael wyrzuca sobie, że tak bardzo zaniedbał tę kobietę, na której twarzy nigdy nie dostrzegł choćby cienia krytyki.

– Wiesz co, Rafael? Ja tak naprawdę chciałam tylko mieć męża i dzieci, takie zwykłe życie.

– Ale przypadło ci w udziale być córką Diega Rivery, a teraz jeszcze na dobitkę żoną malarza.

Obie Lupe, matka i siostra, opuszczają Ruth. W MD Anderson chora ma oparcie w Oldze Tamayo, która prowadzi za rękę siostrzenicę.

– Przywiozłam ją tu, bo ma zeza. Tutaj naprostują jej oczka, żeby mogła nimi strzelać w różnych pięknych młodzieńców – wyjaśnia.

Olga zmusza ich do uśmiechu swoimi teoriami na temat zeza i łysiny. Poza tym stale powtarza im, że życie toczy się dalej, a jutro będzie nowy dzień. „Pojedźmy do Galveston, na plażę".

Za pieniądze ze sprzedaży obrazów i pensję Ruth, którą Bellas Artes wysyła co dwa tygodnie, opłacają szpital. Na ich szczęście Inés Amor rozgłasza, gdzie się da, że Rafael Coronel to geniusz, i ilekroć malarz dzwoni do Galerii Sztuki Meksykańskiej, przekazuje mu dobre wieści: „Masz szczęście, pewien kolekcjoner wziął trzy twoje obrazy". Tego dnia Rafael wynajmuje mustanga i zaprasza Ruth i Olgę Tamayo z jej siostrzenicą do Galveston: „żebyście sobie łyknęły morskiej bryzy". Zamawiają langustę i butelkę szampana. Słaba, lecz szczęśliwa Ruth wypija pół kieliszka. Włosy jej wypadły, jest tak chuda, że oczy wydają się wyłupiaste, ale Olga zapewnia ją, że nie ma nic lepszego niż bycie łysym, i bez najmniejszej krępacji, prosto z mostu pyta Rafaela:

– A ty czemu malujesz te straszliwe chude małpy z tutkami na głowie?

– Cóż, nie mam pojęcia, tak jakoś mi wychodzi...

Ruth nigdy nie wspomina o dzieciach. Wylicza tylko dokumenty, które musi podpisać, zebrania, w których nie wzięła udziału, ogromną pracę, jaka z pewnością nagromadziła się pod jej nieobecność. „W Meksyku natychmiast pójdę do Bellas Artes. Czekają na mnie teczki, plany pracy w Anahuacalli".

Leczenie trwa ponad dwa lata. Rafael przyjeżdża i wyjeżdża. W jedną z tych podróży zabiera Pedra Diega i Juana Coronela. Ruth nie, bo „nie wytrzymam z tą dziewuchą". Trzynastoletni Pedro Diego i ośmioletni Juan śpią razem z Rafaelem w pokoju 208 w Hiltonie. Zanim zobaczą matkę, ku wielkiemu przerażeniu młodszego, Rafael goli ich na łyso. Juan Coronel chowa się pod łóżkiem:

– Wyglądam strasznie, nie wyjdę z hotelu.

– Twój brat wygląda tak samo i nic nie mówi.

Widząc matkę bez włosów, uspokaja się. „Ciebie też zabrali do fryzjera?"

Mimo sprzeciwu lekarzy, Ruth powraca do swojego gabinetu w Bellas Artes.

Ruth odziedziczyła połowę majątku Diega Rivery (druga połowa należy do jej siostry Lupe). Mianuje Rafaela Coronela jedynym spadkobiercą i wyznacza go na wykonawcę testamentu. Świadkiem jest Inés Amor.

Lupe Marín traktuje córkę, jakby nie była chora, ale ilekroć widzi jej pogarszający się stan, upada na duchu. Za to Lupe Rivera nigdy nie pojawia się w domu przy Altavista, bo nie potrafi wybaczyć siostrze związku z dorobkiewiczem Coronelem. „Mój psychoanalityk mówi, że im rzadziej będę ich widywać, tym lepiej dla mnie".

17 grudnia 1969 roku Ruth umiera w Instytucie Onkologicznym Miasta Meksyk. Tego samego wieczora Coronel przewozi jej ciało na czuwanie do Anahuacalli. A dzieci? Rodzice Rafaela Coronela i jego siostra Esperanza stawiają się w żałobie w pracowni przy Altavista i zapraszają wnuczka: „Kupimy choinkę na święta". Po powrocie Juan zastaje płaczącego brata, Pedra Diega. W sypialni Ruth María sadza Juana na łóżku:

– Mama dziś umarła. Nigdy więcej jej nie zobaczysz.

Nikt nie wytłumaczył Juanowi Coronelowi, że ktoś może umrzeć, a tym bardziej, co oznacza śmierć. Co stanie się z ciałem jego mamy? Co z głosem, który czytywał mu bajki? Ramionami, które podnosiły go do góry? Przez cały wieczór rzuca się po łóżku, póki nie padnie z wyczerpania.

Dzieci z San Ángel zawodzą na ulicy: „Oooo wielkieeee nie-eebaaaa, dachu nad głową nam trzeeebaaaa!"[63]. Ruth María, Pedro Diego i Juan chcą wyjść, ale Rafael ciągnie ich za uszy. „Co z wami? Jesteście potworami". Na cmentarzu Panteón Jardín, w chwili gdy ma być spuszczona trumna, prosi ich, by zostawili w środku jakąś pamiątkę, coś dla nich cennego. Ruth wrzuca czarny grzebień do upinania włosów, Pedro Diego prekolumbijski naszyjnik, a Juan małą ropuchę z porcelany z wyspy Jaina. Grabarze pytają przed zamknięciem trumny: „Czy ktoś chce ją zobaczyć po raz ostatni?". „Ja!", krzyczy Juan Coronel, ale jego ojciec mówi, że nie, że już wszystko się skończyło.

Czemu przyszło tylu ludzi? Czemu tylu reporterów ściska swoje aparaty nad grobem i trzaska im zdjęcia? Ruth odprowadza wielu kolegów z pracy. „Przyszła cała politechnika", komentują smutni związkowcy z Bellas Artes. Wszyscy kochali Ruth. Pedro Ramírez Vázquez idzie ze spuszczoną głową. Horacio Flores Sánchez wciąż powtarza, że będzie mu jej brakowało. Lupe Rivera wspiera się na ramieniu Juana Pabla, flesze fotografów oślepiają ją pomimo czarnych okularów. Trudno zapomnieć, jak rzucili się na nią, kiedy zabroniła przykryć trumnę ojca czerwono-czarną flagą. Wielu dziennikarzy męczy ją pytaniami. „Ja nic nie wiem, zapytajcie Rafaela". „Nie może nam pani nic powiedzieć o swojej jedynej

---

[63] *Posadas* – bożonarodzeniowa tradycja popularna w Ameryce Środkowej, upamiętniająca poszukiwania noclegu przez św. Józefa i brzemienną Maryję. Od 16 do 24 grudnia organizowane są procesje, ich uczestnicy krążą po mieście, „szukając noclegu", którego domagają się specjalnymi piosenkami. Mieszkańcy domów również odpowiadają im śpiewem, odmawiając przyjęcia, póki nie „wyda się", kim są ich goście. Wówczas procesja zostaje wpuszczona do środka i zaczyna się zabawa, której stałym elementem jest rozbijanie *piñaty* (papierowej kuli, rożka lub kukły wypełnionej słodyczami i upominkami).

siostrze?" Denerwują ją nietakty. Jeden z odprawionych reporterów telewizyjnych woła: „Wy, Riverowie, jesteście figurami publicznymi, zawsze na świeczniku, macie obowiązek informować". Niełatwo jest przecisnąć się pomiędzy niezliczonymi wieńcami i nagrobkami, by dotrzeć do rodziny, ale dziennikarze gotowi są na wszystko. Wszędzie pełno kalii, od zapachu tuberoz Pedrowi Diegowi kręci się w głowie. Pipis odtrąca uściski, a przestraszony Juan Coronel tuli się do swojej niani Lili.

– Nie będzie mszy? Kiedy zaczną zmawiać różaniec?

Dla Lupe Marín śmierć Ruth stanowi cios, z którego już nigdy się nie podniesie. Następnego dnia opuszcza miasto. W domu w Cuernavace przyjmuje jedynie swoją sąsiadkę Lucero Isaac, żonę dyrektora kina. Każdy wnuczek przyjeżdża na własną rękę, najczęściej robi to Juan Pablo. Pipis zjawia się bez uprzedzenia.

– Nie mam po co jeździć do Meksyku – wyjaśnia Lupe.

Rok później, 11 maja 1970 roku, na zapalenie płuc umiera Julio Torri, przyjaciel, który przedstawił jej Diega Riverę, niemal ślepy i głuchy. Lupe odmawia pójścia na pogrzeb: „Nie mogę, nie chcę, wolę zachować go we wspomnieniach jako chochlika na dwóch kółkach", mówi do brata Torriego, kiedy ten zawiadamia ją przez telefon.

Rafael izoluje się w swojej pracowni. Odrzuca dzieci Pedra Alvarado. Piętnastoletnia Ruth boi się go, trzynastoletni Pedro robi wszystko, co w jego mocy, by go nie spotkać, bo często był przez niego bity. Jego własny syn, zaledwie ośmioletni Juan Coronel, snuje się po domu w nadziei, że wszystko to okaże się złym snem i że o zmroku znów usłyszy potrójny klakson.

Po śmierci Ruth Rafael Coronel prosi swojego adwokata Césara Sepúlvedę (słynną osobistość), by zaprosił do kancelarii Lupe Marín, jego szwagierkę Lupe Riverę i starsze dzieci Ruth, żeby odczytać im testament. Kiedy Lupe Rivera dowiaduje się, że Coronel jest jedynym spadkobiercą całego majątku Ruth, dostaje ataku szału.

– Jesteś satrapą, złodziejem. To tak nie zostanie.

Począwszy od tego momentu, Lupe Rivera wytacza otwartą wojnę *temu draniowi*. Lupe Marín również krytykuje chciwego wdowca w dzienniku „Novedades", gdzie wprost oskarża go o pasożytnictwo.

Bez Ruth dom w San Ángel przypomina statek nabierający wody. Po dwóch latach Pedro Diego Alvarado woli przenieść się do ojca, mimo że ten ożenił się ponownie. Ruth Rivera prosi ciocię Lupe Riverę, żeby przyjęła ją pod swój dach: „Mogę mieszkać u ciebie?". Lupe naradza się z dziećmi, Juanem Pablem i Diegiem Juliánem: – Nie, mamo, powiedz jej, że bardzo ci przykro, ale nie. Ruth jest strasznie postrzelona.

Siedemnastoletnia Ruth María przyzwyczajona jest być panią własnego losu i wychodzić co wieczór. Wszystkie telefony są do niej. Wraca o świcie i śpi do czwartej po południu. Wstaje skacowana i wymięta, idzie się kąpać, a kiedy upadnie jej ręcznik lub szlafrok, zakrywa się tylko w wypadku, jeśli ktoś obcy puka do drzwi. Miniówy, podarte dżinsy, wydekoltowane bluzeczki, długie kolczyki z koralikami i piórkami, chusty zakrywające biustonosz, koński ogon, farbowane kosmyki to jej dzienny i nocny oręż. „Czy nie wyglądam całkiem jak Tongolele?", chełpi się białym kosmykiem, potem jednak wybiera inny, fioletowy. Na prawym przedramieniu robi sobie tatuaż w kształcie fajki. „To fajka pokoju", wyjaśnia bratu, a do ojca woła: „Co to za lura? Nie ma w tym domu tequili?".

Ruth ma fioła na punkcie rock and rolla. The Beatles, Rolling Stones i Janis Joplin to jej bogowie. Swojego braciszka Juana Coronela wprowadza w świat muzyki, koncertów i imprez. Jest fanką Hip 70, sklepiku przy alei Insurgentes, w którym można kupić plakaty z Bobem Marleyem, płyty, kadzidełka, kolorowe paciorki, rzeczy wyszywane koralikami, złotą nicią, a przede wszystkim fajki do opium, marihuanę i biały proszek, którym dzielą się na imprezach i który czyni cię szczęśliwym. W Hip 70 pali się czarne światło. Fluoryzujące plakaty uwodzą Juana Coronela, fascynuje go również sposób ubierania się siostry. Jego zdaniem wygląda jak modelka, nosi patchworkowe marynarki i zabójcze mini. Babcia uczy ją szyć i Ruth sama wykrawa sobie dżinsowe kurtki z wzorami z koralików, w stylu Indian Huiczol, rysuje grzybki i liście konopi na koszulkach. Jej pierwszy chłopak jest hipisem i utrzymuje się z produkcji skórzanych pasków; Ruth pomaga mu z ogromną zręcznością i razem sprzedają je w Ciudadela.

Lupe Marín zaprasza wnuczkę, by zamieszkała z nią przy Paseo de la Reforma, ale nim upłynie miesiąc, uświadamia sobie, że Ruth María w niczym nie przypomina Ruth: „Twoja matka nigdy nie podniosła na mnie głosu. Tutaj będziesz robić to, co ja ci powiem". Po pierwszej reprymendzie Ruth oświadcza: „Przeprowadzam się do Loli Olmedo, ona przynajmniej jest fajna".

W wieku dziesięciu lat Juan Coronel jest odludkiem zamkniętym w Colegio Alemán. Bawi się w samotności z prekolumbijskimi idolami Diega, które Rafael trzyma w skrzynkach w pracowni. Całymi godzinami chłopiec notuje coś w zeszycie, którego nikomu nie pokazuje: „Co tam robisz? Idź pograj z chłopakami w piłkę", doradza mu Librada, która patrzy na idole z odrazą. „Szkaradzieństwa", mówi Juanowi. Librada słucha w radiu boler i chłopiec staje się ich fanem do tego stopnia, że potem jako dorosły mężczyzna często będzie słuchał dla ukojenia nerwów *Aquellos ojos verdes* i *Toda una vida*. Podobnie jak Libradzie piosenki te dają mu pewność, że miłość istnieje i że zawsze trzeba całować do ostatka, do szału, do dna.

Juan uwielbia swojego ojca, stara się usprawiedliwić jego obojętność. „Mój tata to malarz, a malarze zajmują się tylko swoimi obrazami". Pewnego wieczora, gdy chłopiec siedzi pośród skrzynek, Rafaela uderza samotność syna:

– Słuchaj, Juan, nie chodzi o to, że cię nie kocham albo że jesteś mi obojętny, mnie po prostu rodzice nigdy nie przytulali i nie wiem, jak się za takie rzeczy zabrać.

Juan studiuje katalogi, które oglądał z Ruth. W tym czasie jego ojciec zajmuje się małą i delikatną kobietą, czarnoskórą modelką z Akademii San Carlos: Julią López. Julia ze swoimi kręconymi włosami i wielkimi czarnymi oczyma wyryła się Rafaelowi w pamięci w chwili, gdy zobaczył ją w La Esmeralda świeżo po przyjeździe z Zacatecas, kiedy to zatkało go na widok jej nagości.

Wściekła rodzina Riverów traktuje go lodowato. Tylko Lupe Marín dzwoni do Juana Coronela:

– Ej, chcę z tobą poważnie pogadać.

– O czym, Guagua?

– Czy zdajesz sobie sprawę, że w twoim domu mieszka czarna?

ROZDZIAŁ 43

JUAN PABLO, ULUBIENIEC

Juan Pablo, który studiuje inżynierię chemiczną w Instytucie Technologicznym Monterrey, odwiedza babcię nie tylko wtedy, kiedy przyjeżdżają wszystkie wnuki, lecz dwa lub trzy razy w tygodniu. Lupe przyjmuje go z uśmiechem: „Ty przynajmniej umiesz się ubrać! Jaka figura, jak ładnie jesz, co za maniery!". Kłóci się z nim tylko, kiedy chłopak zmienia dziewczynę:

– Przypominasz swojego dziadka Diega, nie ułoży ci się z przyzwoitymi kobietami.

– Guagua, nie nudź.

Takie odzywki ze strony wnuczka uważa za brak szacunku. Nie odzywa się do niego przez trzy miesiące, ale kiedy się godzą, wyglądają jak matka z synem.

Lupe nie przytula go ani nie całuje, ale on czuje, że to najlepsza babcia pod słońcem, bo może z nią gadać o wszystkim i nic jej nie oburza. Nigdy nie należała do specjalnie czułych, jednak dla najstarszego wnuczka jest niczym jedwab. Choć nie pozwala mu się obejmować, jej miłość widać jak na dłoni. Zamiast tortem czekoladowym częstuje go najlepszym w świecie rosołem z kurczaka.

Jego matka Lupe Rivera jest surowsza. Interesuje ją przede wszystkim, żeby syn nie oblał żadnego przedmiotu, upomina go: „Nie siedź tyle u babci i ucz się więcej".

Kiedy Juan Pablo był mały i chodził do podstawówki i szkoły średniej w Colegio Alemán, mama sprawdzała mu prace domowe i karała go, jeśli nie wypełniał obowiązków. Teraz jako student Juan Pablo tęskni za czasami, gdy babcia zabierała go do kina i na lody. Lupe Rivera cieszyłaby się, gdyby matka miała dla niej choć odrobinę z tych uczuć, jakie okazuje najstarszemu wnukowi. Kiedy Lupe Rivera jedzie na wakacje do Méridy, Juan Pablo nalega: „Zaprośmy Guaguę". Matka z córką kłócą się o każdy drobiazg i wreszcie całkiem obrażają się na siebie: „Tu jest makabrycznie gorąco". „Chciałaś przyjechać, to teraz się męcz". Juan Pablo znajduje się między młotem a kowadłem. W końcu wybucha:

– Dość tego, jesteście moją mamą i babcią, nie chcę tego więcej słyszeć.

Z Juanem Pablem Lupe Marín rozmawia o książkach. Wnuczek czyta jej na głos *Grób*[64] José Agustína. Aż ją odrzuca z odrazy.

– Jesteś prostakiem, jak możesz tracić czas na takie szczyny?

Lupe chełpi się swoimi autorami: Dostojewski, Balzak, Czechow, Szekspir. Zamyka mu nimi usta. Juan Pablo zabiera się za lekturę *Komedii ludzkiej*, ale pierwszy tom wysuwa mu się z rąk: „Nigdy nie dogonię Guaguy". Któregoś dnia idzie z nią po sprawunki i widzi, że z torby wychyla się broszura *Łzy, śmiech i miłość* i jeszcze druga autorstwa Yolandy Vargas Dulché.

– Guagua, co to ma znaczyć? Ty, która przeczytałaś całego Dostojewskiego i Balzaka, teraz kupujesz romansidła?

– Wyłącznie z ciekawości!

Martwi się, że Lupe jeździ autobusem: „Guagua, nosisz tyle biżuterii, co będzie, jak cię napadną?".

– Naprawdę sądzisz, że jakiś suczy pomiot odważy się mnie tknąć? Niech no tylko który spróbuje, to zobaczysz, co z niego zostanie – obraża się Lupe.

Marín robi wrażenie. Pasażerowie autobusu patrzą z szacunkiem na kupione w Monte de Piedad łańcuchy ze złota i starego srebra, na obroże i perły. Nigdy nie przytrafia się jej nic złego, wręcz przeciwnie, jest boginią, której oddają hołd.

– Mój drogi, jak ty wyglądasz? Gdzie byłeś? – pyta Lupe Juana Pabla, który poprzedniego wieczora obchodził swoje urodzi-

---

[64] *La tumba*, José Agustín.

ny w kabarecie. – Jak możesz przychodzić do mnie na obiad taki wymięty?

– Byłem w Klubie Artystów, skończyliśmy o piątej rano.

– Aha, poszedłeś do Ledy.

– Skąd wiesz?

– Człowieku, chodziłam tam prawie codziennie!

– Moja babcia w Ledzie! – Juan Pablo łapie się rękoma za głowę. Lupe zaprasza Juana Pabla do Francji, Anglii i Włoch. Chwali się:

– W Paryżu jadam kolację w Maxim's przy stoliku, przy którym siadywał Marcel Proust i Meksykanin Pedro Corcuera, bo ma tam całoroczną rezerwację.

Moda na miniówki przeżywa swój szczyt, Juan Pablo nie wie już, za kim się oglądać. Przechodzące obok ich stolika Francuzki zatrzymują się, by posłać mu uśmiech.

W Maxim's Lupe Marín zamawia kurczaka w koszyczku z ciasta, a jej wnuczek *fondue*. Ciekawi ją bejsbol: „Najlepszy jest Jorge Orta z Sinaloa". Odziedziczyła to zainteresowanie po Jorge Cuescie, który był tak zagorzałym kibicem, że słuchał w radiu relacji z meczów. Nie bacząc na Francuzki flirtujące z Juanem Pablem, Lupe mówi o kobietach jako o grubych meksykańskich krowach. Krytykuje niemal wszystkich. Juan Pablo śmieje się z tych komentarzy, ale przeszkadza mu jej pogardliwy ton:

– Guagua dla ciebie wszyscy są kurduplami, Cyganami, chamami, tłukami, gołodupcami albo pedałami… A przecież sama masz wielu przyjaciół homoseksualistów…

Lupe posyła mu wściekłe spojrzenie.

– Owszem, ale jak wypadają z moich łask, nazywam ich pedziami.

Po obiedzie i kinie wracają spacerem przez rue Royale do hotelu; ona robi sobie sjestę, która przeciąga się aż do nocy. O ósmej Juan Pablo puka do drzwi jej pokoju.

– Guagua, idziemy na kolację.

– Nie, lepiej tu zostanę…

– Co będziesz jeść?

Lupe otwiera torbę i pokazuje mu pół kurczaka w koszyczku z ciasta owiniętego w papierową serwetkę:

– Ale numer! Kiedy go zapakowałaś?

– Jak poszedłeś do ubikacji.

Po powrocie do Meksyku Lupe dowiaduje się, że *Diegada* i inne satyry Salvadora Novo zostały znów wydane i wszyscy je sobie polecają: „Diega i Lupe wdeptuje w ziemię". „Ten Novo wszystkim poukręcał główki, nikt nie uszedł z życiem".

Jest wściekła, pisze list otwarty i zanosi do redakcji pism „El Universal", „Excélsior", „El Nacional" i „El Día". Każe wydrukować dwa tysiące ulotek. Dzwoni do wnuków i oświadcza kategorycznie: „Każdy z was weźmie jedną paczkę i rozda w Zona Rosa".

Najbardziej nieśmiały z wnuczków Juan Pablo ma wątpliwości: „Ale jak to, Guagua? Nie umiemy robić takich rzeczy". „Nie bądź głupi, po prostu każdemu, kto będzie przechodził, podasz ulotkę". Pomysł babci wprawia w przerażenie Juana Pabla, Diega Juliána, Pedra Diega i Juana Coronela. Lupe krzyczy na nich: „Na co czekacie? Każdy ma sobie wybrać ulicę: Juan Pablo – Niza, Diego Julián – Amberes, a ty Paseo de la Reforma, no już biegnijcie, na co czekacie…?".

Jakiś człowiek zaczyna czytać ulotkę, którą wręcza mu Juan Coronel, i patrzy na niego zdumiony. „Co to ma być, chłopcze? Kto ci kazał to rozdawać?" „Moja babcia", odpowiada zażenowany Juan.

Miasto Meksyk, luty 1971

List otwarty i obiegowy do Salvadora Novo

Nie sądź, że zwracając się do Ciebie, użyję języka wulgarnego i obraźliwego, jakiego zapewne się spodziewasz. Nie! Pozostawiam tę przyjemność Tobie i markizowi de Sade'owi, którego twórczość zawsze Cię inspirowała.

Wiesz doskonale, że po przeczytaniu Twojej *Satyry* mam pełne prawo zmieszać Cię z błotem. Ale nie, Salvadorze, nie zrobię tego, by nie dawać złego przykładu rodakom i moim potomkom. Mimo to w jakiś grzeszny sposób pragnę z całej duszy, byś nie zszedł z tego świata, nim nie zapłacisz za swoje oszczerstwa i potwarze.

Jakże niesprawiedliwe byłoby, gdybym umarła, nie wiedząc, co o mnie, moich córkach i Diegu ośmieliłeś się napisać. Och, pewnie nawet nie przypuszczasz, że działasz na własną szkodę; a to dlatego, że jesteś głupim egoistą i libertynem. Cieszę się także, że żyje jeszcze kilku członków mafii Contemporáneos, która zmusiła swojego lidera, żeby się powiesił i wyłupił sobie oczy. Wiem, czemu tak bardzo nie znosili Diega Rivery: ponieważ jego dzieło i życie nie były dziełem i życiem kastrata, ponieważ zawsze miał dla swego ludu przesłanie pełne miłości, które wywołało oddźwięk na całym świecie. Sam wiesz najlepiej, że jeśli nawet niektórzy z Contemporáneos pożenili się, to tylko po to, żeby się załapać na ciepłą posadkę, co im się udało, i to jeszcze jak! Wielu z nich porobiło ministerialne kariery. I powiedz mi, Salvadorze, co dobrego wynikło z ich życia? Ty sam, jako kronikarz miasta, stanowisz pierwszą obrazę i przekleństwo dla prostego, skromnego ludu. Skąd ta powierzchowna krytyka naszego prostego i ubogiego życia w Mixcalco, gdzie przesiadywałeś całymi dniami? A może nie wiesz, że kto żyje szczerze, nigdy nie jest kiczowaty? Kiczowaty jesteś ty i twoi przyjaciele, gdy spotykacie się na obiedzie i gadacie wyłącznie o importowanych winach i serach. A co do grafomańskiej twórczości waszej mafii, myślę, że powinniście przeczytać, co pisze piętnastoletnia wnuczka Diega Rivery, żeby nauczyć się, czym jest poezja. Nie wiem, co poczęłaby Twoja biedna matka, gdyby się dowiedziała, że jej syn jest szaleńcem, plugawym oszczercą, najemnikiem i godną politowania kreaturą. Pamiętaj, że aż po kres moich dni będę Cię przeklinać. Guadalupe Marín.

ROZDZIAŁ 44

DIEGO JULIÁN, NAJDALSZY

Przepuścić film Marcella Mastroianniego to prawie klęska. „Jest bardzo przystojny. Myślisz, że kręci z tą cycatą Loren?", docieka Lupe Marín. Choć jej wnuczek Diego Julián podobnie jak ona uwielbia kino, Lupe nie ma do niego przekonania. Nigdy nie mówi do niego Diego Julián, zawsze tylko krótko Julián.

Drugi syn Lupe Rivery to przeciwieństwo jego brata Juana Pabla. Nosi długie włosy do ramion, chodzi w dżinsach i tenisówkach:

– Zetnij te kłaki. Co to za okropna koszulka! Nie możesz być taki jak twój starszy brat? Ogol się.

Po ukończeniu *prepy* Diego Julián wyrusza z przyjaciółmi na halucynogenne grzybki do Huautla de Jiménez w stanie Oaxaca. W efekcie którejś z delirycznych nocy burmistrz odsyła *szurniętych chłopców ze stolicy* z powrotem do domu.

– Pojechałeś ze swoimi kolesiami, prawda? Zostaniesz jeszcze większym głupkiem, niż jesteś.

– Babciu, nie wtrącaj się…

– Rozpuścisz go jak dziadowski bicz, skoro zamierzasz mu pozwalać na takie rzeczy – krzyczy na córkę Lupe Marín.

Diego Julián rusza do niej z zaciśniętą pięścią, ale powstrzymuje go Juan Pablo.

– Tylko spróbuj! Nikt w życiu mnie nie tknął. – Lupe Marín podskakuje jak na sprężynie.

Lupe Rivera robi wszystko, co może, by w niczym nie przypominać Lupe Marín. W odróżnieniu od niej jest matką-wspólniczką, która nie wtrąca się w życie swoich dzieci, a już tym bardziej w ich sprawy sercowe. Nie zwraca uwagi na dżinsowe spodnie, koszulki, muzykę i imprezy. Czekać na nich całą noc? Musiałaby upaść na głowę! Juan Pablo i Diego Julián mają swoje życie, a ona jest deputowaną i wciąż interesują się nią mężczyźni, często do niej dzwonią. Jej kalendarzyk Hermèsa wypełniają zapiski o kolacjach i koktajlach. Lata psychoanalizy nauczyły ją, że życie dla innych to aberracja. Co ma być, to będzie. „Babcia to dyktatorka", skarży się Diego Julián, leżąc na sofie u matki ze stopami opartymi na haftowanych poduszkach. „Czemu nie jest taka jak ty?" Lupe Rivera wciela w życie zasadę *niech każdy pilnuje swego nosa*. „Wiesz co? Masz gdzieś własne dzieci, a twój syn Julian to prostak", zarzuca jej Lupe Marín. „A moja babcia to wścibska zołza i ciemiężca", odgryza się wnuczek.

Lupe Marín i Diego Julián nie widują się przez rok. Kiedy Juan Pablo wspomina babci, że jego młodszy brat będzie studiował kino w Uniwersyteckim Centrum Badań Kinematografii CUEC w UNAM, Lupe dzwoni do niego, jak gdyby nigdy nic.

– Słuchaj no, przyjdź jutro na obiad.

Diego Julián widzi, że dobrze zrobił, wyznaczając granicę, ponieważ nie krytykuje już jego koszulki i długich włosów. Rozmawia z nim tylko o filmach i aktorach:

– Skąd ty tyle wiesz, babciu?

– Bo nie przepuszczam żadnej premiery, ale meksykańskie kino jest marne, uwielbiam za to francuskie…

– Czemu takie nabożeństwo dla Francji?

– Tam jest cywilizacja. Francja dyktuje modę całemu światu.

– Marię Félix też odrzucasz, za to, że urodziła się w Meksyku?

– O nie, ona to co innego, ale jako osoba! Jako aktorka jest beznadziejna.

Diego Julián chwali *tacos* z suszoną krewetką, którymi Lupe częstuje go w charakterze przekąski. Musi przyznać, że w domu na rogu Reforma i Insurgentes panuje porządek i czystość. Drewniany parkiet zawsze jest wypastowany, na toaletce stoi pełno importowanych perfum, a zapach rosołu z kurczaka nadaje wszystkiemu wrażenie kojącego bezpieczeństwa. „Gdyby nie obrażała się tak łatwo…"

Juan Pablo, najstarszy wnuk, nie osądza babci, zawsze jej ustępuje. „Oj tak, Guagua i jej pomysły!" Diego Julián pod wpływem matki zajmuje pozycje obronne, gdy tylko wkracza do salonu Lupe Marín. Zachowuje czujność, przygotowując się na atak, który nieodmiennie nadchodzi spomiędzy ciemnych warg Coatlicue[65].

– Wszyscy Meksykanie to łachmaniarze i obszarpane paszczury, które migają się od pracy i nie umieją się ubrać. Powinni pojechać do Paryża, żeby zobaczyć, na czym polega życie.

Diego Julián zabija czas, kartkując czasopismo „Elle", które Lupe prenumeruje. Uwielbia przyglądać się modelkom w bieliźnie: „Na co tak się gapisz?", strofuje go babcia.

Od kiedy matka rozwiodła się z Ernestem Lópezem Malo, Diego Julián odwiedza ojca co weekend. López Malo dobrze się bawi, słuchając opowieści syna o Lupe Marín, ale kiedy ten mówi o niej *wścibska baba*, poprawia go. „Twoja babcia przerasta wielu innych". „Babcia sądzi, że w Meksyku nie pracują tylko ci, którzy nie chcą". López Malo wzdycha: „Oj, ta Lupe!". Diego Julián tęskni za zapachem prażonych papryczek *chili*, chętnie by ją odwiedzał, gdyby nie była taka wybuchowa.

– Julián, chodźmy do kina – dzwoni do niego Lupe Marín i Diego Julián opowiada jej o CUEC.

– Powinieneś zrobić własny film.

– Do tego trzeba dużo pieniędzy, babciu.

Od czasów pamiętnej afery spowodowanej grzybkami w Huautla de Jiménez, Lupe wie, że Diego Julián ma całkiem inny temperament niż jej ulubieniec Juan Pablo.

Lupe Rivera wychowuje sama dwóch synów, choć Gómez Morín i López Malo płacą za ich szkołę i utrzymanie. Juan Manuel i jego rodzice mają oko na Juana Pabla i chłopak spędza wiele czasu przy ulicy Árbol w San Ángel.

– Guagua, czemu wciąż jesteś taka zacietrzewiona?

Marín wykłóca się z wnuczkami, z rodzeństwem, z którym od lat nie utrzymuje kontaktów, a przede wszystkim ze swoją córką,

---

[65] Coatlicue – aztecka bogini ziemi, życia i śmierci, przedstawiana w spódniczce z węży oraz naszyjniku z ludzkich głów i rąk. Składano jej ofiary z ludzi.

która otwarcie mówi, że matka to dla niej źródło traumatycznych przeżyć, i która radzi sobie jedynie dzięki psychoanalizie i ostatecznie dochodzi do wniosku, że jedynym rozwiązaniem jest zerwanie kontaktów z Lupe.

„Destruktywne zdolności mojej matki nie znają granic".

13 stycznia 1974 roku Lupe Marín dowiaduje się z radia o śmierci Salvadora Novo: „Wreszcie odpocznę od twojego jadu", powtarza. Prasa rozpływa się w zachwytach nad kronikarzem miasta Meksyk, co wyprowadza ją z równowagi: „Ten typek był draniem, kanalią, przydupasem", informuje wnuczka Diega Juliána.

Cztery miesiące później, 13 maja, wszystkich porusza samobójstwo Jaime Torresa Bodeta. Don Jaime pakuje sobie kulkę w skroń przy własnym biurku i nie zostawia nawet listu pożegnalnego do żony Josefiny. Wdowa po nim wyjaśnia: „Już tylko mną mógł komenderować". Prasa podkreśla, że był Meksykaninem uniwersalnym. „Wywindował imię Meksyku". Dwukrotny minister edukacji, któremu tak bardzo leżało na sercu nauczenie Meksykanów czytania i pisania, wieczny minister, znany ze słynnego hasła „Dwadzieścia milinów Meksykanów nie może się mylić", ambasador Meksyku w ONZ, człowiek, którego wszyscy szanowali, targnął się na własne życie.

Pomimo nalegań dyrektora Bellas Artes Sergia Galindo, Lupe odmawia udziału w uroczystościach na jego cześć. „Znałam Jaime i nic do niego nie mam, ale samobójcy mnie przerażają". Teraz ostatnim żywym członkiem Contemporáneos jest Carlos Pellicer.

Z upływem lat osiągnięcia grupy bledną. Mało kto o niej pamięta, niewielu czytuje, a liczni przyznają rację Efraínowi Huercie: „W tamtym okresie Contemporáneos byli zadowoleni z własnych osiągnięć, atakowali cały świat swoimi satyrami, uprzejmie przepraszali za wprowadzanie zamętu i mówili, że są »idealnie zsynchronizowani z rytmem południków«. Jednak w istocie ich wkład nie był aż tak znaczący. Przy swojej znajomości języków, wrażliwości i kulturze dali nam – a nadszedł już czas, by wystawić rachunek – serię prac, z których, uczciwie rzecz biorąc, jakieś dziesięć procent możemy uznać za cenne".

ROZDZIAŁ 45

RUTH MARÍA, JEDYNA WNUCZKA

Od kiedy Ruth María mieszka u Loli Olmedo, Lupe zaklina się, że więcej nie wpuści jej przez próg, ale ledwie odbiera od niej telefon, zapomina o swoich pogróżkach: „Guagua, nie mam butów". „Przyjdź jutro, pójdziemy do El Palacio de Hierro". Po drodze Lupe miesza z błotem Lolę Olmedo: „To podła suka". Ruth nie podejmuje tematu, ponieważ babcia jest ostatnią nitką, która łączy ją z matką.

– Guagua, uwielbiam cię.

– Wybierz w końcu, co chcesz kupić – odpowiada Lupe szorstko i nie pozwala się przytulić.

Żadna z nich nie wspomina o Ruth ani Rafaelu Coronelu, Lupe nie znosi jątrzenia ran.

– Przyjdź na obiad.

Jedyną wnuczkę zachwyca sposób, w jaki babcia porusza się po kuchni. Ilekroć doprawia jakieś danie lub otwiera słoiczek z przyprawami, przypomina to swoisty rytuał. Myje natychmiast po użyciu każdą łyżkę i każdy garnek, w kuchni panuje niezwykła harmonia. Lupe zdaje się oferować tu świat będący żywym obrazem powiedzenia: „Wszystko zmieści się do dzbanuszka, jeżeli tylko wiesz, jak to ułożyć". Pod wrażeniem tej atmosfery Ruth María docieka: „Guagua, wkładasz serce w gotowanie?".

– Patrz, masła używasz tylko do śmietankowych *tacos*. Zawsze stosuj oliwę, choćby odrobinę, ale oliwę, nie olej. Fasolę smażysz z mlekiem i oliwą.

– Teraz powiedz mi, jak robisz jajecznicę, bo u nikogo nie jadłam takiej dobrej jak u ciebie…

– To proste, najpierw na wolnym ogniu podgrzewasz odrobinkę oliwy. Kiedy patelnia już się nagrzeje, wbijasz jajka, jakbyś chciała zrobić sadzone, a gdy zetnie się białko, dorzucasz trochę masła. Jak się rozpuści, mielisz nieco soli i szybciutko ubijasz jajka, migusiem…

– Nie wlewasz od razu ubitych jajek?

– Nie.

Lupe wszystko robi inaczej niż reszta. Gdy Ruth pyta ją, skąd bierze się jej elegancja, Marín wstaje, podchodzi do wnuczki i zaciska jej pasek tak mocno, że dziewczynie mało oczy nie wyjdą na wierzch.

– Widzisz? Elegancja zasadza się na tym, że pasek jest dobrze zaciśnięty, a buty nieskazitelne. To właśnie elegancja: wypastowane buty i mocno ściągnięty pasek.

Przyglądanie się przymiarkom przyjaciółek: Lourdes Chumacero, Carmen del Pozo lub malarki Marthy Chapy to niezapomniana lekcja kultury. Lupe wbija szpilki: „Auć, Lupe, aj!", i udaje, że niby to przypadkiem ukłuła Lourdes Chumacero. „Stań prosto. Szyja do góry, nie garb się. Przejdź tędy, ale nie tak, wyprostuj się. Patrz, jak robi to moja wnuczka. Ruth, chodź no tutaj, no już, pokaż jej, jak się chodzi". Ruth z gracją stawia przed sobą stopy.

Sukienki, które Lupe szyje dla wnuczki, wychodzą cudownie. „Co z tobą, babciu? To boli", protestuje dziewczyna, czując ukłucie szpilki. *„Il faut souffrir pour être belle"*, oświadcza Lupe po francusku.

– Guagua, czemu szyjesz mi sukienkę o rozmiar za małą?

– Żebyś wciągała brzuch. Przy długich sukienkach wieczorowych powinnaś zebrać włosy, żeby było ci widać kark i długą szyję, która jest twoim atutem. Za dnia możesz nosić rozpuszczone włosy.

Długimi palcami Lupe zbiera włosy wnuczki. Potem Ruth czesze babcię, upina jej na karku czarny kok. „Uwielbiam twoje podkrążone oczy, babciu. Czerń włosów podkreśla ich kolor. Co za oczy! Nikt na świecie takich nie ma". „No już, już, lizusko". Wyraźnie widać, że Ruth María ją kocha, Lupe burczy coś pod nosem, by ukryć swoje uczucia.

– Już nie masz kogo kochać, co, postrzelona dziewucho? Lepiej weź się za prasowanie.

Stojąc w drzwiach, czuwa nad każdym ruchem wnuczki, która bierze w dłonie kołnierzyk sukienki.

– Ale z ciebie niezguła! No już, odsuń się. Trzeba zaczynać od spódnicy, potem posuwasz się coraz wyżej aż do kołnierzyka. Żelazko już się nagrzało? Jak byłam z twoim dziadkiem, prasowałam mu koszule, za to przy Orzeszku chodził całkiem zapuszczony...

Ruth zachwyca obraz Soriano, który Lupe powiesiła w swojej sypialni. To byk stojący w blasku reflektorów samochodu. „Tak mi się podoba, że mogę na niego patrzeć godzinami", woła Ruth.

– Pewnej nocy w drodze do Acapulco Juan i Diego de Mesa niemal rozbili się o byka, który położył się na środku szosy. Juan kierował i wywarło to na nim tak wielkie wrażenie, że byk wciąż powracał do niego w snach, a raczej koszmarach, i żeby się od tego uwolnić, namalował go. Z powodu tego byka Juan nigdy więcej nie usiadł za kierownicą!

– To poetyckie i makabryczne zarazem.

– No popatrz tylko, użyłaś słowa, które często powtarzał Cuesta: makabryczne. Co ty wiesz o poezji, Ruth?

– Guagua, już ci mówiłam, że uwielbiam poezję. Szaleję za Lópezem Velardem. Sama też piszę wiersze.

– A czytałaś *Zbrodnię i karę*? Bo zanim zaczniesz pisać, musisz poznać Dostojewskiego.

– Guagua, wszystkich pytasz, czy czytali *Zbrodnię i karę*, jakby to była jakaś Biblia.

– To dużo lepsze niż Biblia.

Ruth gładzi wytartą okładkę książki, jej strony tak sczytane, że przypominają całun, i ni stąd ni zowąd przytula babcię, równie wysoką jak ona, równie szczupłą: „No, Guagua, ty jak już czytasz, to czytasz". Ruth jest jedyną osobą, której Lupe pozwala wchodzić do pracowni krawieckiej. „Znikaj stąd", rozkazuje swojemu ulubieńcowi Juanowi Pablowi, ledwie tam zajrzy, bo przeraża ją, że mógłby czegoś dotknąć, ale ta dziewczyna to jedyne, co jej zostało po Ruth, choć nie rozumie, jak może być poetą ktoś, kto nie czytał klasyków.

– Guagua, piszę też opowiadania.

– Pokaż mi je, chcę to przeczytać.

Po tygodniu Ruth María zjawia się ze szkolnym zeszytem

i czyta jej *Śmierć króla*, tekst pełen fantazji i humoru. Lupe chwali się nim przed Marthą Chapą. Od tego momentu babcia stale dopytuje: „Zobaczmy, co przyniosłaś dzisiaj", i kiedy wnuczka wyciąga do niej zeszyt, rozkazuje: „Czytaj sama, bo ja nie mogę rozgryźć twojego okropnego charakteru pisma". Ruth María posłusznie zaczyna lekturę, a potem zgadza się powierzyć jej swój zeszyt. Lupe przepisuje opowiadanie ręcznie. Kiedy Ruth prosi o swoje kartki, babcia odpowiada twardo:

– Podarłam je.

– Guagua, to było moje opowiadanie.

– To napisz drugie.

Ruth kładzie się na łóżku Lupe lub siada u jej stóp. Staje się kimś w rodzaju Szeherezady, która rzuca czar na straszliwą sułtankę. „Masz wężowy głos". Tym sposobem babcia i wnuczka zapominają o świecie, o śmierci Ruth, samotności i cierpieniu, które każda z nich skrywa.

– Guagua, chodźmy do kina, zaproś mnie, no już.

2001: Odyseja kosmiczna Stanleya Kubricka wprawia je w entuzjazm.

– Przyjedź do Cuernavaki, Pipis.

Ruth przyjeżdża w miniówce, rozbiera się i rzuca nago do basenu. Kiedy wychodzi, zastaje Lupe z nożyczkami w ręku: właśnie tnie jej spódniczkę na kawałki.

– Co robisz? Tata przywiózł mi ją z Nowego Jorku… To jedyny prezent, jaki kiedykolwiek mi dał.

– Nie będziesz do mnie przyjeżdżała w takich szmatach.

Ruth szuka w biblioteczce *Diegady* Salvadora Novo.

– Co z tobą, smarkata? Jak mogłabym tu trzymać takie gówno? Skąd w ogóle przyszło ci do głowy przypominać mi o tym pedale? Zaraz po przeczytaniu podarłam to na kawałeczki.

– Dlaczego?

– Jak to dlaczego? Po co miałabym przechowywać taki syf?

– Nie przechowujesz listów dziadka?

– Nie. Nie pytaj tyle.

Pierś w sosie winegret to ulubione danie Ruth Maríi. Ilekroć babcia zaprasza ją na obiad, wnuczka dopytuje się o przepis: „To tajemnica". Głos Pipis w domu działa na Lupe kojąco niczym balsam, zachwyca ją obecność tej ładnej dziewczyny, która idzie drogami, którymi ona sama nigdy nie poszła, stawia kroki, których ona nie umiała postawić; rzuca się jej w objęcia, jak ona sama nigdy nie ośmieliła się rzucić w ramiona swojej matki Isabel Preciado!

„Ruth, zamieszkaj u mnie, będziesz jadła, kiedy ci pasuje, wiem, co dla ciebie dobre, spójrz na mnie. Nie musisz do nikogo chodzić, bo ludzie są źli, potrzebują cię tylko po to, by wykorzystać. Ludzie..." Lupe nie okazuje tego, ale uwielbia Ruth Maríę.

– Oj, Guagua!

Ruth już wybrała Lolę Olmedo, bardziej szykowną, bardziej światową, bardziej ugodową, jej ogromny dom, jasne pokoje pełne starych mebli, salon obwieszony obrazami jej dziadka i pełen gości, którzy zawsze ją komplementują, jaka wysoka, jaka ładna, jaka bystra, jak dobrze ubrana. Suknie z dekoltem, wysokie obcasy, szampan i czereśnie w wielkim srebrnym półmisku, prezencie od Carlosa Trouyeta. Wszyscy oddają jej hołdy. „Znałem Ruth, twoją matkę". Potwierdzają, że jest równie piękna jak ulubiona córka Diega Rivery. „Ty też byłabyś jego ulubienicą, jesteś Rivera z krwi i kości, godna swojego dziadka".

Ruth María Alvarado ma zaledwie siedemnaście lat, kiedy decyduje się zamieszkać z Lolą Olmedo. Lupe staje się szorstka, nieprzejednana niczym monolit, jej wielkie ciemne usta grożą: „Zwariowałaś do reszty! To najgorsze, co możesz zrobić, sama się przekonasz, w jakie problemy wpakuje cię ta bandziorka!". Lola stale tylko chwali dziewczynę: „Jesteś taka ładna, inteligentna, dziadek byłby z ciebie dumny, natychmiast namalowałby cię w całej okazałości; jesteś podobna do swojej matki, ach, jak bardzo Mistrz kochał twoją matkę, to była miłość jego życia, być może jedyna wielka miłość, jaką przeżył!".

Lola nie tylko dodaje jej otuchy, poza tym umie kierować ogromnym domem La Noria w Xochimilco. Jak cudownie otworzyć okno na gigantyczny zielony trawnik, po którym spaceruje sześć pawi. „Zjesz czereśni na śniadanie?" Lola to najpotężniejsza kobieta pod słońcem, a dla Ruth Maríi zgadza się na wszystko. Podnosi wzrok, by przywitać jedyną wnuczkę Mistrza – jak zwykła ją wszystkim przedstawiać – a w jej spojrzeniu jest siła i autorytet. Ruth uwielbia ludzi władczych i szykownych, zwycięzców. Kiedy malutka i o ciasno spiętych włosach Lola Olmedo gdzieś wchodzi, inni usuwają się na bok: „Lola umie żyć. U mojej Guaguy muszę chodzić spać o szóstej po południu".

ROZDZIAŁ 46

PEDRO DIEGO, MALARZ

Po śmierci matki także i Pedro Diego Alvarado nie potrafi znieść życia z Lupe Marín. Niemal równie wysoki jak jego kuzyn Juan Pablo, o szerokim odsłoniętym czole, skrywa swą nieśmiałość za uśmiechem: „Masz ręce jak Guagua", stwierdza jego siostra Ruth. Kiedy późno wstaje, Lupe sztorcuje go: „Jesteś taki sam jak Antonio Cuesta, nigdy w życiu do niczego nie dojdziesz". Woli mieszkać z ojcem, mimo że ten ożenił się po raz drugi. Nie ma odwagi przyznać się na głos, że także chciałby zostać malarzem, póki Lupe Marín nie podaruje mu albumu z rysunkami Henriego Cartier-Bressona.

– Nie możesz zostać malarzem, mając takiego dziadka! – drwi z niego Lupe.

– Nie zwracaj na nią uwagi. Pokonaj swoje obawy i jedź do Paryża – wspiera go ojciec Pedro Alvarado.

– Jesteś nikim, co będziesz robił w Paryżu? – upiera się Lupe.

Pomimo irytacji rekomenduje wnuczka Cartierowi-Bressonowi. Francuz wita w drzwiach swego domu nieśmiałego chłopaka, który słucha go we wszystkim z niezmierzonym szacunkiem. „Cartier-Bresson zrobił już wystarczająco dużo, przyjmując mnie pod swój dach". Pedro Diego stara się jak może, usiłuje być niewidzialnym i nie przeszkadzać. Uczy się rysunku w L'École des Beaux-Arts i pokazuje swoje prace Henriemu Bressonowi, ten go poprawia, doradza mu, a czasem też dodaje ducha.

Po czterech miesiącach Pedro Diego przeprowadza się do Cité Universitaire, tam znajduje go Juan Coronel: „Słuchaj, Juan, nie zamierzam się tobą opiekować. Masz tu pokój, żyj, jak uznasz za stosowne".

Młodszy brat już wkrótce włóczy się po Paryżu z poznanymi tu i ówdzie przyjaciółmi. Odkrywa uroki francuskiego wina, a imprezy kończą się o najdziwniejszych porach. Następnego dnia rano rzuca się na trawnik w Parc Monceau, by odespać kaca, ściąga koszulę; wystawia twarz do słońca, zamyka oczy, gdy nagle, ku swojemu przerażeniu słyszy głos babki, który spada na niego niczym grom z jasnego nieba, bo przyjechała z Meksyku bez uprzedzenia:

– Obmierzły kloszard z ciebie! To po to tu przyjechałeś? Dziadek w twoim wieku był już kubistą. Gdy zobaczyłam cię wyciągniętego na tym trawniku, przeżyłam najgorszy wstyd w moim życiu! Pewnie jesteś jeszcze ujarany!

– Guagua, uspokój się. Kiedy przyjechałaś?

– Nie twój interes, natychmiast porozmawiam z twoim ojcem.

Lupe obraca się na pięcie i zostawia go przerażonego. Kiedy Juan wraca do siebie, dozorczyni informuje go, że ojciec zostawił mu wiadomość: „Zadzwoń do mnie natychmiast".

– Co ty wyrabiasz, wałkoniu? Zaraz jutro wracasz do Meksyku.

– Rafael, nic takiego się nie stało, Guagua przesadza.

– Jutro chcę cię tu widzieć.

Juan wraca do Meksyku, Lupe uspokaja się: „Dzięki temu zacznie się uczyć, zamiast szwendać się jak włóczykij".

Teraz pora zająć się drugim wnuczkiem, wnuczkiem fantastą, który próbuje zostać malarzem. Chodzi z nim po Luwrze, a przez dwa następne dni zwiedzają kolejne galerie sztuki. Ledwo wchodzą, wszystkie spojrzenia koncentrują się na Lupe, marchandzi pytają, kim jest. Zdobywa teren elegancją i pewnością siebie, komentarzami. Ludzie milkną, by posłuchać.

Wnuk odkrywa nieznaną mu dotychczas twarz Lupe: jej artystyczną wrażliwość. „Babcia wie, o czym mówi". Tyle się nasłuchała od Diega, że teraz zna na wylot Cézanne'a, bez problemu objaśnia fakturę jego martwych natur; rozważa, jak bardzo van Gogh zależał od brata Thea i jak opiekował się nim doktor Gachet. Lupe nie lubi dekadencji Gustave'a Moreau, a u Matisse'a nic prócz *Żółtej firanki* nie budzi jej zainteresowania.

Odwiedzają Jeu de Paume, gdzie wybierają salę impresjonistów: „Pokażę ci czerwonego psa", mówi i sadza go przed obrazem Gauguina. „Tutaj przeszkadza światło z korytarza, stań dalej". Pedro Diego trwa godzinami przed *Domem powieszonego*. Jak to możliwe, że taki zwykły domek może być tak wymowny? Mogłoby go namalować dziecko. To pewnie dlatego, że każdy myśli o wisielcu.

– Widzisz, ten obraz wpłynął na Siqueirosa.

– Nie widzę tu żadnego podobieństwa z Siqueirosem.

– Może wydaje ci się to dziwne, ale zapewniam cię, że na niego wpłynął.

Dzięki bajecznemu stypendium Televisy Juan Soriano mógł kupić sobie dwa mieszkania przy Boulevard Bonne Nouvelle, które jego kochanek Marek Keller zmienił w prawdziwy pałac. Operatywność Marka nie zna granic. Murarze sprowadzeni z Warszawy, Krakowa, Sopotu burzą ściany, montują podwieszane sufity, wybijają nowe okna, zmieniają maleńkie pokoiki w sale balowe. Strategiczny talent Marka nie ma sobie równych, a polscy robotnicy – dużo tańsi niż francuscy – wykonują jego polecenia co do joty.

Soriano zaprasza Pedra Diega i chwali się portretem nagiego Marka przywiązanego do pala na środku areny do walki byków: „O rany, Guagua, same gołe Marki! Nie wiem, co w tym takiego ciekawego".

Niczym wytrawny strateg Marek wie, kogo zapraszać i kogo fetować, czaruje potencjalnych kupców, a przede wszystkim umie inkasować. Wcześniej Juan Soriano gotów był wymienić swój obraz za sweter. „Nie, Juan, już nie. Nic z tych rzeczy, że ty mnie namalujesz, a ja ci podaruję moje stare majtki".

Pedro Diego odprowadza Lupe na piechotę do hotelu przy Godot de Mauroy, bo lubi spacerować. W mieście Meksyk też chodził z Paseo de la Reforma na targ Juárez i do przyjaciół w koloniach Roma czy Condesa, a nawet jeszcze bardziej oddalonych jak Coyoacán. Za to żeby dostać się do Monte de Piedad przy Zócalo, korzystał z transportu publicznego.

– Zakoleguj się z Soriano, on jest świetny w dziedzinie public relations – doradza Lupe Pedrowi Diegowi.

– To Marek jest w tym dobry, Guagua. Podziwiam Juana, ale to, co maluje teraz, to jakieś bzdury.

– Nieważne, po prostu się z nim zakoleguj.

– Chyba nie potrafię zbliżyć się do kogoś, kto mnie nie pociąga.

– Nie dość, że pretensjonalny, to na dobitkę jesteś jeszcze głupi – irytuje się Lupe. – Za kogo ty się uważasz? Za Diega Riverę?

– Nie jestem Diegiem Riverą, ale mam swoje zdanie i nie jestem też idiotą.

Nie odzywają się więcej aż do hotelu, ale kiedy Lupe już niemal zasypia, w jej pokoju dzwoni telefon: „Wybacz mi, Guagua".

Lupe wraca do Meksyku. Ku zaskoczeniu Pedra Diega dwa tygodnie później dzwoni do niego Aline Mackissack, córka Chaneki Maldonado: „Przywiozłam ci pieniądze od babci". Przez cztery miesiące otrzymuje koperty z banknotami, aż wreszcie w ostatnim liście Lupe pisze: „Pamiętaj, że nie będę ci dłużej wysyłać pieniążków, bo nie mam już więcej obrazów Soriano na sprzedaż".

Dwa lata później Pedro Diego wraca do Meksyku z własną techniką malarską, doskonałym opanowaniem koloru i wyraźną skłonnością do kwiatów i owoców. Wynajmuje sobie pokój przy ulicy Congreso w Tlalpan. Gabriela Orozco, córka jego ciotki Maríi Marín i Carlosa Orozco Romero, proponuje mu wystawę w swojej galerii.

– Strasznie się denerwuję – wyznaje kuzynce Gaby.

Zaprasza babcię i przyjaciół. Pełen entuzjazmu przyjmuje propozycję reportera z „El Excélsior", który obiecuje opublikować wywiad, jednak następnego dnia nagłówek w gazecie wprawia go w osłupienie: „Wnuk Diega Rivery też maluje". Co za kubeł zimnej wody! A więc tylko tym jest? *Wnukiem?* Pomimo wszystkich ostrzeżeń Lupe dopiero teraz dociera do niego brutalna prawda.

U Henriego Cartiera-Bressona w Paryżu nikt nie kojarzył go z Diegiem; w Meksyku jest *wnukiem*. Czy warto się przy tym upierać? Przypomina sobie, że Ruth powiedziała kiedyś: „Nic nie wyrasta w cieniu wielkich drzew".

– Nie upadaj na duchu – pociesza go Lupe. – Już obrałeś kierunek i zrobiłeś dobry początek. Jak zaczniesz się przejmować tym, co mówią, nigdy do niczego nie dojdziesz. W Meksyku będą wychodzili z siebie, żeby cię zniszczyć, ten kraj to kłębowisko żmij i skorpionów.

– Dlaczego?

– Huitzilopochtli[66]. Taki właśnie jest Meksyk. Zapewnił mnie o tym młody powieściopisarz Carlos Fuentes. Ledwo uda ci się wyróżnić, ledwo się wychylisz ponad przeciętność, wczepiają się w ciebie szczypce raków, żeby ściągnąć cię w dół. Opowiadał mi, że w czasie kiedy w Europie i Stanach Zjednoczonych traktowany jest po królewsku, tu wciąż próbują rozszarpać go na strzępy.

Babcia i wnuczek rozprawiają też o butach Bally'ego, które Lupe ubóstwia, a do których on również powinien się przekonać. Rozmowa krąży wokół tego, jak należy się ubierać, jak prowincjonalna jest Meksykolandia, gdzie ograniczone Meksykanki częstują wszystkich swoim rosołkiem z kluseczkami. Jakie to wszystko ciemne, jakie pretensjonalne! „Popatrz tylko na kuchnię francuską, ile wyrafinowania, ile wieków kultury stoi za każdym daniem".

– Och, babciu! Ja tam uwielbiam *mole* z czystej papryczki *cascabel*.

– W ten sposób daleko nie zajdziesz.

– Guagua, twoja kuchnia jest taka pyszna, że przywodzi mi na myśl malarstwo Carlosa Méridy.

– Carlos Mérida? Niech Bóg broni!

– No bo on w kilku liniach mówi wszystko, tak jak ty za pomocą dwóch lub trzech przypraw.

Pedro Diego pyta ją o zdjęcie, jakie Cartier-Bresson zrobił jej kiedyś nago, z tyłkiem na wierzchu. Lupe denerwuje się:

– On ci to powiedział? Co za plotuch!

– Ależ Guagua, przecież to było sto lat temu, pokaż mi je!

– Oszalałeś, podarłam to.

Teraz ma już ponad siedemdziesiąt lat, niemal dorosłe wnuki, hamuje ją wstyd, jakiego wcześniej nie znała. Jej opinie zaskakują przyjaciółki. „Starość jest wspaniała, bo oddala cię od cielesnych niepokojów!" Gdy dowiaduje się, że jakaś starsza kobieta ma kochanka, wpada w gniew: „Nie pojmuję, jak te gorące staruchy mogą jeszcze zawracać sobie głowę czymś tak bezużytecznym". Sama wycofała

---

[66] Huitzilopochtli – najważniejszy bóg Azteków, którego należało karmić ludzką krwią i świeżo wyrwanymi z ludzkiej piersi sercami.

się już jakiś czas temu. Pewnego ranka po kąpieli rozchyliła szlafrok przed lustrem, spojrzała na swoje piersi, zwisające niemal do pasa, martwe komórki brzucha, zawstydzające kości talerzy biodrowych, obwisłe fałdy po bokach, nogi usiane delikatną niebieską pajęczyną i zawyrokowała swoim donośnym głosem: „Nigdy więcej żadnych mężczyzn". Stojąc nago przed lustrem, przysięgła samej sobie: „Nigdy więcej, nigdy więcej", co jednak nie przeszkodziło jej śnić, że kotłuje się na dywanie w ramionach Marcella Mastroianniego. Co za noc! Namiętność wyczerpała ją tak bardzo, że postanowiła nie wstawać z łóżka.

Pedro Diego spędza większość czasu w mieszkaniu babci przy Paseo de la Reforma lub w jej domu w Cuernavace. Opowiada Lupe o Sylvie, dziewczynie, z którą związał się w Paryżu, wyznaje, że umiera z tęsknoty za nią. „Dziewczyny znajdziesz sobie wszędzie", odpowiada mu Lupe. Sprzeciwiać się jej to jak narażać się na przejechanie przez walec.

– Guagua, za tydzień jadę do Paryża i chciałem się z tobą pożegnać.

– Przyjdź jutro na obiad.

Już od drzwi Lupe powtarza w kółko to samo:

– Tam zawsze będziesz tylko drugorzędnym malarzem, nigdy Diegiem Riverą…

– Guagua, daj mi spokój, nie chcę wcale być drugim Diegiem Riverą, chcę malować. Albo to uszanujesz, albo idę…

– No i świetnie, zjesz i sobie pójdziesz, bo nie chcę cię więcej widzieć.

Lupe to wysoka groźna furia. Podaje wnuczkowi *tacos dorados*[67] ze śmietaną, które on przeżuwa w milczeniu, po policzkach cieknąmu łzy. Niewzruszona Lupe nie zwraca na to uwagi. Po obiedzie zbiera ze stołu i idzie do siebie. Skonsternowany Pedro Diego zmywa naczynia, twarz ma mokrą od płaczu, nie wie, co się z nim dzieje; łzy mieszają się z mydłem, resztkami śmietany, sosem. Płyną już nie tylko z oczu, także ze skroni, niczym lepka maź ciężka od detrytu.

---

[67] *Tacos dorados* – niewielka krucha tortilla kukurydziana zwinięta w rulonik i nadziewana mięsnym farszem.

Kończy zmywać, przechodzi obok sypialni babki i widzi ją na łóżku, z rękoma skrzyżowanymi na piersi. Narzuca mu się skojarzenie z Najświętszą Panienką z Guadalupe, wydaje mu się nawet, że widzi złocistą aureolę wokół głowy. Klęka u jej stóp, prosi o błogosławieństwo, a ona patrzy na niego zdumiona.

– Wiesz co? Jorge chciał mnie porzucić i nie mógł. Wykastrował się, wyłupił sobie oczy i się powiesił.

Pedro Diego nie brał kropli alkoholu do ust, a przecież widzi ją nagle przeistoczoną w Coatlicue. Czarna poświata otacza jej leżącą sylwetkę, a straszliwy tunel pcha go ku niej, wciąga w głąb. Wszędzie wiją się węże: wężowa spódnica, węże na jej brzuchu, wypełzające z oczu, życie splecione ze śmiercią faluje w tych długich ramionach, w śniadych niekończących się nogach, w zielonych oczach grzechotnika, które właśnie go przyzywają. „Nie, babciu, nie wieszaj mnie". „Babciu, jestem młody, dopiero szukam, wyruszam w drogę, nie mogę umrzeć". Spoza Lupe słychać huk roztrzaskującej się fali, potem kolejnej, a może to odgłos opróżniającego się ciała? Pedro Diego wybiega z mieszkania, by się nie udusić, poza czasem i przestrzenią, oślepiony szlochem prowadzi auto, nie wiedząc dokąd, aż wreszcie zatrzymuje się w Chapultepec, w cieniu cypryśników przed Muzeum Sztuki Współczesnej. Sam nie wie, jakim cudem tam dotarł: „Tutaj zostanę, nie mogę oddychać".

Wchodzi do muzeum i zatrzymuje się przed *Hacjendą w Chimalpie* José Maríi Velasco. Przez ponad godzinę wpatruje się w obraz, próbuje zapamiętać każdy namalowany listek, każdą trawkę, chmurę i nagle, wcale o to nie zabiegając, wnika do obrazu. Przechodzi przez drzwi, posuwa się pomiędzy ścianami hacjendy z cegieł *adobe*, słyszy indycze *gul, gul, gul*, czuje na twarzy chłodny powiew od zaśnieżonych wulkanów. Obsesyjnie powraca w myślach do śmierci Jorge Cuesty: „Ja nie zabiję się tak jak on, nie zabiję się, nie zabiję". Słyszy głos wychodzący z wielkich ust o czarnych wargach: „Powieś się, co robisz na obliczu Ziemi?".

Po powrocie do mieszkania w Tlalpan, nie panując nad sobą, wyrzuca na patio książki, zdjęcia, obrazy, listy, pościel, poduszkę z łóżka, podpala to wszystko. Klęczy obok, dusząc się od dymu, aż wreszcie jego skarb obraca się w popiół i znika.

Światło świtu przywraca go do rzeczywistości. Wsiada do auta i szuka schronienia w kościele San Agustín de las Cuevas. Szlocha rozpaczliwie przed obrazem półnagiego Franciszka z Asyżu.

Błąka się po mieście, nie wiedząc, dokąd pójść. W Księgarni Brytyjskiej przy alei La Paz wystawiane są jego rysunki. Tam spotyka odpowiedzialne za ekspozycję Carminę Díaz de Cosío i Gabrielę Carral.

– Pedro, jesteś zielony, źle się czujesz? – Carmina jest przerażona jego wyglądem.

– Czuję się fatalnie.

W Sanatorio Cedros zakładają mu sondę do żołądka: „Ma porażenie jelita", oświadcza lekarz. Pedro Diego zwraca wszystko, co zjadł z babcią dwadzieścia cztery godziny wcześniej.

– Niczego nie strawił, ale wreszcie zareagował – uspokaja ich lekarz.

Zostaje w szpitalu. Carmina de Cosío bierze na siebie zawiadomienie Ruth Maríi – ta zjawia się natychmiast: „Co ci się stało, bracie?". Pedro Diego opowiada jej o wszystkim,

Ruth María jest wściekła na Lupe: „Przeklęta starucha!".

– Zadzwoń do Air France i odwołaj mój lot.

Serum sączy się kropla po kropli, powoli oczyszcza go z demonów.

Po trzech dniach Pedro Diego wychodzi z paskudną depresją. Za radą kuzyna Diega Juliána poddaje się psychoanalizie: „Nie może pan mieszkać sam", to pierwsze zalecenie lekarza. Diego Julián zabiera go do swojego domu na rogu Calero i Altavista w San Ángel. Towarzystwo zafascynowanego kinem kuzyna działa kojąco. „No już, zagraj mi »Lloronę«". Pedro Diego bierze gitarę pod byle pretekstem i siada koło niego; kuzyn dotrzymuje mu towarzystwa, a sam ten śpiew przynosi mu ulgę, pozwala wygrzebać się powoli ze studni strachu.

Próbuje wrócić do malowania, ale nie jest w stanie nakreślić choćby jednej linii. „Przeklęta starucha! Przepaliła mi mózg i teraz nie mam też rąk". Przyjaciele podtrzymują go na duchu. Architekt Caco Parra, który zbiera belki, żelastwo i cegły z rozbiórki, by budować niezwykłe domy, zaprasza go do Guanajuato. Tam poznaje pejzażystę Jesúsa Gallardo.

– No dalej, namaluj mi widok Guanajuato.

Lupe Marín dzwoni do niego, ale Pedro Diego nie chce podejść do aparatu: „Powiedz, że wyszedłem, na sam dźwięk jej głosu gorzej się czuję".

Dwa miesiące później to jego babcia jedzie do Francji. W Paryżu Lupe informuje Cartiera-Bressona i wszystkich przyjaciół, że Pedro Diego się pogubił i nigdy już nie przyjedzie.

Po powrocie do Meksyku zaprasza wszystkie wnuki do swojego domu w Cuernavace, by dać każdemu prezent z podróży, co stało się już tradycją. Pedro Diego nie chce przyjść i Diego Julián przynosi mu album Modiglianiego.

– Masz, chciałem go sobie wziąć, ale babcia powiedziała, że to dla ciebie, bo jesteś malarzem.

– Noż kurna! W końcu przyjęła do wiadomości moje powołanie.

Podarunek oznacza zawieszenie broni. Dzwoni do niej, żeby podziękować: „Przyjdź jutro". Zgodnie ze swoim zwyczajem Lupe traktuje go, jakby nic nie zaszło. Pedro Diego stara się unikać tematu malarstwa, to ona podejmuje wątek:

– Słuchaj, jeśli już masz być malarzem, to bądź, ale pamiętaj, że musisz odnaleźć własny styl. Nie pozwól, by Diego Rivera cię pożarł.

ROZDZIAŁ 47

JUAN CORONEL, BUNTOWNIK

Więź Lupe z najmłodszym wnukiem jest zupełnie inna niż z pozostałymi. Juan Coronel traktuje ją jak równą sobie, podobnie zresztą jak swojego ojca, do którego nigdy nie zwraca się per tato, a zawsze Rafael. Lupe mówi do niego „Juan Coronel".

Babcia wstaje o piątej rano, parzy bardzo mocną kawę, wypija ją z dwoma rożkami „jak Francuzi" i włącza radio, żeby wysłuchać programu rozrywkowego *La tremenda corte* z kubańskim komikiem *Tres Patines*. Juan, który zwykle śpi do późna, dostosowuje się do rytmu babci. Budzić się wraz z zapachem kawy i dźwiękiem radia to miła odmiana.

– Guagua, czemu tak bardzo lubisz rożki?

– Przypominają mi croissanty, do których przyzwyczaiłam się w Paryżu.

Siadanie do kawy z babcią niemal po ciemku to coś niesłychanego. Drażni go, że Lupe każe mu ścielić łóżko, pomagać przy zamiataniu podłogi i zmywaniu naczyń, jednak kiedy słyszy wypowiedziane władczym tonem: „Łap się za szmatę", robi, co mu każe, bierze ścierkę i wyżyma ją.

Jego matce nigdy nie przyszłoby do głowy wysłać go do zmywania podłogi w kuchni lub łazience; od dziecka miał do usług nianię, szofera i służącą. Tymczasem Lupe Marín zmiata, czyści, odkurza, ścieli łóżka, pierze, chodzi na targ po zakupy i niebiańsko gotuje.

Po śmierci Ruth Juan Coronel przyzwyczaił się do samotności.

Mimo wszystko szukał i znalazł sobie pociechę poza rodziną Riverów, bo jego ciotka Lupe nie chce go oglądać nawet z daleka. Ruth María pełni rolę rodzinnej skandalistki nie tylko we wtorki, kiedy o piątej jedzą obiad u babci, lecz przez cały tydzień.

Juan Coronel odwiedza babcię i widzi dwie cedrowe komody obstawione rodzinnymi zdjęciami. Każdy wnuczek ma za zadanie aktualizować swoją fotografię w srebrnej ramce z ekskluzywnego sklepu Tane. Uwagę Juana przykuwa zdjęcie Antonia Cuesty: „A co to za jeden?". „Nie twój interes", uchyla się od odpowiedzi Lupe.

Do drzwi dzwoni listonosz, gdy tylko babcia obraca kopertę i odczytuje nazwisko nadawcy, drze list na kawałki.

– Od kogo to, Guagua?

– Nie bądź wścibski.

Lupe idzie do kuchni, a Juan Coronel bierze kopertę i na strzępku papieru czyta: „Lucio Antonio Cuesta". Pyta o niego Diega Juliána. „Aaa, to ten syn babci z Jorge Cuestą".

A więc babcia miała jakiegoś innego męża poza Diegiem Riverą? Kim jest ten Cuesta? Czemu nikt nigdy o nim nie wspomina? Wraca do tematu z Diegiem Juliánem, kuzynem, z którym najlepiej się rozumie. „Nie wiem zbyt wiele, babcia wyszła za ojca Antonia, potem się rozstali, a on popełnił samobójstwo". Pyta swojej siostry Ruth: „Wiesz coś o Jorge Cuescie?". „Nie wspominaj o nim przy babci, bo cię przegoni". Czemu tyle tajemnic? Jego nauczyciel z *prepy* okazuje się jeszcze bardziej powściągliwy: „To przeklęty poeta, zajmij się lepiej kim innym".

Juan Coronel nie daje za wygraną i obsesyjnie szuka wierszy Cuesty. Wreszcie trafia na cienki tomik, jeszcze nawet nie rozcięty. „Jorge Cuesta urodził się 22 września 1903 roku w Córdobie w stanie Veracruz. Zmarł w mieście Meksyk 13 sierpnia 1942 roku. Studiował chemię. Należał do grupy literackiej Contemporáneos. W 1928 roku opublikował *Antologię współczesnej poezji meksykańskiej* oraz plan *Przeciwko Callesowi (krytyka art. 3 Konstytucji)*. Współpracował z dziennikiem »El Universal«, czasopismem »Examen« i wieloma pismami stołecznymi". Pierwszym nożem, jaki wpada mu w ręce, rozcina książkę. Z miejsca uwodzi go wstęp Elíasa Nandino: „Jorge Cuesta był zupełnie obojętny na potrzeby własnego ciała […].

Znalazła w nim uosobienie jakaś tragiczna postać z Dostojewskiego. Nie był stworzeniem ludzkim ani nieludzkim; raczej urazą myślącą, że świadomie depce życie".

Pierwszy wiersz wydaje mu się niezrozumiałym chemicznym wzorem. Wiele lat później na Wydziale Filozofii i Literatury jego nauczyciel Salvador Elizondo wprowadzi go w świat *Pieśni do mineralnego boga* i opowie o śmierci Cuesty z całym bogactwem chorobliwych szczegółów. Wówczas dopiero Juan Coronel zrozumie milczenie Lupe Marín i podsumuje podobnie jak Salvador: „To był najlepszy pośród Contemporáneos".

Kiedy przychodzi w odwiedziny do babci przed południem, zastaje ją siedzącą obok radia, słuchającą wiadomości.

– Guagua, może podaruję ci telewizor?

– Nie chcę ani nie potrzebuję.

Juan Coronel zapomina o telewizji i w końcu to ona sama go o nią prosi.

– A to z jakiej okazji?

– Będzie transmisja z meczu bejsbola, chcę to zobaczyć.

Juan uwielbia jej słuchać. Choć jego wujostwo Coronelowie, podobnie jak niegdyś Pedro Coronel, zajmują się krawiectwem, czuje, że to babcia wprowadza go w świat elegancji.

– Guagua, twój styl to Christian Dior?

– Jeszcze się nie zorientowałeś, że mój styl to Lupe Marín? – denerwuje się.

– Czemu używasz tych wielkich kokard przy kołnierzyku bluzek?

– Bo ludzie skupiają się na kokardzie i dzięki temu nie widzą mojego garba.

Ze względu na wysoki wzrost siostry Marín mają skłonność do garbienia się, co najbardziej rzuca się w oczy u pięknej Isabel: „Moja ciotka niemal powłóczy głową po ziemi", oświadcza Juan, ale jego babka natychmiast zmienia temat rozmowy. „Nienawidzę jej". Są na siebie śmiertelnie obrażone. Lupe nie odzywa się do Carmen ani do Maríi, żony Carlosa Orozco Romero. Juan Coronel nie może pojąć, że z dnia na dzień zerwała z siostrami wszelkie kontakty. „Takie już są kobiety z rodu Marín", kwituje.

Lupe Marín sprzedaje koleżankom biżuterię, którą wyszukuje w Monte de Piedad. Zaprasza Juana Coronela, by wybrał sobie swój pierwszy złoty sygnet. Wnuczka bawi, że babcia przykłada tak wielką wagę do ubioru lub marki zegarka: „Rolex daje ci pozycję". Choć upiera się, że jest prostaczką, z czasem Lupe stała się światową kobietą. Dobrze wie, w którym momencie zaoferować obraz Diega, szkic Fridy, lub inny Dr. Atla albo Pabla O'Higginsa, który Diego kiedyś jej podarował. Bellas Artes zakupiło za dwieście pięćdziesiąt tysięcy pesos wielki portret Diega, na którym widać go z rękoma skrzyżowanymi na kolanach. Za te pieniądze wybudowała dom w Cuernavace.

– Juanie Coronelu, sądzisz, że ktoś napisze kiedyś moją biografię?

– Pytasz mnie o to ze względu na swoją kolekcję *Słynnych malarzy i pisarzy*?

Od dziecka rozmiłowany w książkach Juan Coronel prosi Lupe o biografie malarzy. Babcia rozprawia z wnuczkiem o Diegu, van Goghu, Gauguinie i prerafaelitach. „Będę historykiem, Guagua".

Teraz przypada kolej Juana Coronela na podróż z babcią do Paryża, tak jak niegdyś pojechał Juan Pablo i Pedro Diego.

Lupe zatrzymuje się koło prostytutek przy rue Pigalle, chodzi od jednej do drugiej i doradza im swoim kulawym francuskim:

– Nie maluj się tak mocno, ten cień na powiekach cię postarza.

– *Rouge* nie pasuje do ciebie.

Dzięki Chanece Maldonado Canal 13 telewizji zaprasza ją do programu *A media tarde*, poświęconego kobietom odnoszącym sukcesy. Wystąpienie Lupe jest tak spektakularne, że stacja postanawia ją zaangażować. Telewidzowie identyfikują się z nią i program, z początku piętnastominutowy, zostaje wydłużony do czterdziestu minut. Z całkowitą swobodą, jakby znajdowała się we własnym salonie, Lupe opowiada o Diegu, swoich lekturach, ulubionych filmach, paryskiej modzie, o tym, jak dobrze umeblować dom albo jak fatalnie ubiera się taka to a taka deputowana, jaka głupiutka jest taka to a taka pisarka. Czasem podaje w prezencie przepisy. Nic nie jest w stanie jej powstrzymać, kiedy przypuszcza atak na jakiegoś polityka. Medialny geniusz, bezcenna zdobycz! Program osiąga nieoczekiwaną popularność; jest ciepły, zabawny, inny, bliski wszystkim. Jak sama Lupe.

Juan Coronel odprowadza ją do studia; Lupe doradza technikom, fryzjerkom, makijażystkom, każdemu, kto tylko stanie jej na drodze: „Musicie kupować kurczaki w Cuernavace u don Bulmara, jest najlepszy w Meksyku". Robi rzeźnikowi reklamę w swoim programie. Sprzedawca drobiu, don Bulmaro, nagle staje się sławny. Wielu widzów przeznacza jeden dzień w tygodniu, żeby wybrać się do niego po kurczaka, wyjaśniają mu, że „poleciła go doña Lupe".

Popularność wśród publiczności upodabnia ją do Diega; podobnie jak Mistrz będzie miała Meksyk u swoich stóp. Co chwila ludzie zaczepiają ją na ulicy, a coraz popularniejsza Lupe organizuje swój tydzień wokół *dnia telewizyjnego*. „Pani jest lepsza na żywo niż w telewizji".

Kiedy pada, idzie przez deszcz w płaszczu nieprzemakalnym i z parasolem, by złapać autobus przy ulicy Londrés, potem wysiada przy rynku w San Ángel i tam czeka na busa pracowników Canal 13, który wywozi ich do odległego Ajusco. Jeśli się spóźnia, pochlebiają jej wołania kamerzystów do kierowcy: „Niech pan poczeka, Lupe Marín już idzie". Jest wdzięczna, że ludzie z ekipy podają jej rękę, żeby mogła łatwiej wsiąść do busa.

Lupe wstaje wcześniej niż zwykle, by zdobyć świeżą rybę i dopiero co zerwane warzywa, które przyrządza na blaszce, bez kropli oliwy. Widzi, że Juan Coronel przybiera na wadze i strofuje go. „To świetnie, że jesteś wysoki, ale to jeszcze nie powód, żebyś się tak zapuszczał". Gdy umarła Ruth, Juan jadł z rozpaczy. Ilekroć się przytulają, wącha go: „Bardzo się pocisz, to przez twoją dietę".

Pewnego dnia w południe Juan zapomina o umówionym spotkaniu. Lupe dzwoni do niego:

– Juan Coronel?

– Tak...

– Jesteś wieprzem.

Juan Coronel rozpoznaje ją po głosie. Wie, że kiedy mówi cicho, jakby chciała się zwierzyć, oznacza to miłość; jeśli głos przybiera oficjalny ton, uwaga! Nikomu nie ufa bardziej niż babci. Przy niej trzeźwo ocenia swoją sytuację i wyznaje:

– Wiesz co, Guagua, tak się składa, że nie podobają mi się kobiety.

Wstrzymuje powietrze i zamyka oczy, pewien, że dokładnie w tym momencie nastąpi erupcja wulkanu Popocatépetl.

Reakcja Lupe wprawia go w osłupienie: „Przedstawię ci jednego znajomego".

– Nie przejmuj się, to nic takiego – przytula go.

– Nie wiem, czy mówisz to od serca, czy chcesz się zemścić na moim ojcu.

W następny wtorek Juan zastaje przy stole u Lupe Francuza świeżo przybyłego z Paryża, dziewięć lat starszego od siebie błyskotliwego erudytę: to Olivier Debroise. „Przedstawiam ci wielkiego krytyka sztuki", mówi Lupe, puszczając do niego oko. „Debroise przygotowuje książkę o twoim dziadku i jego twórczości we Francji: *Diego na Montparnasse*".

Kiedy Juan zawiadamia ojca, że jest homoseksualistą, Rafael udaje, że nie robi to na nim wrażenia. Już wcześniej kuzyni traktowali Juana Coronela z niechęcią jako tego, który dostał cały spadek, teraz spisują go całkiem na straty. Ruth María jest jedyną osobą, która odnosi się do niego jak gdyby nigdy nic. Lupe Marín prowokacyjnie zaprasza wszystkich razem na obiad, włącznie ze swoją córką Lupe, i po obiedzie przynosi dwie koszule, jedną fioletową, drugą różową:

– Juanie Coronelu, patrz, co dla ciebie uszyłam. Dokąd wybierasz się wieczorem?

– Do baru dla gejów, gdzie gra zespół rockowy.

Lupe postanawia pójść z nim do El Nueve przy ulicy Londrés w samym środku Zona Rosa, dzielnicy czerwonych latarni. Z początku przygląda się z zaciekawieniem, ale po piętnastu minutach zasłania sobie uszy: „Zabierz mnie stąd. Ogłuszy mnie ten jazgot".

ROZDZIAŁ 48

MĘDRZEC MENDOZA

W 1980 roku w wieku osiemdziesięciu pięciu lat Lupe nadal chodzi pieszo na targ i wraca z torbą wyładowaną owocami i warzywami do mieszkania przy Paseo de la Reforma. Chodzi też na piechotę do przyjaciół w kolonii Juárez. Nie utrzymuje kontaktu ze swoją starszą córką i jej drugim mężem, lekarzem Ignaciem Iturbidem, widuje ich tylko wtedy, gdy postanawiają ją odwiedzić, czyli nigdy. Nowy psychoanalityk doradził Lupe Riverze zerwanie więzów z toksyczną i skupioną na sobie matką. Lupe Marín spotyka się tylko z wnuczkami; z ich piątki najczęściej dzwoni do niej najstarszy Juan Pablo i najmłodszy Juan Coronel.

Gdyby mogła zmieść z oblicza Ziemi swojego syna Antonia, zrobiłaby to bez wahania. O jego losach dowiaduje się z ust Juana Pabla, jedynego, który jest w stanie go znieść.

Po powrocie z Europy Antonio Cuesta działał w Leninowskim Związku Spartakusa. U boku poety Enrique Gonzáleza Rojo brał udział w wydaleniu José Revueltasa z tegoż związku. Jest marksistą dogmatycznym, wręcz chorobliwym, atakuje każdego, kto osądza stalinizm i uważa, że pokonanie uznanego działacza pokroju Revueltasa to nie byle co.

Podczas kadencji Salvadora Allende Antonio jedzie do Chile, by poznać „prawdziwy socjalizm od środka". Niestety, przybywa tam na krótko przed zamachem stanu, który zmusza go do ucieczki z kraju, ale w Santiago poznaje Gracielę, zbuntowaną dziewczynę, zaangażowaną równie mocno jak on. Zakochują się w sobie i Antonio, wszechmocny, wraca z nią do Meksyku.

Aborcja, a także alkoholizm Antonia wyniszczają miłość między Gracielą a jedynym synem Lupe Marín. Od kiedy Antonio zdobył tytuł inżyniera agronoma w Chapingo, prowadzi życie cyganerii. Teraz już nigdy nie szuka pomocy u swojej matki, w potrzebie zwraca się raczej do siostry Lupe Rivery, która wyciąga go z różnych tarapatów. Przy wspólnym obiedzie rozpływa się nad zaletami *deputowanej*, a później *pani senator*, jednak kiedy sobie popije, atakuje ją: „Jesteś burżujką, pieprzoną działaczką PRI. Popierasz gówniany reżim".

– A ty jesteś obibokiem, weź się do roboty.

Antonio zdobywa posadę w Ministerstwie Reformy Rolnej w Tlaxcali i otacza się przyjaciółmi, którzy fetują go, bo płaci za kolejki. Jego nerwowy temperament kontrastuje ze spokojem Tlaxcali, prosi więc o przeniesienie do Los Mochis w stanie Sinaloa, który na równi z Bajío uważany jest za kolebkę meksykańskiego rolnictwa. Do zadań Antonia należy poświadczanie, że ziarno spełnia wymogi Ministerstwa Reformy Rolnej. Wkrótce otaczają go szczodrzy posiadacze ziemscy, którzy pielęgnują przyjaźń z nim, bo oficjalne świadectwo zapewnia im sprzedaż zbiorów. Fasola, ryż, kukurydza, sorgo, soja to uprzywilejowane uprawy. Kiedy Antonio odkrywa, że hulanki z wiejskimi magnatami są dla niego zobowiązujące, popada w konflikt ze swoim komunistycznym sumieniem: „Przyczyniam się do wzbogacenia bandy szuj".

„Jadę na Kubę robić rewolucję", oświadcza swojej siostrze Lupe, ale zapomina o podróży, bo poznaje dziewczynę z północy, Sonię López, z którą bierze ślub i ma dwoje dzieci: Jorge Vladimira i Normę Patricię.

Lupe Marín dowiaduje się przez Juana Pabla, że jedyny syn spłodził jej w Sinaloa dwoje nowych wnucząt.

– Chciałabyś ich poznać, Guagua? – pyta Juan Pablo.

– Nie.

Choć bardzo stara się odgrywać rolę mediatora między babcią i wujem, Juan Pablo ponosi na tym polu klęskę. Wysłuchuje jej racji i toleruje kaprysy: „Och, ta babcia!".

Pozostałym wnukom znoszenie Lupe przychodzi z większą trudnością. Dyskusje między babcią a Diegiem Juliánem, Pedrem Diegiem i Ruth Maríą z reguły kończą się kłótnią. „Jak ci się nie podoba, to się wynoś", krzyczy do nich. Juan Coronel ignoruje ją niczym wschodni mędrzec. Śmieje się z jej wybuchów podobnie jak z gniewu swojego ojca, ciotki Lupe Rivery, która prześwietla go wzrokiem, i w ogóle wszystkich.

Juan Coronel to jedyna osoba, której Lupe pokazuje *Diegadę*. „Zobacz, trzymałam to przez całe życie w ukryciu w szufladzie komody". Po przeczytaniu Juan stwierdza: „Kiedyś na pewno znów to opublikują". „Jak to znów? Zwariowałeś!" „No wiesz, miło tak sobie powspominać". Co za tupet ma ten chłopak! Lupe jest tak bezpośrednia, że chwilami go zachwyca, choć kiedy indziej podczas rozmowy Juan rzuca słuchawką. Z wiekiem zaczęła się nieco powtarzać i wciąż upiera się, że jej córka Lupe Rivera nie umie się ubrać. „Spójrz tylko, ma szerokie biodra, jak gąsiorek, a wciska się w takie obcisłe spódnice. Czy tego nie widzi? Perezowie Acevedo zachowują się, jakby dopiero co przyjechali z wiejskiego odpustu. Pieniądze nie ucywilizowały jeszcze żadnego Meksykanina, wczoraj poznałam kilku multimilionerów z ostatniej chwili, jeszcze im słoma z butów wystawała". Nigdy nie posuwa się do wulgaryzmów, ale śmieje się, słysząc powiedzenie: *Este es año de Hidalgo, pendejo el que deje algo*[68].

Wnuki przychodzą na obiad poruszone samobójstwem jednego ze znajomych. Lupe słucha ich w milczeniu, aż nagle odzywa się głosem kaprala:

– Juan Pablo, ty mógłbyś zażyć flakonik proszków nasennych; do ciebie, Diego Juliánie, pasuje stryczek; Juan Coronel niech strzeli sobie w łeb, oddając honor swojemu nazwisku rodem z *corrido*; ty, Ruth, podetniesz sobie żyły; ty, Pedro Diego, stale użalasz się nad sobą, więc lepiej rzuć się pod pociąg i raz na zawsze skończ to wszystko…

---

[68] Rokiem Hidalga (bohatera walk o niepodległość Meksyku) nazywany jest ostatni rok kadencji, stąd powiedzenie *Este es año de Hidalgo, pendejo el que deje algo* (Nadszedł rok Hidalga, frajer, kto zostawi coś dla innych).

Zapada grobowa cisza, wreszcie Juan Coronel uśmiecha się, a reszta wstaje od stołu oszołomiona. Sarkazm Lupe działa z chirurgiczną precyzją. Żadne nie ośmiela się już więcej wspomnieć o samobójcy.

Prócz wnuków Lupe odwiedza też malarka Martha Chapa, która ofiarowuje jej nie tylko jabłka ze swoich płócien, lecz również wielkie jabłko przyjaźni. „Owoce na tle żywych pejzaży zaspokajają wszelką potrzebę piękna. Uwielbiam odnajdywać w obrazach przyjemność i pełnię", pisze do niej Lupe z gratulacjami, choć nie bierze udziału w wernisażu i dopiero następnego dnia stawia się w galerii Lourdes Chumacero przy ulicy Estocolmo, by zobaczyć jej nowe obrazy.

„Obserwowanie, jak z dnia na dzień twoje malarstwo rośnie w siłę i dostarcza odbiorcy coraz więcej przyjemności, jak doskonalisz swój kunszt, stanowiło dla mnie cudowną niespodziankę. Od razu widać, że pracujesz z prawdziwą pasją", pisze znów do Marthy Chapy.

Relacje Lupe z Ruth przeżywają tyle wzlotów i upadków, że w młodości i towarzystwie Marthy Chapy znajduje rekompensatę. Choć Lupe upiera się: „Ja już nie chcę poznawać nowych ludzi", wciąż nie potrafi się powstrzymać przed narzucaniem innym swojej woli i gustu. „Dam wszystko, żeby poznać donę Lupe Marín", upierała się młoda kobieta malująca setki jabłek i wreszcie Lourdes Chumacero ją przedstawiła. Na pierwsze spotkanie w mieszkaniu przy Paseo de la Reforma Martha ubrała się na biało.

– Jeśli wrócisz do mojego domu w spodniach i przebrana za pokojówkę lub pielęgniarkę, nie wpuszczę cię przez próg. A skoro już przychodzisz, powinnaś coś przynieść – strofuje ją Lupe.

Od tamtej pory Martha Chapa zasypuje ją prezentami. „Boska Lupe, Lupe przecudna, Lupe śliczniutka; Lupe, kochana, przyjdź do mnie na obiad; Lupe, zapraszam cię do kina; Lupe, potrzebuję czerwonej sukni na wernisaż i tylko ty możesz mi ją uszyć. Andrés Henestrosa napisał mi wstęp. Alí Chumacero mnie uwielbia. José Luis Cuevas dzwoni do mnie bez przerwy. Dyrektor orkiestry Enrique Batiz za mną chodzi. Lupe, jakaś ty śliczna, jaka inteligentna, Lupe, bez ciebie Meksyk nie byłby taki sam".

„Nigdy więcej nie włożę spodni – nawet do malowania – bo Lupe tego nie lubi", oświadcza dziennikarzom, których zwołuje co trzy dni. Obiadami w domu Marthy, niezwykłej twórczyni przepisów na bazie kwiatów hibiskusa, kwiatów dyni, rozmarynu, bazylii i innych ziół wywodzących się z kuchni prekolumbijskiej, delektują się Andrés Henestrosa, jego żona Alfa y Cibeles, ich córka Guadalupe Amor, José Luis Cuevas, Alí Chumacero i Lourdes, wspaniałomyślna dyrektorka galerii, która wystawia Marthę Chapę i lansuje nowe wartości.

„Lupe, jesteś królową". Martha Chapa umie podejmować gości i często porzuca swoją pracownię, by pójść z Lupe do kina. Gdyby to tylko od Lupe zależało, chodziłyby codziennie, bo kino Roble, usytuowane o pół przecznicy od jej domu, powstało najwyraźniej specjalnie dla niej. „Słuchaj, na tym gigantycznym ekranie możesz wszystko dokładnie zobaczyć". Jeśli Martha ma jakieś inne zobowiązania, Lupe obraża się i nie dzwoni do niej przez tydzień.

– Przyznałaś sobie niebezpieczne prawo trwonienia mnie – odpowiada, gdy Martha pyta o powód.

Jej wnuczka Ruth jest mniej uległa: argumentuje, broni się, a jeśli rozmowa staje się zbyt cierpka, znika na całe tygodnie. Kuzyni nie wiedzą, czy się w to mieszać. „Pipis, nie podobają mi się twoi znajomi, są bardzo pospolici". „Ale to moi przyjaciele". „Mi tam wyglądają na prostaków i dzikusów". Między babcią a wnuczką wszystko może się zdarzyć. „Te przyjaźnie sprowadzą cię na złą drogę", unosi się Lupe. „To moje życie", odpowiada jedyna, bo teraz i ona jest jedyną. Jedyną wnuczką Diega Rivery.

Ruth María opuszcza La Noria i Lolę Olmedo, ponieważ Rosa Luz Alegría proponuje jej stanowisko w Ministerstwie Turystyki. Jej babcia oddycha z ulgą. Praca jest najlepszą terapią, Ruth wreszcie czuje, że ktoś ją docenia. Zadowolona z życia przedstawia turystyczne projekty pierwszej kobiecie, która zdobyła stanowisko ministra. Nauczycielka akademicka Rosa Luz jest ładna, inteligentna, atrakcyjna. Kiedy idzie korytarzami ministerstwa z wyższą od siebie, zwinniejszą i weselszą Ruth, we dwie stanowią wyborny widok.

– Patrz tylko, Guagua, mam tu program ochrony wielorybów i żółwi. Będziemy też propagować stosowanie energii słonecznej. Rosa Luz to chodzący generator energii.

– Podobno trafiła tam, bo jest kochanką Lópeza Portillo…

– Guagua, nie rozpowszechniaj plotek, zawsze mówi się takie rzeczy o kobietach, które odniosły sukces.

Lupe nie w smak są niektóre innowacje nowej minister turystyki, jak na przykład te policjantki w kapelusikach i żakiecikach, które mówią po angielsku z akcentem stewardesy, spacerują po Zona Rosa i nazywają się Jednostką Ochrony i Pomocy Turystom (UPAT). Ruth uwielbia natomiast Rosę Luz Alegríę, o której nie mówi inaczej niż *pani doktor*. Dawniej olśniła ją Lola Olmedo, teraz to Rosa Luz zawsze ma ostatnie słowo.

– Ruth, czemu pachniesz paloną słomianką?

– Guagua, nie przesadzaj, czasem wypalę sobie skręta, wszyscy tak robią.

– Nawet twoja ukochana Rosa Luz?

– Tego akurat nie wiem.

Kiedy jej babcia nazywa prezydenta *López Porpillo*[69] i robi aluzje do jego sławy don Juana, Ruth go broni.

– Guagua, tylko nie mów takich rzeczy w telewizji, bo mnie wywalą.

Z dnia na dzień Ruth María zostaje funkcjonariuszką policji i choć jednostka ochrony i pomocy turystom podlega jedynie Rosie Luz Alegríi, postanawia przedstawić się Arturowi Durazno, szefowi stołecznej policji, znanemu jako *Negro*, Czarny. Ten wita ją komplementami: „To zaszczyt mieć pośród nas jedyną wnuczkę Diega Rivery".

Ruth opowiada o tym, a jej brat Pedro Diego i kuzyni Juan Pablo i Diego Julián patrzą po sobie przestraszeni. „Nie wiesz, jak u nas jest? Zabiją cię, siostrzyczko!", denerwuje się Pedro Diego Alvarado. „Nie rób tego – nalega Juan Pablo. – To nie dla ciebie". Juan Coronel ogranicza się do lakonicznego: „Jeśli tego właśnie chcesz…".

„Wolę się z nią nie spotykać", mówi Lupe Rivera. Trzyma się jak najdalej od swojej siostrzenicy, którą uważa za worek bez dna – już jej podarowała sukienki.

---

[69] *Pillo* – łajdak, złodziej, rzezimieszek. W rzeczywistości prezydent nazywał się José López Portillo.

– Ale co, u licha, będziesz robić w tym gnieździe szczurów, z tym strasznym czarnuchem? – wkurza się Lupe Marín.

Nikt ani nic nie jest w stanie przekonać Ruth, która sądzi, że mundur odmieni jej los, przywróci wiarę w siebie i innych.

– Guagua, nie wszędzie jest korupcja, ja zamierzam pomóc Meksykowi.

Lupe przyjmuje swoje wnuki we wtorki punktualnie o pierwszej. Dwaj najgorliwsi, Juan Pablo i Juan Coronel, nie mają ustalonego dnia, bo wpadają o różnych porach. Najczęściej puka do drzwi Juan Pablo. Lupe uśmiecha się na jego widok, bo te wizyty są jej największą radością. Spóźnić się na obiad u Guaguy to wielkie *faux pas*. Jednak pewnego wtorku brakuje Ruth Maríi: „Gdzie też się podziewa ta postrzelona dziewucha?", martwi się babcia.

Wygląda przez okno wychodzące na Paseo de la Reforma, później zdaje jej się, że słyszy kroki na schodach, potem znów podchodzi do okna. Nagle Paseo de la Reforma wypełnia się motocyklistami i patrolami, które otaczają budynek. Lupe spogląda na Diega Juliána i rusza do ataku: „Co zmalowałeś? Widzisz, przyjechali po ciebie. Ta hołota przychodzi mi do domu, to już szczyt!". Chwilę później do mieszkania wkracza tryumfalnie Ruth w policyjnym mundurze, a za nią dwóch ochroniarzy, którym każe poczekać na zewnątrz: „Guagua, mam teraz poważną pracę, wszyscy tam na dole to moi koledzy".

– Zwariowałaś? O czym ty mówisz?

– To właśnie UPAT, Guagua, UPAT, a ja jestem komendantem oddziału, wszyscy, których widzisz na ulicy, są pod moimi rozkazami, dowodzę całą Jednostką Policyjną do spraw Pomocy Turystom.

– Albo jesteś zbyt naiwna, albo bardzo głupia, skoro nie wiesz, w co się pakujesz!

– Guagua, jestem głodna, nie poczęstujesz nas czymś? – uśmiecha się Ruth nieświadoma spowodowanego przez siebie zamieszania.

Pedro Diego, Juan Pablo i Diego Julián siadają. Lupe przynosi z kuchni talerze z już nałożonym daniem, na jej twarzy maluje się irytacja. „Siadaj, przez ciebie i tak wszystko się opóźniło", nakazuje wnuczce. Ruth siada jak automat. „Czy ona się naćpała?", zastanawia się Diego Julián, spec od grzybków halucynogennych.

Z Paseo de la Reforma dobiega dźwięk klaksonów, bo policja spowodowała korek.

– Idźcie już sobie – rozkazuje Lupe, która zaczyna się garbić, jakby nagle postarzała się o sto lat.

Pewnego wieczora po obiedzie Lupe proponuje Juanowi Pablowi, że dotrzyma mu towarzystwa. „Dobrze mi zrobi, jak przejdę się trochę po Paseo de la Reforma. Jedzenie mi ciąży". Widząc, jak się porusza, Juan Pablo spostrzega, że jest bardzo słaba.

– Guagua, dlaczego nie pójdziesz do lekarza?

– Bo to konowały, ja już mam swojego Mędrca Mendozę.

Jedna ze znajomych przekupek na targu Juárez poleciła jej wizytę u szamana nazywanego Mędrcem Mendozą, który przyjmuje tłumy nieopodal politechniki, na północy miasta. „Ten szaman z pomocą diety uratował wielu ludziom życie". Lupe wizyty u niego trzyma w tajemnicy, nikomu o tym nie mówi, póki Cheneca Maldonado nie upiera się, że powinna pójść do gastrologa Luisa Landy Verdugo.

– Mam już swojego doktora i swoją kurację – broni się.

Chaneca nalega tak bardzo, że Lupe opowiada jej w końcu, że Mędrzec Mendoza zdiagnozował jej chorobę trzustki i zalecił spożywanie kurzych piersi i karczochów dla oczyszczenia systemu trawiennego. „Muszę się oczyścić".

– Ale skąd wzięłaś tego Mendozę?

– Nie rozumiem, czemu mnie o to pytasz, to mędrzec, naukowiec.

Lupe przestrzega jego zaleceń co do joty. Dieta oparta na gotowanym kurczaku sprawia, że traci na wadze, jednak upiera się, że czuje się lepiej. Zaprasza wnuczków i przyrządza dla nich *tacos dorados*, *mole*, *enchiladas*, ale sama nie bierze z tego wszystkiego kęsa do ust; jej dyscyplina jest niezłomna.

– Nie możesz zjeść nawet jednego *taco*? – martwi się Juan Pablo.

Lupe niewzruszona odrywa listki ze swojego karczocha i wydziera mu serce.

ROZDZIAŁ 49

JEDYNA

„Co tu robisz?", pyta Lupe, widząc Antonia Cuestę w drzwiach domu w Cuernavace. „Przyszedłem się z tobą zobaczyć, poczęstuj mnie choć szklanką wody". „Wyglądasz jak hipis". Wysoki i pozbawiony wdzięku Antonio ma już pięćdziesiąt lat, ale w jego oczach i spojrzeniu wciąż znać porzucenie z dzieciństwa. Nim otworzy drzwi, Lupe uprzedza go: „Idę na rynek, masz dziesięć minut".

– Mogę pójść z tobą?

– Wykluczone.

Siedząc w kuchni przy filiżance kawy, Antonio streszcza klęskę swojego małżeństwa, opowiada o życiu w Tlaxcali i w Sinaloa, powrocie do DF, wierszach i powieściach, które pisze, ale przede wszystkim wychwala wdzięk swojego syna Jorge: „A nie było już innych imion, że musiałeś nadać mu takie?", strofuje go Lupe.

– Mój ojciec był wielkim poetą.

Wciąż w złym humorze Lupe słucha go niecierpliwie, wbijając wzrok w drzwi. „Przypomina Coatlicue", myśli Antonio.

– Jeśli tak bardzo ci się spieszy, mogę przyjechać w przyszłym tygodniu – proponuje syn.

– Nie ma potrzeby.

„Niepotrzebnie przyjechałem", skarży się Antonio Juanowi Pablowi. Od kiedy rozstał się ze swoją drugą żoną Sonią, pobladły Antonio przychodzi do Ministerstwa Reformy Rolnej przy ulicy Porfiria Díaza 19 w centrum Tlaxcali jedynie po to, żeby pobrać swoją dwutygodniówkę. „Już lepiej płacić mu za nic, niż żeby przychodził pijany do pracy", mówi minister do Wilebalda Herrery, również pisarza, a poza tym jednego z nielicznych przyjaciół Antonia w Tlaxcali, jednego z ostatnich, którzy go tolerują, jedynego, który słucha jego wierszy i pomaga mu, gdy zostaje bez grosza.

– Antonio, odstaw alkohol – radzi Wilebaldo.

– Potrzebuję go, żeby pisać.

Do ulubienic Lupe, prócz jej sąsiadki w Cuernavace, Lucero Isaac, i malarki Marthy Chapy, zalicza się Chaneca Maldonado: „Słuchaj no, wariatko, na ciebie nigdy się nie obraziłam, prawda?". „Bo ja nie wdaję się w spory", śmieje się Chaneca.

Wymyśla sobie także wyimaginowaną przyjaciółkę, którą nazywa *Beti Botiú*. Udaje, że poznała ją podczas jednej z podróży do Paryża, gdzie mieszka prawdziwa Betty Bouthoul: „Przedstawiłabym ci ją, ale jest u mnie tylko przejazdem, bo wybiera się do Acapulco", uprzedza Chanecę. Beti Botiú to najbardziej elegancka kobieta pod słońcem, Beti Botiú umie przyjmować gości, Beti Botiú była kochanką księcia Polignac i księcia Yorku. Siedemnaście garsonek od Chanel wisi w szafie Beti Botiú, która daje najlepsze rady...

– Dałabym wszystko, żeby poznać Beti Botiú – błaga ją Lourdes Chumacero.

Żona Fernanda Raffula, ministra rybołówstwa, dziennikarka Chaneca Maldonado propaguje *Pepepez*, pożywne hamburgery zrobione na bazie różnego rodzaju ryb.

Organizacja Narodów Zjednoczonych do spraw Wyżywienia i Rolnictwa (FAO) zaprasza żonę ministra rybołówstwa do Rzymu na rozmowy dotyczące wykorzystania takiej żywności w zwalczaniu głodu.

– Pojadę z tobą, wariatko, ale pod warunkiem, że zahaczymy o Zurych, żebym kupiła sobie buty u Bally'ego, moje nogi nie tolerują innych.

– Och, Lupe! Zachowujesz się jak María Félix, która oświadczyła, że chodzi tylko w butach od Harry'ego Winstona. Poza tym buty Bally'ego można równie dobrze kupić w Rzymie.

– Ale moja hiszpańska sprzedawczyni jest w Zurychu i obsługuje mnie tak, jak lubię. Poza tym potrzebuję takich, które pasowałyby mi do sukienki, którą sobie szyję na 15 września, bo wybieram się na *Grito* z Jorge Díazem Serrano, ostatnim prawdziwym mężczyzną, jaki został w Meksyku. Wszyscy zauważą, że mam buty z zeszłego roku.

Chaneca zmienia plan podróży, żeby zrobić przyjemność Lupe, i z Rzymu jadą do Zurychu. Lupe idzie pieszo przez całą Bahnhofstrasse do hotelu Claridge z pięcioma parami butów w lewym ręku i czterema w prawym. Nie pozwala nikomu sobie pomóc. Chaneca zabiera ją do Grossmünster, katedry wybudowanej przez Karola Wielkiego, Lupe klęka przed ołtarzem. Zaskoczona Chaneca powstrzymuje się od komentarza. Potem oglądają mecz hokeja na lodzie i pomimo zmęczenia Lupe cieszy się widokiem uskrzydlonych młodzieńców, którzy ledwo muskają podłoże. Czegoś jednak jej brak w tej podróży, Lupe nie czuje się tak szczęśliwa, jak podczas poprzednich. Przypomina sobie Ulissesa z *Circe* Julia Torriego: „[...] szedł zdecydowany się zgubić, więc syreny nie śpiewały już dla niego". Ona nie musi się już przywiązywać do żadnego masztu.

Po wyjściu stwierdza: „Oddałabym życie za jedną morelę". „Tęsknisz za owocami z Meksyku", podsumowuje Chaneca i w hotelu prosi, żeby przyniesiono im do pokoju tacę z owocami „z dużą ilością moreli". Następnego ranka zastaje Lupe w łóżku ze straszliwie podkrążonymi oczyma:

– Co ci jest, Lupe?

– Wcale nie spałam, mam biegunkę, to pewnie przez te morele.

– Załadowałaś całą tacę?

– Nie o to chodzi, martwię się, bo to czarna biegunka.

Jej zielone oczy tracą blask, patrzy podejrzliwie na wszystko, co przynoszą jej do zjedzenia, zamawia tylko gotowaną pierś z kurczaka z warzywami, denerwuje się myślą, że czeka ją ciężka noc: „Wszyscy mi powtarzają, że powinnam pić dużo wody, ale ja nigdy jej nie piję".

Chaneca doradza, żeby wróciła do Meksyku i poszła do lekarza, ale Lupe upiera się, że musi pojechać do Rzymu, bo umówiła się tam z dwiema przyjaciółkami. Kiedy przyjeżdżają na lotnisko międzynarodowe Leonardo da Vinci, żegna się i zostawia wystrychniętą na dudka Chanecę samą. Dwie eleganckie panie w euforii witają wysoką Meksykankę, która obejmuje je bez wielkiego entuzjazmu i uprzedza:

– Jestem bardzo słaba, źle się czuję.

Po powrocie do Meksyku wystawia na sprzedaż swój dom w Cuernavace i w ogóle nie wychodzi z mieszkania przy Paseo de la Reforma. Bardzo schudła, podkrążone oczy kontrastują z bladością twarzy i ukazują nieznane wcześniej zmęczenie. Wnuczki się martwią, ale Lupe uspokaja ich: „Jutro idę do lekarza”. Tak naprawdę udaje się do Mędrca Mendozy i wraca z wielką torbą herbatki z boldyny, którą powinna uzupełnić swoją dietę z gotowanego kurczaka i warzyw na parze.

– Guagua, opiekowałaś się mną, kiedy byłem mały, teraz ja będę się tobą opiekował i zobaczysz, że szybko ci się poprawi, ale musisz jeść. – Juan Pablo odwiedza ją codziennie.

– Nie jestem głodna.

Ilekroć Juan Pablo pyta ją: „Jadłaś już?”, Lupe odpowiada: „Wszystko mi szkodzi”. „Skąd wiesz, że ci szkodzi?”, docieka najstarszy wnuk. „Wszystko zwracam”, patrzy na niego z rozpaczą.

Pewnego wieczora dzwoni do Juana Coronela: „Możesz przyjść? Bardzo źle się czuję”.

– Muszę sobie zrobić lewatywę, od ośmiu dni nie byłam w ubikacji.

Młodzi patrzą po sobie zmartwieni. „Musi być zdesperowana, skoro zdecydowała się na coś takiego”, myśli Diego Julián. Lupe kładzie się na boku i wkłada sobie irygator. Przestraszeni wnuczkowie trzymają w górze torbę z wodą. Wszyscy troje czekają. Wnuczkowie pamiętają jej silne i sprężyste ciało, czują się zakłopotani, widząc, że jest tak słaba i krucha.

Lupe wychodzi z łazienki ze zmartwioną miną.

– To na nic, poszła sama woda.

– Guagua, musisz wezwać lekarza – nalega Juan Coronel.

Po powrocie z Rzymu Chaneca Maldonado stwierdza, że Lupe jeszcze bardziej skurczyła się w swoim angielskim szlafroku o męskim kroju.

– W życiu nie kupuj sobie damskiego szlafroka z falbankami, są straszne. Uznaję wyłącznie jedwabne szlafroki. Tak, wariatko, trzeba spalić wszystkie sztuczne włókna. Nosisz bawełniane majtki? Używaj tylko bawełny, jedwabiu i lnu, cała reszta to jakaś beznadzieja, a poza tym szkodzi skórze.

– Lupe, ja nigdy nie używałam szlafroka.

– To czego używasz?

– Hawajskich koszul, które nadają się też na koszulę nocną.

– O, mowy nie ma! Nie, wariatko, co za koszmar!

W kuchni Chaneca bezskutecznie szuka czegoś na kolację. „Lupe, a co z twoją służącą?" „Aj tam… Była okropna i odprawiłam ją. Nie jem też kurczaka, bo jedyny kurczak w Meksyku, który nadaje się do jedzenia, to ten od don Bulmara, a teraz nie bywam w Cuernavace".

– Nie martw się, pożyczę ci Pedra, szofera z ministerstwa, i raz w tygodniu będzie cię woził po kurczaki.

– Wariatko, to by było całkiem niezłe, ale czy ty przypadkiem nie nadużywasz władzy?

– W żadnym razie, to będzie moje pierwsze nadużycie.

Wraca z Cuernavaki z transportem piersi drobiowych i uprzedza Chanecę: „Z kurczaka powinniśmy jeść wyłącznie pierś bez skóry".

Chaneca martwi się, widząc, że Lupe coraz bardziej zapada na zdrowiu. „Ten cały Mędrzec Mendoza cię zabije". Zaprasza ją do siebie i proponuje, że załatwi jej dobrego lekarza.

Ku jej zaskoczeniu Lupe zgadza się zamieszkać przy alei Juáreza. Chaneca przygotowuje dla niej bardzo przytulny pokoik. Zaniepokojona Martha Chapa odwiedza ją często. Któregoś dnia Lupe zaskakuje je stwierdzeniem:

– Wiecie, jaka jest moja największa satysfakcja w życiu? Że byłam tą *jedyną* w życiu Diega Rivery.

– Jedyną? Przy tej całej zgrai kobiet, które przeleciał? – pyta ironicznie Martha Chapa.

– Tak, ale ja byłam jedyną, z którą wziął ślub w kościele.

ROZDZIAŁ 50

DZIEŃ OJCZYZNY

Dziewięciu siostrzeńców Fernanda Raffula delektuje się rozmową z Lupe, która ma pamięć niczym słoń. Poza tym obejrzała tysiące filmów i poznała sławy, takie jak María Félix.

– Nie wiesz nawet, ile radości sprawiają mi ci chłopcy. Mówią, że jestem kinomanką. Co to właściwie ma znaczyć kinomanka?

Lekarz zaleca szereg badań i każe Chanece zadzwonić do swojego gabinetu:

– Ma przewlekłe niedokrwienie jelit.

– Co to znaczy?

– Widziała pani flaki kurczaków, kiedy wieszają je do góry nogami u rzeźnika, żeby obeschły? Tak właśnie wyglądają jelita pani Lupe, są całkiem martwe. Nic nie da się zrobić. Pewnie byłoby lepiej, gdyby zawiozła ją pani do domu jej córki… bo ona umrze.

Jako jedyne lekarstwo doktor Landa zaleca specjalny pokarm podobny do kaszki dla niemowląt: „Ej, wariatko, co ci powiedział lekarz?", pyta Lupe niecierpliwie. „Że to postawi cię na nogi".

Chaneca zawiadamia Lupe Riverę: „Zabierz mamę, nic już nie można zrobić, jej stan jest bardzo poważny".

Kiedy Chaneca wyjaśnia jej, że to już koniec, z twarzy Małej Lupe znika nieprzystępny wyraz. Szybko ucina rozmowę: „Daj mi trzy lub cztery dni, żebym przygotowała dla niej pokój. Czy będzie potrzebne szpitalne łóżko?".

Lupe Marín prosi swojego wnuczka Juana Coronela, żeby

przechował jej biżuterię: „Jasne, Guagua, będę na nią uważał". Serdeczność wnuków przynosi jej ukojenie. Chaneca woli nie straszyć Juana Coronela i kiedy ten żegna się z babcią, wkracza radośnie do pokoju.

– Wyobraź sobie, że Lupita zabiera cię do siebie.

– Lupe, moja córka?

– Tak, Lupe, twoja córka, ponoć koniecznie musisz się do niej przenieść, bo już przygotowała ci bajeczny pokój z pościelą z najlepszej bawełny i haftowanymi poduszkami, żebyś czuła się jak królowa.

– Coś podobnego, od dawna się do mnie nie odzywała.

– Pojedziesz do niej na parę dni, a potem wrócisz do mnie.

– Słuchaj no, wariatko, myślisz, że umrę?

– Nie, kobieto, widziałam dużo ciężej chorych ludzi i nic im nie było.

– Och, bo wiesz, jak umrę przed *Grito*, to chyba się zabiję! Jorge Díaz Serrano obiecał, że wpadnie po mnie 15 września i pojedziemy do Palacio Nacional. Mam już sukienkę, buty, torebkę, wszystko.

Lupe Marín wchodzi do domu córki na własnych nogach. Jej kroki są śmiałe, ale coś w duszy już nie odpowiada. Stary dom przy ulicy Sadi Carnot w kolonii San Rafael imponuje meblami z epoki, zwiezionymi ze wszystkich antykwariatów republiki, szczególnie z San Miguel Allende. „Przecież ten dom to istne muzeum! Cud! Jaki wysmakowany! Jaka piękna łazienka mi się trafiła! Jaka wanna! Co za porcelana! To prawdziwe dzieła sztuki!" Rozmiarami pokój z białym łóżkiem o nieskazitelnych prześcieradłach przypominają jej te w wielkim hotelu w Zurychu.

– Aleś się zrobiła europejska, Lupe. Cóż za elegancja! Jakie wyrafinowanie! – wykrzykuje z wdzięcznością, a córka uśmiecha się do niej.

„Dobrze, że jest już na swoim terytorium, z córką", pociesza się Chaneca.

Guadalupe Rivera próbuje pojednać się z matką. Psychoanalityk, dzieci i przyjaciele radzą jej: „Jeśli nie uwolnisz się od urazy, jaką do niej żywisz, zawsze będzie ci to doskwierać". Widząc ją w tak kiepskim stanie, Mała Lupe robi, co może, by ją zrozumieć, ale odżywa w niej dzieciństwo i nie potrafi powstrzymać się od uwag:

– Jesteś bardzo dobrą babcią, szkoda że nie byłaś równie dobrą matką.

– Teraz, kiedy ty też jesteś matką, powiedz mi, czy uważasz, że wszystko zrobiłaś idealnie, Pico.

Od lat już nie nazywa jej Pico. Do dorosłej Ruth także nie zwracała się Chapo. Na przestrzeni lat Lupe Rivera wypracowała sobie system obronny, dzięki któremu – nie licząc setek wizyt u psychoanalityka – zdołała nabrać dystansu do trudnej sytuacji, w jakiej znalazła się jako dziecko dwóch gigantów. Jej brat Antonio nigdy nie przezwyciężył bólu odrzucenia przez matkę i podłej śmierci ojca: „Biedny Antonio, on rzeczywiście miał koszmarne życie, właściwie gorzej niż koszmarne, nawet najgorszemu wrogowi nie życzyłabym losu, jaki przypadł w udziale mojemu bratu".

Miesiąc później całkiem przytomna Lupe Marín upiera się, by przyniesiono jej z mieszkania przy Paseo de la Reforma sukienkę na uroczystość Dnia Niepodległości 15 września: „Wariatko, musisz pójść po suknię i buty Bally. Sukienka wisi w pokrowcu w szafie, buty owinięte w bibułkę leżą jeszcze w swoim pudełku. Nie zapomnij pończoch, są z Paryża, i torebki wieczorowej, tej ze złotym zamkiem". Dzwoni do Ruth i opowiada jej z entuzjazmem, że spędzi wieczór 15 września w Pałacu Narodowym z Jorge Díazem Serrano.

– To świetnie, Guagua, bo na drugi dzień będziesz mnie mogła zobaczyć z prezydenckiego balkonu na czele parady z oddziałem UPAT. Będę miała na sobie galowy mundur. Wypatruj mnie z samego przodu, z flagą.

– O mój Boże! Okropieństwo!

Doktor Landa proponuje podłączenie Lupe kroplówki, co pozwoli odwlec koniec o jakiś czas, lecz jej córka rezygnuje z podtrzymywania chorej przy życiu za wszelką cenę. Wnuki także uważają to za bezcelowe, ich Guagua i tak wygląda już jak szkielet. Juan Pablo, Diego Julián, Ruth María, Pedro Diego i Juan Coronel stale zaglądają do domu w kolonii San Rafael. Lupe siedzi prosto wsparta o swoje poduszki, choć chwilami skręca się z bólu. Jej córka Guadalupe zwalnia się z pracy i zajmuje się matką z niezwykłą cierpliwością.

W Zurychu Lupe nie chciała myśleć o śmierci, teraz przeczuwa, że umrze. Nie przepełnia jej to lękiem, raczej ulgą. Koniec końców komu jeszcze *naprawdę* na niej zależy? Czyż starość nie jest błąkaniem się po różnych zakamarkach, by wreszcie skończyć w zapomnieniu w jakimś kącie? Najlepiej byłoby przejść znów skrajem pól kukurydzy w Chapingo, wejść do kaplicy jak za pierwszym razem, owej niedzieli, kiedy Diego zaprowadził ją tam, by zobaczyła swój gigantyczny wizerunek z obnażonym brzuchem na głównym ołtarzu, panujący nad niebem i ziemią, ale teraz pozostało jej jedynie stwierdzić, leżąc na koronkowych haftowanych poduszkach: „Nie potrafię już nawet samodzielnie usiąść na brzegu tego łóżka, które tak bardzo boję się zabrudzić".

Och, gdyby była tu Ruth! Antonia Lupe wymazała ze swego życia już w chwili narodzin. „O czym myślał Jorge przed śmiercią? Czy myślał o mnie? Czy żałował, że oszalał?" Przed oczyma staje jej Diego, olbrzym, który wyciągnął ją z nędzy i zbudował dla niej ołtarz w Chapingo, bo ona, Lupe Marín, jest jedyna i zasługuje na coś więcej niż życie i śmierć w Zapotlán el Grande. Jej miejsce jest tutaj, na ołtarzu w Chapingo, z odsłoniętym brzuchem, to nagość poćwiartowanej ziemi, nagość słońca, nagość śmierci. „Tak naprawdę liczyłam się tylko dla taty".

Od kilku dni nie przyswaja już wody, ledwo rusza wysuszonymi wargami.

Głos Lupe Marín z każdą chwilą słabnie i wnuczki muszą przysuwać ucho do jej ust, by cokolwiek usłyszeć. Choć ledwie podnosi się z łóżka, nie traci swojego zmysłu krytycznego i niekiedy ich rozśmiesza. Nocami walczy z cieniami przeszłości; jej matka Isabel Preciado już jej nie odrzuca, wręcz przeciwnie, przyzywa ją: „Chodź tu. Piętnaścioro dzieci to dużo. Najwyższym, najtrudniejszym byłaś ty, Lupe. Ze wszystkich kochałaś jedynie Celsa, najstarszego, i Justynę, która nauczyła cię szyć". Isabel Preciado patrzy na nią smutnymi oczyma. „Mamo, chciałam być bliżej ciebie, dać ci coś z siebie, ale myślałam, że mnie nie kochasz". Isabel pozostaje nieustraszona, patrzy jej prosto w oczy: „Teraz rozumiem twój ból po śmierci Mariany i Celsa. Swoim milczeniem drążyłaś pustkę, która była niczym fosa dla twoich żyjących dzieci, wybierałaś te zmarłe. Utrata dziecka to najgorsze, co może spotkać człowieka, ale ty zapomniałaś o żywych".

Lupe błaga wargami spękanymi od gorączki: „Nie odchodź, mamo, spójrz na mnie, mamo, tu jestem". Prostuje się z trudem, ręce na pościeli pokrywają się zimnym potem. Całe ciało jest lodowato zimne, a don Francisco Marín nie chce jej przytulić, pyta niemal ze wstrętem: „Od jak dawna się nie kąpiesz?". „Śmierdzę? Czym cuchnę? Czemu odszedłeś, kiedy najbardziej cię potrzebowałam? Nikt mi nie powiedział, że umarłeś, czekałam na ciebie i czekałam…" Ojciec proponuje: „No chodź, przejedziemy się trochę na koniu". „Ale nie wykąpałam się". „Ależ tak, już jesteś czysta – zapewnia ją. – Skropił cię poranny deszczyk". Lupe ogarnia dziwne pragnienie i próbuje wstać, ale starsza córka ją powstrzymuje: „Poczekaj, mamo, przyniosę ci basen".

– Idź już spać, Pikulinko, ja też tak zrobię.

W pościeli przypomina sobie słowa Diega: „Jesteś jedyną kobietą, z którą ożeniłbym się po raz drugi i to przed samiutkim papieżem". Wyciąga długie ręce, by chwycić dłonie Diega Rivery, szuka ich na kołdrze, ale niczego tam nie znajduje. Czy na tym właśnie polega koniec, że niczego już nie można znaleźć?

Niczego, nikogo.

Najgorszą z jej zjaw jest Cuesta: patrzy na nią w milczeniu, krzyżując ręce na brzuchu, by nie zobaczyła ogromnej plamy krwi. „Co ci się stało? Czemu jesteś cały zakrwawiony? Gdzie twój członek? Gdzie jądra? Och, jakże uwielbiałam tę żelazną wolę, z jaką mnie posiadałeś wbrew samemu sobie, twojej siostrze, wbrew Villaurrutii, wbrew własnym rodzicom! Kochałeś mnie pedantycznie, twardo, jak wojownik, w odróżnieniu od Diega, u którego cała para szła w gwizdek! Nigdy nie śmierdziałeś potem jak Diego, nigdy nie należałeś do mas, do ludu, nie cuchnąłeś ludem, nigdy nie zatraciłeś się we mnie; wobec tego czemu? Czemu znużyłeś się sam sobą? Mierzyłeś się ze mną uzbrojony w jeden tylko sztylet, ostrze twego intelektu, a nie jak Diego, co przychodził jakby od niechcenia. To ja, to moje córki otrzymałyśmy niezmierzony skarb twojej czułości. Zabolało cię odrzucenie Pico? Nigdy mi tego nie powiedziałeś! Teraz rozumiem, ile wycierpiałeś, ale nie wiń mnie za własne szaleństwo i nie proś, bym szukała w twej poezji znaku, nie jestem wierząca, nic z tego, co napisałeś, nie było dla mnie, dlatego nigdy cię nie czytałam, nigdy nie miałam pojęcia, jakie demony wyciągałeś z takim wysiłkiem na powierzchnię, po tylu godzinach wyczekiwania. Wiem za to, że te słowa nigdy nie były dla ciebie punktem wyjścia, nigdy nie ruszyłeś do przodu ani nie wypłynąłeś na powierzchnię unoszony miłością do mnie, wolałeś przyzywać śmierć, broczyć krwią w wannie".

Tysiące źrebiąt galopują po jej zapadłej piersi, porywają ze sobą wspomnienia, wybebeszone przez upływ czasu.

„Guadalajara pachniała butami i kwaśnymi pomarańczami. Jorge mówił, że pokój pachnący pomarańczą jest prostacki. Wtedy używałam butów, z których wyrósł mój starszy brat Celso. W tamtym czasie pachniałam tylko małą dziewczynką, rozrabiałam na ulicy jak wszystkie dziewczynki skaczące przez skakankę, wymykałam się z domu przez okno i pędziłam do parku Jardín Escobedo, a moje siostry, pulpety pozbawione fantazji, skarżyły na mnie. Jedynie Celso mnie kochał, Celso, który miał być lekarzem. On nie mówił na mój widok: »Idź stąd, nie przeszkadzaj, to nie dla ciebie«. Przeciwnie, Celso powtarzał: »Na tobie moje buty lepiej wyglądają«. »Wszystkim zawadzam, Celso«. »Mnie jesteś potrzebna«. Być potrzebnym to pierwsze prawo miłości. Celso wolał mnie od innych pomimo mojego rozrabiania i wielkich stóp. Siostrom przeszkadzał mój głos, moje wielkie kroki; nic im się we mnie nie podobało, bo się bisurmaniłam. Kiedyś w desperacji powiedziałam im: »Chciałabym, żeby dokładnie w tym momencie zawalił się dach i wszystkich nas zabił«. Matka się przeraziła, lecz ja i tak dalej życzyłam im śmierci. Dlatego uciekłam z Guadalajary. Słuchaj no, Brzuchaczu, co to za modelka? Którędy tu weszła? To Włoszka? Ty ją rozebrałeś?".

– Jesteś głodna, Guagua? – pyta Juan Pablo, który siedzi na skraju łóżka.

– Co? Już jest rano? Zakonnice już poszły?

– Tu nie ma zakonnic, Guagua.

„Kiedy wysłali mnie do Colegio Tersiano w Zamorze, znienawidziłam zakonnice, bo dawały mi smętny talerz fasoli, a same jadły kurczaka. Uważasz, że taka niesprawiedliwość jest w porządku? A Mariana, moja siostra? Kiedy przyjdzie Mariana? Mogę ją zobaczyć? Mama dopiero po miesiącu powiedziała nam o jej śmierci, zamknęła się w szpitalu i poprosiła, żeby zasłonili okno: »Nie zniosę światła«, tylko tyle powiedziała. W szpitalu ulitowali się, słysząc jej błagania: »Nie chcę stąd iść, nie mogę odejść, nie mogę się ruszyć«. Zostawiałam jej koszyk z jedzeniem w korytarzu pod drzwiami i czekałam na zewnątrz. Bez jednego słowa oddawała mi pusty koszyk i zamykała drzwi. To nie mnie chciała zobaczyć, tylko Marianę. Znów wracałam z koszykiem i powtarzałam: »Mamo, spójrz na mnie, mamo, tu jestem«. Nigdy na mnie nie spojrzała. Ani jednego słowa dla mnie. Kto miał dla mnie słowo?"

„Dlaczego Lupe i Ruth się nie pokochały? Czemu nie splotły się jak dwa drzewka wokół mojego okna? Czy to Diego rozdzielił je, wybierając Ruth? Ja też nie kochałam swoich sióstr, tylko Justinę. Jako dorosła mogłabym polubić Isabel, bo była do mnie podobna, ale wdała się w romans z Jorge".

Lupe najbardziej ze wszystkiego pragnie zobaczyć Ruth, bo jej uśmiech rozświetliłby jej ostatnie dni, ile dni, wiele, wszystkie, jakie jeszcze zostały.

„Wczoraj nie przyszłaś, nie mogłam ci opowiedzieć, jak urósł i wyprzystojniał twój syn Juan Coronel. Pewnie już wiesz, że Pedro Diego jest malarzem jak mój Diego i że Ruth María już się opamiętała. Na pewno wiesz też doskonale, jak bardzo mi ciebie brak, jak mocno mnie skrzywdziłaś, odchodząc, odeszłaś za szybko, z równie frenetycznym pośpiechem, z jakim żyłaś, tak niewiele czasu mi dałaś, byłaś tylko córeczką tatusia, tylko on się dla ciebie liczył, dla niego były twoje godziny, wszystkie godziny dnia i nocy, bo zdecydowałaś się zamieszkać z nim, bez dzieci, bez męża, tylko po to, by czuwać nad jego snem i pytać o świcie: »Potrzebujesz czegoś, tato?«. Nadskakiwałaś mu! Godzinami pozowałaś z ciężkim okrągłym lustrem w rękach i nigdy nie powiedziałaś: »Tato, zmęczyłam się«. Bo jego nigdy nie miałaś dość, a mnie owszem i swojej siostry i jej ambicji również. Kiedy on umarł, nie miałaś już dla kogo żyć, ani dla swoich dzieci, ani dla mnie, ani dla siebie samej, ani dla tego pyszałka, z którym się zeszłaś".

Mała Lupe ledwo może dosłyszeć gasnący głos: „Ech, Ruth, wiesz co, twoja śmierć zabiła także mnie".

– Przynieś drugą kołdrę, chyba jej zimno – poleca Lupe Rivera starszemu synowi.

Rano 15 września 1983 roku, akurat w dniu święta narodowego, Lupe budzi się z silnym bólem we wpuście żołądka.

– Idę po księdza – mówi Guadalupe Rivera do Diega Juliána. Kiedy córka wychodzi z pokoju, Lupe Marín daje wnuczkowi znak, by się zbliżył. Diego Julián słyszy jedynie szmer, ale rozpoznaje blask w oczach. Babcia przykrywa swoimi dłońmi rękę wnuczka, która pod jej długimi palcami wygląda jak dłoń dziecka.

– Guagua – mówi po raz pierwszy w życiu Diego Julián.

Kiedy Lupe Rivera wraca z księdzem, jej matka już nie żyje. „Umarła w ramionach najmniej kochanego z wnuczków", powie po latach.

Ksiądz błogosławi skarlałą Lupe Marín. Ciało w pościeli nie ma już nic wspólnego z kobietą, która pożerała tace pełne owoców i skupiała na sobie uwagę wszystkich, gdziekolwiek się pojawiła.

Guadalupe Rivera dzwoni do męża, do Juana Pabla, Ruth Maríi, Pedra Diega, Juana Coronela i Chaneki Maldonado. W salonie pyta: „A biżuteria babci?". Inni powtarzają za nią niczym echo: „Rzeczywiście, gdzie biżuteria? Kto ją ma?". „Jest u mnie w domu", odpowiada Juan Coronel ku powszechnemu zdumieniu. „Jutro wam przyniosę". „Ale czemu ty ją masz?", pyta Lupe Rivera. „Bo mi ją dała".

Chaneca przejmuje batutę: „Trzeba znaleźć zakład pogrzebowy".

Po północy pyta:

– Lupe, co zrobisz z mamą?

– Jak to, co zrobię?

– Musisz ją stąd zabrać.

– Jak to?

– Lupe!

– Naprawdę Chaneca. Nie myślałam o tym!

– Jesteś oszołomiona czy co?

– Całkiem.

Nikt się nie rusza. Tutaj modlitwa nie ma żadnego znaczenia terapeutycznego. Jedynym, który mógłby się jej domagać, jest Juan Pablo, ale przez całe życie, od dziecka, starał się postępować taktownie.

Guadalupe Rivera przypomina sobie, że jej ciotka Carmen Marín ma kryptę na Cmentarzu Francuskim San Joaquín: „Ciociu, chcę cię prosić o przysługę, żebyś pozwoliła mi pochować matkę w twoim mauzoleum". „Dobrze. Byłyśmy poróżnione, ale to moja siostra". Czuwają przy niej w Gayosso przy ulicy Sullivan, pośród wnuków. Martha Chapa, Lourdes Chumacero, Lola Álvarez Bravo, Lucero Isaac i Concha Michel spędzają długie godziny obok katafalku. Pojawia się niewielu dziennikarzy. Juan Pablo Gómez Rivera zawiadamia Antonia Cuestę w Tlaxcali, a ten odpowiada mu ostro: „Jestem zajęty". Siostry Marín, od dawna skłócone, również się nie pojawiają.

Lupe Marín zostawia w spadku po siedemdziesiąt pięć tysięcy pesos każdemu z wnucząt, ponadto Juanowi Coronelowi zapisuje swoje książki i rzeźbę Francisca Marína: „Za te pieniądze będę mógł wydawać »El Faro«, moje czasopismo", informuje Juan swoją siostrę Ruth Marię.

Na cmentarzu San Joaquín naprzeciw krypty stoją samotnie Guadalupe Rivera i Chaneca Maldonado. Chaneca przerywa milczenie: „Pogodziłaś się z matką?". Pico-Guadalupe Rivera Marín nie słyszy jej, jest bardzo daleko stąd, uczepiona kraty ogrodzenia koło katedry, naprzeciw Monte de Piedad. Płacze ze wstydu, bo zmoczyła się w majtki. Ciemna twarz matki pochyla się nad nią: „Głupia dziewucha", jadeitowe oczy, które groziły jej przez całe życie, oślepiają ją i zmrażają w jej gardle jakikolwiek szloch. Oddycha głęboko i z trudem wydusza z siebie:

– Chodźmy. Tutaj nie ma już nic więcej do roboty.

KONIEC

WYWIADY

Guadalupe Marín Preciado†
Guadalupe Rivera Marín
Ruth Rivera Marín†
Antonio Cuesta Marín†
Juan Pablo Gómez Rivera
Diego Julián López Rivera
Ruth María Alvarado Rivera†
Pedro Diego Alvarado Rivera
Juan Coronel Rivera
Rafael Coronel
Concha Michel†
Miguel Capistrán†
Víctor Peláez Cuesta
Marduck Obrador Cuesta
Chaneca Maldonado
Jaime Chávez
Osvaldo i Lautaro Barra
Horacio Flores Sánchez
Pracownicy cukrowni El Potrero (Córdoba, Veracruz)
Javier Aranda Luna
Pável Granados
Wilebaldo Herrera
Arturo García Bustos
Rina Lazo
Martha Chapa

BIBLIOGRAFIA

Arredondo, Inés, *Acercamiento a Jorge Cuesta*, SEP/Diana, Meksyk 1982.

Blanco, José Joaquín, *La paja en el ojo*, Universidad Autónoma de Puebla, Meksyk 1980.

Bozal, Valeriano, *Diego Rivera*, Quorum, Madryt 1987.

Bradu, Fabienne, *Dama de corazones*, Fondo de Cultura Económica, Meksyk 1995.

Cardoza y Aragón, Luis, *El río. Novelas de caballería*, Fondo de Cultura Económica, Meksyk 1986.

Cuesta, Jorge, *Poesía*, Estaciones, Meksyk 1958. (Prezent od Víctora Peláeza Cuesty).

Cuesta, Jorge, *Poemas y ensayos*. Recopilación y notas de Miguel Capistrán y Luis Mario Schneider, UNAM, Meksyk 1978.

Cuesta, Jorge, *Ensayos políticos*. Introducción de Augusto Isla, UNAM, Meksyk 1990.

Cuesta Jorge, *Ensayos críticos*. Introducción de María Stoopen, UNAM, Meksyk 1991.

Cuesta, Jorge, *Obras. Trabajos literarios. Pensamiento crítico* (tom I). Recopilación de Miguel Capistrán y Luis Mario Schneider, Ediciones del Equilibrista, Meksyk 1994.

Cuesta, Jorge, *Obras. Pensamiento crítico. Epistolario* (tom II). Recopilación de Miguel Capistrán y Luis Mario Schneider, Ediciones del Equilibrista, Meksyk 1994.

Cuesta, Jorge, *Obras reunidas. Poesía* (tom I). Edición de Jesús Martínez Malo y Víctor Peláez Cuesta we współpracy z Franciskiem Segovią, Fondo de Cultura Económica, Meksyk 2003.

Cuesta, Jorge, *Obras reunidas. Primeros escritos. Miscelanea. Iconografía. Epistolario* (tom III). Edición de Jesús Martínez Malo y Víctor Peláez Cuesta we współpracy z Franciskiem Segovią, Fondo de Cultura Económica, Meksyk 2007.

De la Torriente, Lolo, *Memoria y razón de Diego Rivera* (dwa tomy), Renacimiento, Meksyk 1959.

Domínguez Michael, Christopher, *Jorge Cuesta y el demonio de la política*, Universidad Autónoma Metropolitana, Meksyk 1986.

Domínguez Michael, Christopher (redaktor), *Los retornos de Ulises*. Una antología de José Vasconcelos, Fondo de Cultura Económica/Secretaría de Educación Pública, Meksyk 2010.

Durán, Manuel, *Antología de la revista Contemporáneos*, Fondo de Cultura Económica, Meksyk 1973.

Ehrenburg, Ilya, *Las aventuras del mexicano Julio Jurenito y sus discípulos*, Traducción de Irving Zeitlin, Siglo Veinte, Buenos Aires 1945.

Espejo, Beatriz, *Julio Torri. Voyerista desencantado*, UNAM, Meksyk 1986.

Fell, Claude, *José Vasconcelos. Los años del águila (1920–1925)*, UNAM, Meksyk 1989.

Gallo, Rubén, *Máquinas de vanguardia. Tecnología, arte y literatura en el siglo XX*. Traducción de Valeria Luiselli, Sexto Piso/Conaculta, Meksyk 2014.

García Barragán, Elisa; Schneider, Luis Mario, *Diego Rivera y los escritores mexicanos. Antología tributaria*, UNAM, Meksyk 1996.

García Terres, Jaime, *Poesía y alquimia. Los tres mundos de Gilberto Owen*, ERA, Meksyk 1980.

Herrera, Hayden, *Frida Kahlo*, Diana, Meksyk 1994.

Herrera, Wilebaldo, *Jorge Cuesta y la manzana francesa*, Ediciones Rimbaud, Meksyk 2004.

Huerta Nava, Raquel, *Jorge Cuesta: la exasperada lucidez*, Conaculta, Meksyk 2003.

Kahlo, Isolda P., *Frida íntima*, Dipon, Bogota 2004.

Katz, Alejandro, *Jorge Cuesta o la alegría del guerrero*, Fondo de Cultura Económica, Meksyk 1989.

León Caicedo, Adolfo, *Soliloquio de la inteligencia. La poética de Jorge Cuesta*, Instituto Nacional de Bellas Artes, Meksyk 1988.

March, Gladys, *Diego Rivera. My Art, My Life. An Autobiography*, Dover Publications, Nowy Jork 1991.

Marín, Guadalupe, *La Única*, Jalisco, Meksyk 1938. (Prezent od Víctora Peláeza Cuesty).

Marín, Guadalupe, *Un día patrio*, Jalisco, Meksyk 1941. [dar Guadalupe Marín]

Marnham, Patrick, *A life of Diego Rivera*, Alfred A. Knopf, Nowy Jork 1998.

Monsiváis, Carlos, *Jorge Cuesta*, Terra Nova, Meksyk 1985.

Monsiváis, Carlos, Vázquez Bayod, Rafael, *Frida Kahlo. Una vida, una obra*, Conaculta/ERA, Meksyk 1992.

Monsiváis, Carlos, *Adonde yo soy tú somos nosotros. Octavio Paz: crónica de vida y obra*, Raya en el Agua, Meksyk 2000.

Monsiváis, Carlos, *Salvador Novo. Lo marginal en el centro*, ERA, Meksyk 2000.

Monsiváis, Carlos, *Historia mínima de la cultura mexicana en el siglo XX*. Wydanie przygotowane przez Eugenię Huerta, El Colegio de México, Meksyk 2010.

Novo, Salvador, *Sátira*, Diana, Meksyk 1978.

Obrador Cuesta, Marduck, *Jorge Cuesta. El rumor de su vacío*, Instituto Mexicano de Cultura, Meksyk 2013.

Orozco, José Clemente, *El artista en Nueva York (Cartas a Jean Charlot, 1925–1929 y tres textos inéditos)*. Wstęp Luis Cardoza y Aragón. Posłowie Jean Charlot, Siglo XXI, Meksyk 1971.

Ortiz de Montellano, Bernardo, *Figura, amor y muerte de Amado Nervo*, Xóchitl, Meksyk 1043.

Panabière, Louis, *Itinerario de una disidencia. Jorge Cuesta (1903–1942)*. Tłumaczenie Adolfo Castanón, Fondo de Cultura Económica, Meksyk 1996.

Poniatowska, Elena, *La arquitecta Ruth Rivera: „Durante siete años yo fui la única mujer entre varones"*, Novedades, 26 lutego 1964.

Praca zbiorowa, *Testimonios sobre Diego Rivera*. Introducción de Andrés Henestrosa, UNAM, Meksyk 1960.

Praca zbiorowa, *Historia de la pintura en Mexico* (trzy tomy), Comermex, Meksyk 1989.

Praca zbiorowa, *Los niños mexicanos de Diego Rivera*, Instituto Nacional de Bellas Artes, Meksyk 1918.

Praca zbiorowa, *Estética socialista en México. Siglo XX*, Instituto Nacional de Bellas Artes, Meksyk 2003.

Prignitz, Helga, *El Taller de Gráfica Popular en México, 1937–1977*. Traducción de Elizabeth Siefer, Instituto Nacional de Bellas Artes, Meksyk 1992.

Ramos Samuel, *Diego Rivera*, UNAM, Meksyk 1986.

Rivera Marín, Guadalupe, *Un río, dos Riveras. Vida de Diego Rivera (1886–1929)*, Alianza, Meksyk 1989.

Rodríguez, Antonio, *David Alfaro Siqueiros*, Terra Nova, Meksyk 1985.

Rodríguez Prampolini, Ida (pod redakcją), *Muralismo mexicano, 1920–1940. Crónicas* (tom I). *Catálogo razonado I* (tom II). *Catálogo razonado II* (tom

III), Fondo de Cultura Económica/Universidad Nacional Autónoma de México/Universidad Veracruzana/Instituto Nacional de Bellas Artes, Meksyk 2012.

Schneider, Luis Mario, *Dos poetas rusos en México: Balmont y Maiakovski*, SepSetentas, Meksyk 1973.

Schneider, Luis Mario, *El estridentismo. La vanguardia literaria en México*, UNAM, Meksyk 2013.

Segovia, Francisco, *Jorge Cuesta: la cicatriz en el espejo*, Ediciones Sin Nombre, Meksyk 2004.

Sheridan, Guillermo, *Los Contemporáneos ayer*, Fondo de Cultura Económica, Meksyk 1993.

Sheridan, Guillermo, *Malas palabras. Jorge Cuesta y la revista „Examen"*, Siglo XXI, Meksyk 2011.

Suárez, Luis, *Confesiones de Diego Rivera*, ERA, Meksyk 1962.

Tibol, Raquel, *Frida Kahlo en su luz más íntima*, Debolsillo, Meksyk 2006.

Tibol, Raquel, *Diego Rivera. Luces y sombras*, Lumen, Meksyk 2007.

Torres Bodet, Jaime, *La victoria sin alas. Memorias*, Biblioteca Mexicana de la Fundación Miguel Alemán A.C., Meksyk 2012.

Vasconcelos José, *Ulises criollo* (dwa tomy), Fondo de Cultura Económica/Secretaría de Educación Pública, Meksyk 1983.

Villaurrutia, Xavier, *Nostalgia de la muerte. Poemas y teatro*, SEP/Fondo de Cultura Económica, Meksyk 1984.

Volpi, Jorge, *A pesar del oscuro silencio*, Joaquín Mortiz, Meksyk 1992.

Wolfe, Bertram D., *The Fabulous Life of Fiego Rivera*, Stein and Day, Nowy Jork 1969.

Wolfe, Bertram D., *La fabulosa vida de Diego Rivera*. Traducción de Mario Bracamonte, Diana, Meksyk 1972.

Woroszylski, Wiktor, *Vida de Mayakovsky*. Wersja Isabel Fraire, ERA, Meksyk 1965.

OD TŁUMACZKI

Serdecznie dziękuję cichej ambasadorce kultury meksykańskiej Doris Téllez León za wsparcie w rozwikływaniu językowych zagadek i przenikliwość w tropieniu egzotycznych przypraw dodających smaku barwnemu życiu Lupe Marín. Bez jej pomocy niniejszy przekład byłby bez wątpienia o wiele uboższy.

Magdalena Olejnik

SPIS TREŚCI